日本の歴史　七

走る悪党、蜂起する土民

安田次郎

Yasuda Tsuguo

小学館

日本の歴史

走る悪党、蜂起する土民

第七巻

アートディレクション　原研哉
デザイン　竹尾香世子
美馬英二

凡例

- 年代表示は原則として和暦を用い、適宜、西暦を補いました。
- 本文は原則として常用漢字および現代仮名遣いを用いました。また、人名および固有名詞は、原則として慣用の呼称で統一しました。なお、敬称は略させていただきました。
- 歴史地名は、適宜、（　）内に現在地名を補いました。
- 引用文については、短歌・俳句なども含めて、読みやすさ、わかりやすさを考えて、句読点を補ったり、漢字を仮名にあらためたりした場合があります。
- 中国の地名・人名については、原則として漢音の読みに従いました。ただし慣習の表記に従ったものもあります。
- 朝鮮・韓国の地名・人名は、原則的に現地音をカタカナ表記しました。ただし、歴史的事柄にかかわる地名・人名などは漢音読みにした場合があります。
- この巻が扱っている時代の年表を巻末に掲載しました。
- 図版には章ごとに通し番号をつけ、それぞれの掲載図版所蔵者、提供先は巻末にまとめて記しました。
- おもな参考文献は巻末に掲げました。
- 五十音順による索引を巻末につけました。
- 本書のなかには、現代の人権意識からみて不適切な表現を用いた場合がありますが、歴史的事実をそのまま伝えるために当時の表記どおりに掲載しています。

1

動と静の交錯
多様化する社会と人びと

◉頸を掻かれる悪党
鎌倉時代後期には、各地に悪党と呼ばれる勢力が現われて社会をゆるがす。奈良の興福寺《こうふくじ》の軍勢によって討ち取られたこの武士は、春日社の神鏡を奪い取った悪党。（『春日権現験記絵巻《かすがごんげんけんきえまき》』）

↓10ページ

2

◉乱舞する田楽

怨霊が祟《たた》りをなし、悪霊や妖怪が跋扈《ばっこ》した中世。田楽は大きな音や激しいリズム、豪華絢爛な衣装、超人的な軽業などによって、それらの邪気を祓う芸能であった。（『浦嶋明神縁起《うらしまみょうじんえんぎ》絵《え》巻《まき》』）

↓123ページ

3

◉現代に伝わる室町の文化

田楽や猿楽は、観阿弥・世阿弥の父子によって能・狂言へと昇華される。狂言『朝比奈《あさひな》』は、寛正《かんしょう》五年（一四六四）に、演じられた記録が残る。（狂言『朝比奈』和泉流・国立能楽堂）↓262ページ

4

●唐物への憧れ

南宋の画家・牧谿法常《もっけいほうじょう》の傑作のひとつ。足利義満《あしかがよしみつ》の鑑蔵印「天山」が捺《お》されている。駿河《するが》守護の今川氏の手に渡り、のちに大徳寺《だいとくじ》に寄進されて今日にいたる。（『観音猿鶴図《かんのんえんかくず》』三幅のうちの「猿図《さるず》」）

↓289ページ

5

●禅問答

幕府の外交を担いつつ、人びとの心の拠《よ》り所となる禅。瓢箪《ひょうたん》で鯰《なまず》をどう捕まえるのか、参禅者を悟りに導くための公案を表わしたこの絵は、足利義持《よしもち》が相国寺の画僧如拙《じょせつ》に描かせた。(『瓢鮎図《ひょうねんず》』)

→289ページ

京都盆地
大坂平野

千早赤坂城郭群攻防戦

一〇〇〇人に満たない小勢で立てこもった楠木正成《くすのきまさしげ》の千早城を、攻める鎌倉幕府の大軍。『太平記《たいへいき》』によれば、その数一〇〇万。なめてかかる攻撃軍に、楠木軍は大石を落とし、藁《わら》人形を立たせて欺き、松明《たいまつ》を投げて、「水はじき（ポンプ）」で油を撒《ま》くなどの奇襲で応じた。

イラスト　藤井尚夫

6

◉繰り返される争い

一五世紀前半、幕府と鎌倉公方《くぼう》の対立をきっかけに、関東では合戦が立てつづけに起こる。幕府軍総攻撃（右）に防戦する結城勢は、このあと城に火をつけ、結城氏は滅亡する。（『結城《ゆうき》合戦《かっせん》絵巻《えまき》』）

↓255ページ

●応仁の乱の戦闘

御所周辺を中心として展開した市街戦で、京都は焼け野原になったと、公家の日記などには見える。しかし、発掘調査から応仁の乱の焼け跡と確定できる事例はないという。(『真如堂縁起《しんにょどうえんぎ》絵《え》巻《まき》』)

↓314ページ

淡路島

六甲山地
大坂湾

9

●花開く地方文化

大内盛見《おおうちもりみ》が、応永の乱で亡くなった兄・義弘の菩提を弔って造営。檜皮葺《ひわだぶき》の各層は軒が深く、風格のある美しい姿は、日本三名塔のひとつに数えられる。（山口市・瑠《る》璃《り》光寺《こうじ》五重塔）↓３４０ページ

目次

日本の歴史 第七巻 走る悪党、蜂起する土民

第六章 合議と専制 227

第八章　応仁の乱

走る悪党、蜂起する土民

はじめに

争乱のきざし

1

「頸《くび》を取る」「頸を掻《か》く」「頸を掻《か》き落とす」などという表現が『太平《たいへい》記《き》』などの軍記物《ぐんきもの》には多く出てくる。巻頭の口絵の1をご覧いただきたい。ここには、そのようなむごたらしい光景がつぶさに描かれている。

左手に太刀《たち》を持ったまま、うつぶせに倒れている血まみれの武士。その右足は、たったいま膝《ひざ》から下が薙刀《なぎなた》で切り落とされ、切り口から血が噴き出している。もはや戦闘能力をなくした哀れなこの武士の上に、烏帽子《えぼし》をつけた敵方の兵が前かがみで馬乗りになって両足で上腕《じょうわん》を踏みつけ、最後の抵抗を封じている。左手は髻《もとどり》（束ねた髪）をつかみ、右手の小刀《こがたな》は喉《のど》にあてがわれている。まさに「頸を掻く」瞬間である。

ここで頸をとられた武士の名は、池尻若王左衛門尉家政《いけじりわかおうさえもんのじょういえまさ》という。家政は大和《やまと》の悪党《あくとう》で、奈良の春日社《かすがしゃ》（春日大社《たいしゃ》）の大宮《おおみや》と若宮《わかみや》から春日明神《かすがみょうじん》のご神体である神鏡《しんきょう》をあわせて一四面、他の悪党たちとともに盗み取ったので、大和を支配する興福寺《こうふくじ》の追討《ついとう》を受けたのである。薙刀で家政の右足を切り落とした武士の右横に、視線は家政に向けながらも、体は反対方向から馬で駆けてくる武士のほうに向けている男がいる。この男は、赤い紐《ひも》のついた丸くて白いものを左手に持っている。これが神鏡である。白い袋に入れられていたのであろう。家政は、盗まれた一四面のうち三面を所持していた。正安《しょうあん》三年（一三〇一）一〇月二八日のことであった。

残りの一一面もまもなく無事に回収されたが、それらの神鏡が発見されたのは、大和では最大の

◉金銅春日神鹿御正体
春日《かすが》社の第一神殿の神である武甕《たけみか》槌命《づちのみこと》が、常陸《ひたち》の鹿島から鹿の背に乗って奈良にきたという伝承に基づく。
前ページ図版

荘園《しょうえん》とされる平田荘《ひらたのしょう》（大和高田《やまとたかだ》市・広陵《こうりょう》町・葛城《かつらぎ》市・香芝《かしば》市・御所《ごせ》市などにまたがる）ないしはその周辺の地域であった。このことから、神鏡を奪った悪党の中心は、平田荘の住民だった可能性が高いと考えることができる。

隣り合って建つ春日社と興福寺は、貴族のなかで圧倒的な勢力を誇った藤原《ふじわら》氏の氏社《うじしゃ》と氏寺《うじでら》である。神仏習合《しんぶつしゅうごう》の当時、両者は一体的な関係にあった。興福寺は比叡山延暦寺《ひえいざんえんりゃくじ》と並んで南都《なんと》北嶺《ほくれい》と称されたように、中世最大の宗教権門《けんもん》であった。その春日社のご神体＝神を家政らは盗んだのである。興福寺がその威信をかけて全力で悪党たちに反撃を加えることは、火を見るより明らかである。彼らはなぜそのような、大胆不敵というよりは無謀なことをしたのか。どうして悪党たちは興福寺を激怒させ、いきり立たせるような行動に及んだのか、その背景を少し探ってみよう。

悪党

悪党とは、ただ「悪い人」「悪者の集団」というだけでなく、鎌倉時代後半から南北朝《なんぼくちょう》期にかけての時期に社会をゆるがし、時代を大きく動かした勢力のことである。悪党の多くは、農村の領主としてそれぞれ所領を経営するほかに、金融や商業、流通や交通などにも携わる存在であった。個々の荘園や公領《こうりょう》（国衙領《こくがりょう》）の範囲を超えて、国と国との境にもとらわれずに広い範囲で活動するこのような人びとは、もともと上からの統制や支配に容易には取り込むことができない存在であった。彼らのなかには無軌道にふるまい、その結果、一般の人びとから忌《い》み嫌われて悪党と呼ばれるにいたった者も少なくなかったが、従来の支配の枠組みに収まりきらない、素直に統制に従わないゆえに、権力者や支配者から悪党とされたにすぎない側面もある。

大和《やまと》で悪党が大きな問題となったのは、中国・元《げん》が日本に攻めてきたころであった。弘安《こうあん》八年（一二八五）、興福寺《こうふくじ》は大和一国を対象として、悪党の摘発のために落書起請《らくしょきしょう》を命じた。落書起請は無記名投票の一種で、人びとに悪党を密告させるためのものである。その際、「神仏に誓って、うそ偽りなく知っていることをすべて書きます」という宣誓を書き手にさせるので、広く真実を引き出すことができると期待されたのである。このときの落書起請文は、今日わずかに三〇通あまりが残されているにすぎないが、それらのなかに「大和国高市郡《たけちぐん》増田《ますだ》池尻《いけじり》住人《じゅうにん》禅寿王《ぜんじゅおう》左衛門《ざえもん》、その弟新兵衛《しんひょうえ》等、同所若王《わかおう》、同弟観世《かんぜ》」らを「当国《とうごく》無双《むそう》の悪党、専一《せんいつ》の者也《なり》」と名指したものがある。口絵で頸《くび》を掻《か》かれた池尻若王左衛門尉家政《いえまさ》は、ここで名指しされたうちの「若王」とみられる。これら大和悪党らは、鎌倉幕府によって召し取られると、「異国征伐」、つまり元との戦闘（元寇《げんこう》）に動員される計画もあったようだが、実際に西国に送られたかどうかは定かではなく、多くは遠流《おんる》に処されたようである。

しかし、やがて彼らは配流先を脱出して大和に舞い戻り、活発に動き出した。彼らの目にあまる「狼藉《ろうぜき》」に手を焼いた興福寺は、永仁《えいにん》七年

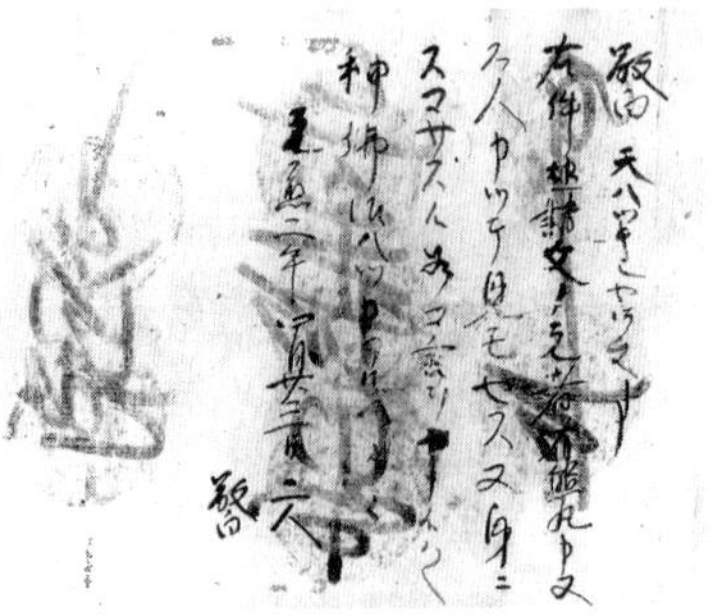

2

◉**落書起請文**（常楽寺牛玉宝印）
護符《ごふ》などとして使われ、特別な力をもつ牛玉宝印《ごおうほういん》という紙の裏に、宣誓が記されている。大書《たいしょ》された表の文字が透けている。

（正安《しようあん》元年〔一二九九〕）、ふたたび落書を行なって悪党の情報を集め、朝廷・幕府に彼らの処罰を要求する。

ところが朝廷や幕府の対応は緩慢で、二年ほどこれといった有効な手は打たれなかった。そうこうしているうちに、悪党たちが春日社《かすがしや》の神鏡を盗み出すという、とんでもないうわさが奈良に聞こえてきた。このことは、京都の貴族の日記にも記されている。

神鏡をめぐる攻防

春日《かすが》の神を神殿から盗み出すなどという前代未聞の途方もない話であったが、悪党の一味が興福《こうふく》寺《じ》や奈良のなかにもいることがわかり、ただのデマや脅《おど》しとして聞き流すことはできなかった。興福寺では学侶《がくりよ》や堂衆《どうしゆ》を動員し、さらに春日社の神官《しんかん》や神人《じにん》らを組織して社頭の警戒にあたらせた。その一方で、朝廷や幕府の迅速かつ有効な対応を求めて、正安《しようあん》三年（一三〇一）四月五日、興福寺は神木動座《しんぼくどうざ》を行なった。神木動座とは、春日明神《かすがみようじん》のご神体である神鏡を大宮・若宮の神殿から取り出して榊《さかき》の枝につけ、その榊＝神木を動かすこと、つまり春日の神を動かすことをいう。

神を動かすのは、興福寺の要求を朝廷や幕府にのませるために有効な示威行動であった。氏神《うじがみ》が入洛すると藤原氏の行動が著しく制限され、朝儀に支障をきたしたからである。院政期からよく用いられた方法で、強訴《ごうそ》ともいわれた。その際、神木をどこまで動かすかが問題となるが、境内の移《うつ》殿《しどの》という神殿まで動かすのが第一段階、社を出て西隣の興福寺金堂《こんどう》まで動かすのが第二段階である。

最終的には宇治《うじ》を経て京都に運び込まれることになるが、そこにいたるまでに朝廷や幕府が南都の要求を聞き入れることもある。

幕府は、興福寺から提出された交名《きょうみょう》（名簿）に従って二〇人の悪党たちに出頭を命じた。うち五人が呼び出しに応じず、二上山《にじょうさん》に城郭《じょうかく》を構えて徹底抗戦の姿勢を示した。これをうけ、幕府は九月になって断固とした行動に出る。一九日に幕府軍の第一陣が奈良に入った。翌日には第二陣が到着し、すぐに悪党の立てこもる二上山をめざして下向《げこう》していった。二一日にも第三陣の武士たちが「雲霞《うんか》のごとく」やってきたという。近国御家人《ごけにん》と在京人から編成された幕府軍はさすがに強力で、悪党をたちまち蹴散《けち》らし、城郭を焼き払い、京都へと帰っていった。こうして興福寺は、悪党の脅威から解放されたかにみえた。

しかし、それから一か月あまりがたった一〇月二五日の深夜、悪党たちは春日の社頭に乱入し、大宮・若宮から計一四面の神鏡を盗み出して奈良から逃走し、高尾《たかお》（奈良県葛城市）の山寺にこもった。興福寺の衆徒《しゅと》は、堂衆や在地の武士からなる軍勢を率いて山寺を攻め、池尻家政《いけじりいえまさ》から神鏡三面を取り戻す。残り一一面の神鏡も、年末までそれぞれ発見され、無事、春日社に帰座《きざ》を果たした。

3

◉春日宮曼荼羅
春日社の様子を、興福寺の上空から鳥瞰する。上方に春日明神の本地仏《ほんじぶつ》、下方に春日東塔と西塔がみられる。本地仏のうち、左四体は大宮の、右の一体は若宮を表わす。

神仏の威光

以上が『春日権現験記絵巻《かすがごんげんけんきえまき》』に描かれた正安《しょうあん》年間の春日社神鏡奪取事件の概要であるが、この事件のことを知ってまず思ったのが、先に述べたように「悪党たちは、どうして神様を盗むような大それたことをしたのだろうか」ということである。そもそも落書起請《らくしょきしょう》などというものが有効であったのは、当時の人びとが神仏の存在を疑わなかったからである。神仏を信じ、したがって神罰仏罰《しんばつぶつばち》を現実のものとして恐れた中世びとのなかから、神を盗もうという考えは、それほど簡単に出てくるものではない。また、大和《やまと》の悪党たちの多くは、すでに幕府によって捕らえられて配流《はいる》されるという憂き目にあっている。彼らは、興福寺《こうふくじ》や春日社の背後に幕府の武力が存在することを十分に承知していたはずである。それにもかかわらず神鏡奪取を敢行することは自殺行為ではないか。

すぐに浮かんだのは、「信じられないような悪事を働くからこそ悪党なのだ」ということである。残された落書起請から大和の悪党たちの悪行《あくぎょう》を見ると、窃盗《せっとう》、強盗、博打《ばくち》、山賊《さんぞく》、放火《ほうか》、殺人、年貢《ねんぐ》・地子《じし》の未進《みしん》、他人所領の押領《おうりょう》、夜田刈《よるたが》り、寄沙汰《よせざた》、押買《おしが》い、などとともに、春日の神鹿《しんろく》殺し、布留社《ふるしゃ》（石上神宮《いそのかみじんぐう》・天理市《てんり》）領の押領、布留社山領の伐採があげられている。悪党のなかには春日明神の使いである神鹿を殺し、布留社の所領を侵略したり荒らしたりする、神を恐れぬ所行をやってのける者もいた。事実、彼らは「神をも神といわず、仏をも仏といわず」と激しく非難されている。中世びとなら誰でももっている神仏への畏敬《いけい》の念、そういったものから悪党たちはいち早く解放されていた、だから神鏡奪取などということも平気でやれたのだという見方である。

実際、本巻で活躍するはずの何人かの人物をみてみると、すでに大和の悪党たちが神仏の呪縛《じゅばく》から自由になっており、春日社の神鏡を盗み出すことにとりたてて恐怖をおぼえるようなことはなかった、と考えることが十分可能であると思う。いつの時代にも、時代の先を行く人間はいるのだ。しかし、それだけでなく、もう少し当時の社会と出来事にそって探ってみる余地もあるだろう。

一乗院と大乗院

弘安《こうあん》から正安《しょうあん》年間（一二七八～一三〇二）のあいだに、興福寺《こうふくじ》では注目すべき事件があった。永仁《えいにん》の闘乱《とうらん》として知られた門跡《もんぜき》同士の抗争である。

先にも述べたように、興福寺は藤原《ふじわら》氏の氏寺《うじでら》である。京都には摂関《せっかん》家をはじめとして多くの藤原氏の家々が成立しており、さらに庶子家《しょしけ》を分立させつつあった。それらの家の多くから、その子弟が僧となるために奈良の興福寺に下向《げこう》してきていた。彼らはその出自や身分に応じて寺内で弟子入りする院（院家《いんげ》とも）や坊《ぼう》（房）がだいたい決まっており、将来その院や坊の主人、つまり院主《いんず》や坊《ぼう》主《ず》となることになっていた。

摂関家は、鎌倉時代の初めに近衛《このえ》家と九条《くじょう》家の二家に分かれたが、おおむね、近衛家の男子は一《いち》乗院《じょういん》に、九条家の男子は大乗院《だいじょういん》に、それぞれ入るようになっていた。一乗院も大乗院も、興福寺の子院《しいん》（塔頭《たっちゅう》）であるが、独自の本尊をもち、お経をはじめとする聖教《しょうぎょう》類を備え、多数の僧たちを抱えていて、いわば寺のなかの寺とでもいえるような組織であったが、それと同時に、大和《やまと》の内外に多数の所領をもつ荘園領主でもあり、院主になることは社会的にも経済的にも大きな意味をもった。摂関家や皇族の子弟などが継続的に入室する院家をしだいに門跡と称するようになるが、一乗院と大乗院は両門跡として興福寺で最有力の院家となっていた。したがって、京都の近衛家や九条家にとって、子弟を送り込んで一乗院、大乗院を確保することは重要なことであった。

ところで、摂関家は鎌倉時代中期になり、近衛家から鷹司《たかつかさ》家が、九条家から一条家と二条家が分かれ出て五摂家《ごせっけ》と呼ばれるようになる。この五摂家が江戸時代の末まで続くのだが、南都の両門跡をめぐって一三世紀の中ごろから摂関家が競合する事態が生じてきた。

九条家出身の大乗院尊信《だいじょういんそんしん》は、一条家出身ですでに僧正《そうじょう》の位に昇っていた弟子の慈信《じしん》を排除し、大

五摂家と両門跡

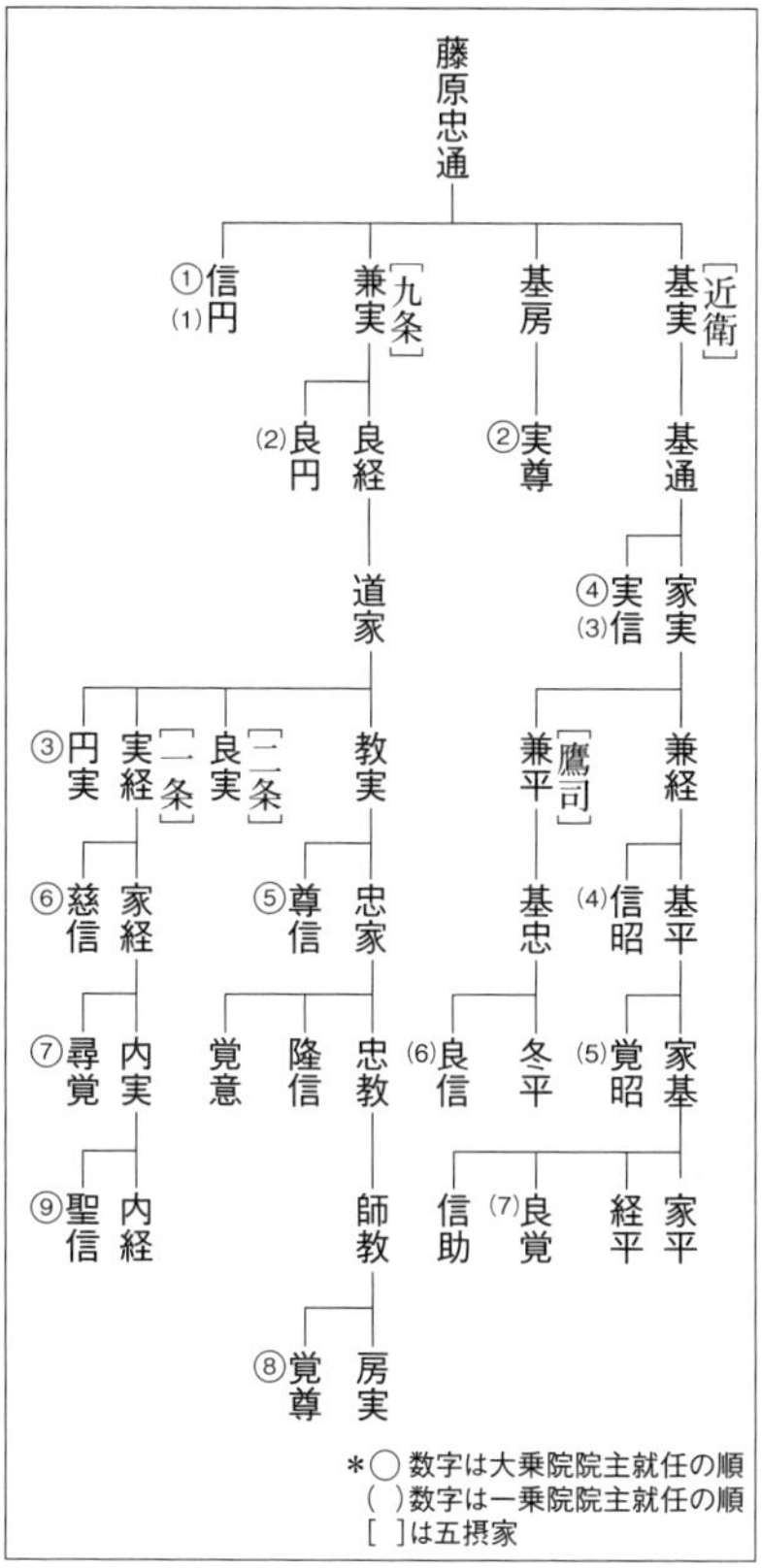

乗院を甥《おい》の隆信《りゅうしん》に継承させようとしたが、隆信は大乗院を継ぐには若すぎ、尊信の没後は慈信が受け継いだ。慈信と隆信の関係は当然のことながら悪く、隆信は大乗院の所領の一部をもって一乗院《いちじょういん》覚昭《かくしょう》のもとに走った。

その一乗院でも内紛が起きていた。近衛家基《いえもと》が弟である覚昭から一乗院をとりあげ、息子の信助《しんじょ》に与えようとしたことから覚昭が怒り、覚昭の弟子でもあった信助は大乗院慈信の庇護《ひご》を求めてそのもとに駆け込んだのである。一乗院と大乗院とのあいだにはほかにもいくつか火種がくすぶっており、両院は一触即発の状態に突入した。

南都の闘乱

永仁《えいにん》元年(一二九三)一一月一七日、春日若宮《かすがわかみや》おん祭りのさなか、流鏑馬《やぶさめ》の随兵《ずいひょう》に紛れ込んでいた大乗院方の武士が一乗院を攻撃し、これに一乗院方の勢力が応戦した。こうして永仁五年の八月頃まで断続的に続く両院の闘乱が始まったのである。

四年近くにわたって展開された両院間の争いのなかで、注目されることが二つある。ひとつは、鎌倉幕府に両門跡《もんぜき》の争いの裁許が求められたことである。関東から使者が三度奈良へ派遣され、幕府の軍勢は二度にわたって南都を制圧した。両門跡の抗争が興福寺《こうふくじ》内はいうに及ばず、京都の摂関《せっかん》家《け》でも朝廷でもなく、関東の幕府の力によって抑え込まれたことは、その存在があらためて印象づけられるとともに、朝廷や摂関家、それに興福寺の権威を失墜させる方向に作用しただろう。

もうひとつは、抗争のさなかに、両門跡によって春日社の神木《しんぼく》の奪い合いが行なわれたことである。先に述べたように、院政期から興福寺は折にふれて強訴《ごうそ》を行なった。これは実体としては朝廷や幕府に対する興福寺の要求であるが、名目としては春日明神の要求であった。このような強訴は、「理不尽の沙汰《さた》」といわれた。理不尽とはふつう、道理に合わないこと、無理無体なことをいうが、ここでは文字どおりの意味である。つまり、理を尽くさない訴訟（沙汰）、神様の要求であるから、その訴えに理があるかどうかの判断に立ち入らずに要求をのむべき訴訟、という意味であった。

　神の名のもとに行なわれるこのような訴訟は、本来興福寺の僧侶すべてが一致団結して開催される満寺集会《まんじしゅうえ》で決定されるもの

興福寺と春日社周辺の地図

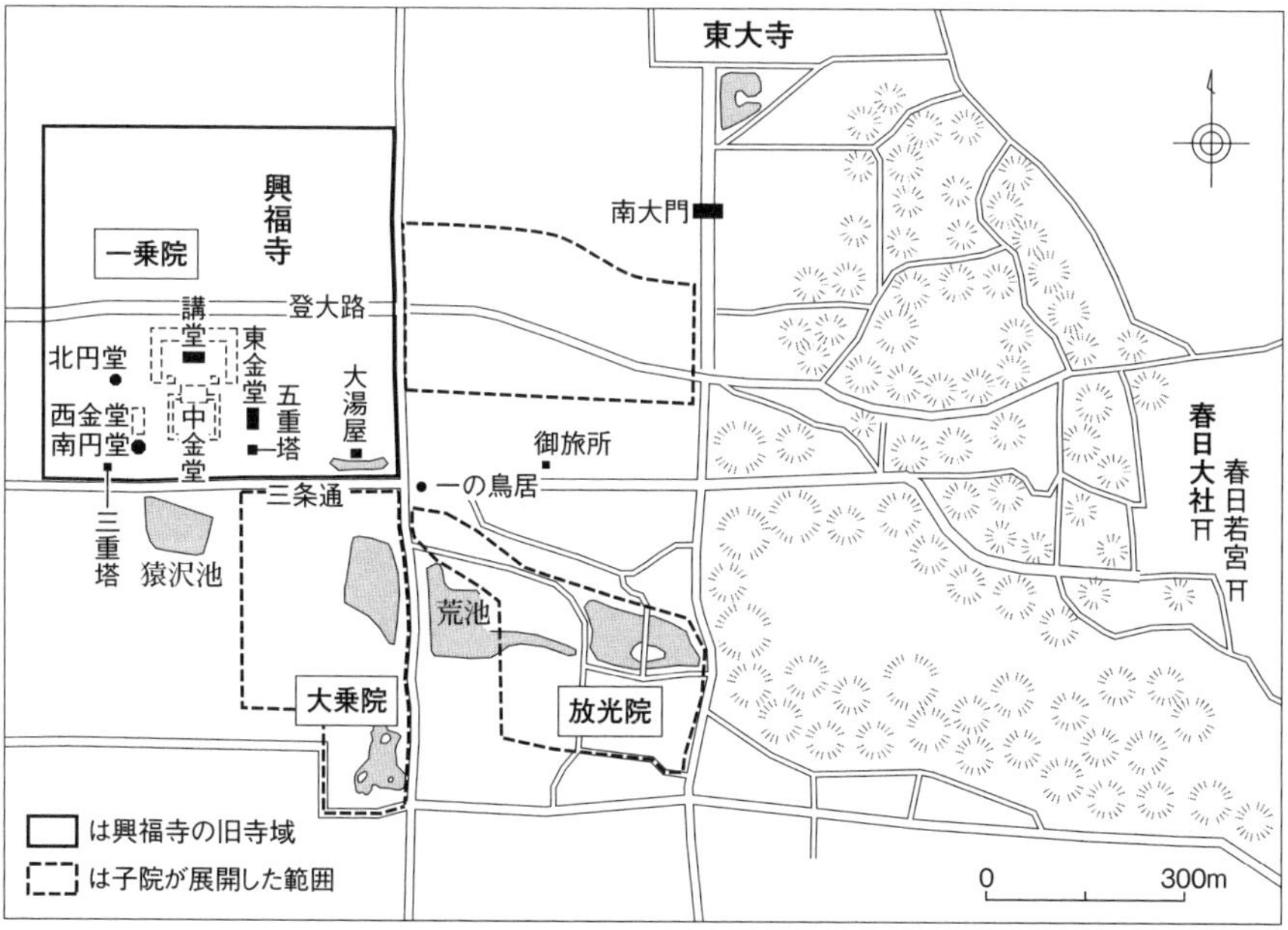

であった。つまり、一揆《いっき》という手続きと形式をとってはじめて神意は体現されるのであるが、永仁の闘乱では衆徒《しゅと》が一乗院方と大乗院方とに分裂しており、満寺集会などとうてい期待できない。自派の僧侶を動員しただけにすぎないにもかかわらず、一乗院・大乗院の双方とも神木を動座《どうざ》し、強訴を行なって抗争を有利に展開しようとした。こうして両院によるご神体の奪い合いが行なわれることになった。永仁三年一一月、ひと合戦ののち、一乗院方は大宮の一、二宮および若宮のご神体を奪って興福寺金堂《こんどう》に安置した。これに対して、大乗院方は大宮の三、四宮を確保し、放光院《ほうこういん》に拠《よ》った。春日明神の分裂動座は、春日社が始まって以来の異常事態であった。

神木をあたかも武器か道具であるかのように奪い合う門跡。中世びとは、御成敗式目《ごせいばいしきもく》にあるように、「神は人の敬いによって威を増」すと考えた。そうであれば、私利私欲のために両門跡がなりふりかまわずご神体を奪い合い、その結果二手《ふたて》に分裂させてしまった不敬によって、春日明神の威光は地に墜《お》ちるということになろう。それは興福寺の権威失墜につながるものであった。

抗争の連鎖

永仁《えいにん》の闘乱《とうらん》後、興福寺《こうふくじ》は幕府に悪党退治を要求した。正安《しょうあん》元年（一二九九）のことである。内部に一乗院・大乗院の分裂騒動を抱えた興福寺が、強力な武力をもつ幕府に頼って手に負えない悪党を始末しようとするのは、不思議なことではない。しかし、それほど単純なことではなかった。

永仁の闘乱に大乗院方として動員された兵力の概要がわかっている。大きく分けると、信助《しんじょ》ゆかりの武士や僧侶たちと、もとから大乗院に属していた坊人《ぼうにん》たちである。信助の兵力の中心は、平田《ひらたの》荘《しょう》の荘民で、大乗院坊人のなかには「大田《おおた》、池尻《いけじり》、大仏供《だいぶつく》、芳野《ほうの》、長谷川以下の一党」が見える。

先に神鏡を奪った悪党たちの中心は、平田荘の荘民だと推測した。その平田荘民が、永仁の闘乱の際には信助方の兵として参加していたのである。また、大乗院坊人のなかに名前を記された「池尻」、これは家政《いえまさ》を含む池尻一族のことと思われる。家政の父や兄弟らは、永仁の闘乱のなかで亡くなったといわれている。

要するに、興福寺が幕府に退治してくれと要求した悪党のなかには、少し前の永仁の闘乱で大乗院方の兵として働いた者たちが含まれていたのである。一乗院方に関しては史料がなくてわからないが、一乗院方として活躍した兵たちのなかにも、悪党としてリストアップされていた集団があった可能性が高い。つまり、悪党を門跡《もんぜき》間抗争に利用するだけ利用したあとで、大乗院も一乗院も彼らを見捨てた、いや、切り捨てたのだと考えられる。幕府も朝廷も悪党をやっきになって鎮圧しようとしているときに、いつまでも内部に悪党を抱えていることができなかったのであろう。

彼ら悪党の怒りと絶望はいかばかりだったか。こうして彼らは春日《かすが》の神を盗むという驚くべき反撃に出た。しかし、じつは彼らにとって、これははじめてのことではなかった。門跡同士がご神体を取り合うという抗争のなかで、彼らはすでに経験ずみだったのである。

永仁の闘乱から正安の神鏡奪取事件は以下のようにまとめることができよう。家の分立・分裂は鎌倉時代後期以降の社会変動のひとつの要因であるが、京都の摂関家《せっかんけ》の分裂は興福寺において門跡継承の抗争として現われた。門跡は、悪党を含む在地の勢力を取り込んで武力を組織し、両門は力による解決を図った。しかし、結局武力では解決にいたらず、鎌倉幕府の裁定に依存することになった。興福寺は不要となった悪党を切り捨てたが、窮鼠猫《きゅうそねこ》を嚙《か》むような悪党の反撃は、興福寺の権威を大きく失墜させた。摂関家や興福寺など上層社会の分裂抗争が、下の世界に深く進入し、その結果、上下を含む社会全体が大きく揺れ動くことになったのである。

山門争乱

寺内で闘乱が起きたのは南都《なんと》、つまり奈良だけではない。南都北嶺《ほくれい》の北嶺、山門と呼ばれた比叡《ひえい》山《ざん》でも同じころに「一山《いちざん》の滅亡」「天下の重事《じゅうじ》」とされる事件が起きた。

東塔北谷《とうとうきただに》の大縁房法印蔵金《だいえんぼうほういんぞうきん》という僧侶の弟子に、円恵《えんけい》という者がいた。円恵は山門の衰微《すいび》を嘆き、「門主貫長《もんしゅかんちょう》の不義《ふぎ》」を憤って「興隆の沙汰《さた》」をしようと考え、正応《しょうおう》年間（一二八八〜九三）ごろから朝廷や幕府に訴訟を起こしていた。彼は、本来山門全体の所領であるべきものが門跡《もんぜき》の所領となっている、そして門跡の息のかかった者たちにもっぱら充行《あておこ》なわれて「稽古鑽仰《けいこさんぎょう》の禅侶《ぜんりょ》」の活動基盤が奪われている、それが山門衰微の原因だと考えた。比叡山の多くの衆徒《しゅと》たちもまたそう感じ、円恵を支持した。

永仁《えいにん》四年（一二九六）、妙法院《みょうほういん》の尊教僧正《そんきょうそうじょう》が比叡山の座主《ざす》に就任したが、その門徒のひとりである理教坊律師性算《りきょうぼうりつししょうさん》はたいへん裕福かつ有能で、「この一人だに侍《はべ》らば、万方の要枢《ようすう》もたりぬべく、千騎の武者」に相当するとして座主尊教の絶大な信頼を得ていた。彼は座主にかわって辣腕《らつわん》をふるい、座主や門跡に批判的な円恵の「訴訟をとりひしがむ（失敗させよう）」と企て、両者の対立は激しくなっていった。

　永仁六年、両者は武力による対決にいたり、性算方による放火の結果、一夜にして比叡山の伽藍《がらん》が灰燼《かいじん》となる事態となった。後宇多《ごうだ》上皇は「山門の滅亡」を憂い、お忍びで焼け跡を見て歩いたという。

　翌永仁七年、この事件は、六波羅《ろくはら》探題《たんだい》で一山の衆徒と妙法院門徒の争いとして裁かれることになったが、審理が停滞したので、直接鎌倉の幕府によって扱われることとなった。関東から幕府の使者である東使《とうし》が上《じょう》洛《らく》し、妙法院に非があると裁定した。妙法院は新しい座主の支配下に置かれて、同院所領は法花堂《ほっけどう》、常行堂《じょうぎょう》、講堂の料所《りょうしょ》とされた。性算は当初流罪、のち京内に禁獄となった（『元徳《げんとく》二年三月日吉社並叡山行幸記《ひえしゃならびにえいざんぎょうこうき》』）。

　このように、比叡山では所領の編成や配置にかかわる大きな問題があり、それを山内で自律的に解決することができずに一山が分裂して争い、ついに幕府の手にゆだねざるをえなくなったのである。悪党的な僧侶が暗躍したこととともに、富の配分などをめぐって比叡山の社会にも深刻な対立が生じたことが注目されよう。

4

◉興福寺の僧兵
裹頭《かとう》のスタイルが注目される。頭を覆うことによって、身分や名前などが隠されると考えられた。（『天狗草紙《てんぐぞうし》』）

紀州合戦

高野《こうや》山《さん》でも高野合戦といわれた争乱が起きた。もっともこちらは山内《さんない》ではなく、お膝元《ひざもと》の紀伊国《きいのくに》那賀《なか》郡、紀ノ川《きのかわ》流域の高野山領荘園など（いずれも和歌山県紀《き》の川《かわ》市）が戦場となった。高野山領荒川荘《あらかわのしょう》の源為時《みなもとのためとき》、法成寺《ほうしょうじ》領吉仲荘《よしなかのしょう》の平良光《たいらのよしみつ》、高野山領名手荘《なてのしょう》の金毘羅《こんぴら》義方《よしかた》らは、紀ノ川の氾濫原《はんらんげん》の新田開発に積極的に取り組み、近隣の他家領との争いには先頭に立って活躍する在地の領主であった。為時は、六波羅《ろくはら》探題《たんだい》に拘束されるほど荒川荘、ひいては高野山に忠義を尽くしたこともあった。その一方で、彼らは個々の荘園の枠にとらわれることなく、広く紀ノ川流域を舞台に商業や運輸、また交通や金融などにかかわって活躍していた。為時らの家人《けにん》や所従《しょじゅう》のなかには、家を三軒や四軒ももつ者もいて、主従ともに比較的裕福な武士たちがこの地に集団を形成していた。

ところで、弘安《こうあん》年間（一二七八～八八）には朝廷・幕府双方で弘安徳政といわれる復古的な政治が展開された。幕府の主導者は安達泰盛《あだちやすもり》で、高野《こうや》道《みち》の町石《ちょういし》（一町ごとの道しるべ）を寄進するなど、高野山にきわめて好意的な政治家であった。この泰盛が、弘法大師《こうぼうだいし》ゆかりの地として所有権を主張した高野山の言い分を認め、諸家の所領を含む紀ノ川以南、貴志川《きしかわ》以東の土地を同寺に「返還」した。それまで、紀ノ川流域の各荘園は、川をまたいでその南北に荘域をもっていたが、川によって各荘

◉町石（一六町石）
紀ノ川に近いふもとから高野山への参詣道に、一町（約一〇九ｍ）ごとに立てられた。これは文永《ぶんえい》年間に安達泰盛が寄進したもの。

園は南北に分割され、川以南の領主は高野山とされたのだ。このことが、為時らの死活問題となったようである。

　高野山の進出に為時らは抵抗し、彼らは「国中悪党《くにじゅうあくとう》の根本《こんぽん》」「弘法大師の怨敵《おんてき》」「猛虎暴狼《もうこぼうろう》の類《たぐい》」などと高野山側から激しく非難されるようになった。高野山が敵に対して行なう呪詛《じゅそ》や調《ちょう》伏《ぶく》祈《き》禱《とう》は恐ろしいものであったので、為時は出家し、吉野《よしの》の修《しゅ》験《げん》、また荒川荘内の寺で比叡山《ひえいざん》の末寺である高野寺《たかのでら》を心のよりどころとして高野山に対抗した。その際に為時は、高野山側住民の家を四〇軒と女人・牛馬を焼いたという。

　正応《しょうおう》四年（一二九一）七月、高野山は彼らを悪党として幕府に告発するとともに、寺僧《じそう》や御家人《ごけにん》を動員して攻撃した。さらに、永仁《えいにん》二年（一二九四）には幕府が介入した。六波羅から在京御家人を中心とする幕府軍が送り込まれ、悪党とされた荒川荘や名手荘などの武士たちは族滅《ぞくめつ》させられ、その所領は幕府によって没収された。高野山側についた一部の武士も、幕府の停戦命令に背いたとして同様の憂き目にあった。

　このように、紀伊でもまた領内を跳梁《ちょうりょう》する悪党を荘園領主や

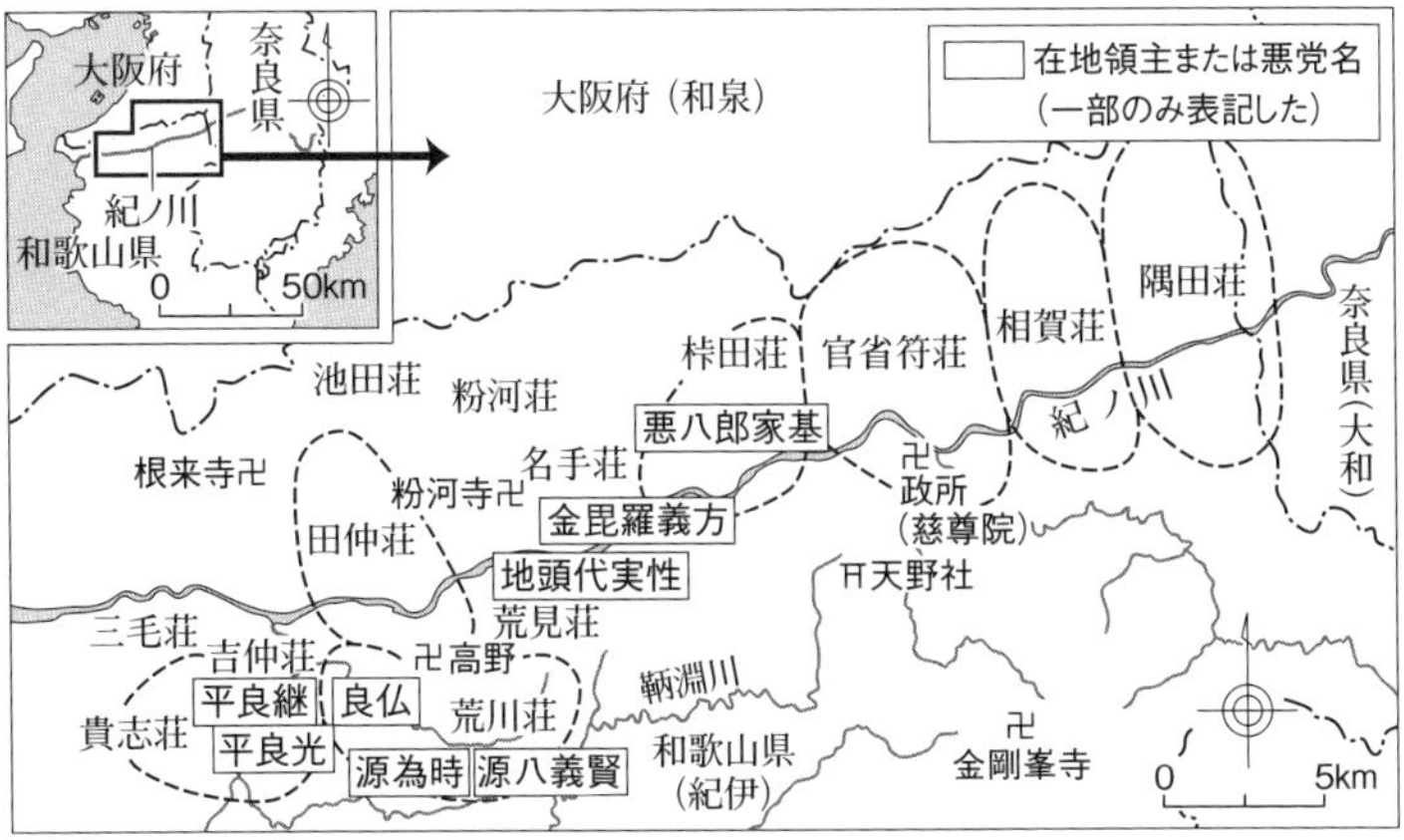

◉紀ノ川流域の荘園と悪党たち
高野山領を中心として、諸家の荘園が流域に立てられた。水量が豊かな川は、人と物を運ぶ流通路であった。

権門がコントロールできず、幕府が紛争の鎮静化のために呼び込まれた。悪党跳梁の背後には大きな社会的変動と複雑な利害の対立があり、各地で起こる争いを抑え込むことは容易なことではなかった。外には元《げん》の脅威に直面し、内には悪党という重荷を負って、幕府はあえぎはじめる。

元弘の重事

播磨《はりま》では正安《しょうあん》・乾元《けんげん》年間（一二九九～一三〇三）ごろから悪党の跳梁《ちょうりょう》が目立つようになったという。このころの播磨の地誌を記した『峯相記《みねあいき》』によれば、そのいでたちは「人倫《じんりん》」とはとても思えないもので、「柿帷《かきかたびら》に六方笠《ろっぽうがさ》を着て烏帽《えぼ》子袴《しばかま》」をつけて竹筒の粗末な胡簶《やなぐい》を背負い、「柄鞘《つかざや》はげたる太刀《たち》をはき、竹ながえ・さい棒《ぼう》・杖《つえ》ばかり」をもち、「鎧《よろい》・腹巻きなど」を身に着けることもない「異類《いるい》異形《いぎょう》」であった。彼らは人と行きあっても「面を合せず、忍びたる体《てい》」で、「十人二十人」単位で城にこもって戦うかと思えば、逆に寄手《よせて》に加わったり、平気で味方を裏切り、約諾《やくだく》は守らない手合《てあ》いであった。博打《ばくち》・強盗《ごうとう》・海賊《かいぞく》・山賊《さんぞく》・窃盗《せっとう》・寄沙汰《よせざた》・追《お》い落《お》とし（追いはぎ）を業《なりわい》として幕府の取り締まりも恐れなかった。ここに描かれた悪党は、社会の底辺層、脱落者、あるいは種々の悪事を行なう犯罪者の小集団である。まだほとんど組織的な行動はしていない。

しかし、増えつづけるこのような悪党を放置しておくわけにはいかず、幕府は元応《げんおう》元年（一三一九）の春に、山陽・南海道諸国で悪党退治を行なった。播磨には軍勢が下されて悪党の根拠地や城郭二〇か所が焼き払われ、捕縛された者は殺され、五一人の悪党が指名手配された。このように、幕府によって直接悪党狩りが実施された場合はそれなりの成果があったが、国中の地頭御家人《じとうごけにん》に鎮圧がゆだねられたときは効果がなかったという。

やがてこの地方の悪党は、大きくその姿を変えて再登場して世人《せじん》を驚かす。正中《しょうちゅう》・嘉暦《かりゃく》年間（一三二四〜二九）ごろになると、「吉《よ》き馬に乗り列《つらな》り」「引馬《ひきうま》、唐櫃《からびつ》、弓箭《きゅうせん》、兵具《ひょうぐ》の類い金銀をちりばめ、鎧・腹巻てりかがやく計《ばか》り」で、以前に比べて断然羽振りがよくなっている。かつてはとるにたりない数で跋扈《ばっこ》したが、いまや「五十騎百騎打《うち》つゞ」いて堂々と行進し、大きな集団を形成した。周辺諸国から来た者も多いという。彼らは各地の拠点に城を築き、塀や矢倉《やぐら》などを設けて要害《ようがい》とした。

注目すべきことは、この段階にいたって、幕府の悪党取り締まりが無力化したといわれていることである。御家人たちは悪党の威勢に恐れをなし、あるいは賄賂《わいろ》をおさめて幕命の執行を放棄した。悪党はほしいままに「追捕《ついぶ》・狼藉《ろうぜき》・苅田《かりた》・苅畠《かりはた》・打入《うちいり》・奪取《うばいとり》」を行ない、国内には「残る庄園あるべしとも見」えないほどになった。『峯相記』の筆者は、悪党と共存する道を「虎狼《ころう》に肩を竝《なら》べ、龍《りゅう》蛇《じゃ》に座を交《まじ》」えることと厳しく批判しているが、「国中の上下過半、彼（悪党）等に同意する」事態となり、心ある人びとは「耳を押へ、目を塞《ふさい》で」過ごしたという。それは「武家政道の過失」で、こうして「元弘《げんこう》の重事《じゅうじ》」にいたったのだと解説する。

各地の悪党たちは鎌倉幕府の威光を恐れなくなり、武力を行使してその支配にあらがう者も多くなってきた。そしてそのような風潮は社会に広く、深く、浸透していった。社会の変革への要求は、悪党の猖獗《しょうけつ》という形で噴き出していたのである。

そして、文保《ぶんぽう》二年（一三一八）二月、後醍醐《ごだいご》天皇が践祚《せんそ》し、翌三月に即位する。世の中はしだいに騒がしくなり、時代は大きく転換しはじめるのである。

この巻は、鎌倉幕府が滅んだあとの後醍醐のいわゆる建武《けんむ》の新政から、応仁《おうにん》の乱、明応《めいおう》の政変を経て室町幕府が求心力を失い、戦国時代に突入する一五世紀末までを対象とする。執筆にあたって心がけたことは、できるだけ庶民の姿を描き込むということである。中世は武士の時代といわれ、幕府が大きな力をもって政治を動かしていたことは間違いない。公家や僧侶たちも、とくに文化の面では、まだ社会のなかで大きな存在であった。しかし、本巻の対象とする南北朝・室町時代は、庶民が歴史を動かす確かな力となった時代でもあった。すでに一三世紀の末、本来鎌倉幕府の御家人にしか適用されないはずの永仁《えいにん》の徳政令《とくせいれい》に、ちゃっかりと広く庶民が「参加」していた。この動きを止めることはできず、第六章でみるように、一五世紀の前半には日本始まって以来といわれる土民蜂起《どみんほうき》が起こる。戦乱をはじめとする危機を、場合によってはチャンスと考えて、領主に対してもいきいきと自己主張を展開し、したたかに生きていた中世の庶民を、大和と奈良を中心としてみていきたい。

◉異類異形の悪党
さまざまな人が行き交うなか、右上の、撮棒《さいぼう》を持ち、高下駄を履くなど悪党のいでたちの三人がきわだっている。（『融通念仏縁起絵巻《ゆうずうねんぶつえんぎえまき》』）

第一章

弓矢から打物へ

1

鎌倉幕府の滅亡

異形の君臣

後醍醐《ごだいご》天皇の周辺にも、悪党のにおいがする個性的な人びとが集まっていた。『太平記《たいへいき》』によると、討幕を画策する密談の場として無礼講《ぶれいこう》が宮中でしばしば開かれたが、そのメンバーであった日野俊基《ひのとしもと》は、蔵人《くろうど》という要職にあったために思うように動くことができなかった。そこで公《く》卿《ぎょう》会議の場でわざと失敗をしてみせて、その恥辱《ちじょく》に耐えられないとして出仕《しゅつし》を止めた。そしてその間、山伏《やまぶし》に身をやつして諸国偵察に出かけ、味方となるものを組織してまわった。ちなみに無礼講では、貴族たちは衣冠《いかん》をはずして髻《もとどり》をさらし、僧侶は墨染めの衣を脱いで白衣の下着姿で騒いだという。俗人がかぶり物をはずして頭をさらすのは異様なことであった。酒のお酌には、一七、八歳の二〇人あまりの美女が、肌も透けそうな生絹《すずし》の単衣《ひとえ》をまとっただけの姿でつとめた。

日野資朝《すけとも》もまた無礼講の参加者であったと花園《はなぞの》天皇はその日記に記しているが、彼も異色の存在であった。歌人の京極為兼《きょうごくためかね》は伏見《ふしみ》院政《いんせい》への過度の関与が幕府に警戒され、正和《しょうわ》四年（一三一五）の年末、六波羅《ろくはら》探題《たんだい》によって召し捕られて連行された。これを一条大路《いちじょうおおじ》で見た資朝は、「なんとうらやましいことよ。これこそ生きた証《あかし》だ」とうそぶいたという。また、腰が曲がり眉《まゆ》が白くなった西大寺《さいだいじ》

◉愛染明王像
愛欲をも悟りに導く明王。密教に帰依した後醍醐が、みずから賛を入れたとされる。後醍醐のまわりには、「妖しい」連中が取り巻いていた。　前ページ図版

の静然上人《じょうねんしょうにん》が、いかにも高徳の僧らしい雰囲気で内裏に参上したとき、「なんと尊《とうと》いご様子だろう」と感嘆した内大臣《ないだいじん》西園寺《さいおんじ》実衡《さねひら》に対して、資朝は「年をとっているだけだ」と言い放ち、後日きたならしく老いて毛のはげたむく犬を実衡に贈り、「これはたいへん尊く見えます」と言い添えた（『徒然草《つれづれぐさ》』）。関東申次《かんとうもうしつぎ》として幕府と親しかった西園寺氏への嫌がらせという政治的な背景も感じられるが、かなり執念深い性格である。

文観《もんかん》や円観《えんかん》は、後醍醐の中宮《ちゅうぐう》である西園寺《さいおんじ》禧子《きし》の懐妊を祈るというふれこみで、じつは鎌倉幕府が滅ぶように大法《だいほう》や秘法を宮中で行なっていた僧である。文観は淫祠邪教《いんしじゃきょう》といわれた真言《しんごん》立川《たちかわ》流の中興の祖とされ、のちに建武《けんむ》政権下では巨万の富を蓄え、武勇を好み、数百人の従者を従えて参内《さんだい》した。名誉や利欲に取りつかれたそのふるまいは、天魔《てんま》外道《げどう》が乗り移ったものといわれた。

一方、円観は延暦寺《えんりゃくじ》で僧として出発したが、やがて山門《さんもん》の世界に決別して禅僧《ぜんそう》となり、さらに律《りつ》僧に転じた。寺社の修理・修造などの土木事業や社会事業を推進する大勧進として、また戦死者の怨霊《おんりょう》を鎮魂する能力を後醍醐に買われて活躍した。

2

◉無礼講の酒宴
上半身裸になって踊り興じる僧侶や貴族たち。近世になって描かれたものであるが、実際にもこうであったのだろう。（『太平記絵巻《たいへいきえまき》』）

いや、彼ら以上に、後醍醐自身が悪党のような異形《いぎょう》の天皇だった。神奈川県藤沢《ふじさわ》市の清浄光寺《せいじょうこうじ》所蔵の絵（四三ページ図版参照）に見えるように、後醍醐は密教の法服《ほうふく》に身を包んでみずからも祈禱《きとう》をつとめた。後醍醐が、関東調伏《かんとうちょうぶく》の祈禱を四年にもわたって行なっていたことを明らかにした研究者は、調伏の対象となった鎌倉幕府の要人たちは「護摩《ごま》の煙の朦朧《もうろう》たる中、揺らめく焰《ほのお》を浴びて、不動の如く、悪魔の如く、幕府調伏を懇祈《こんき》する天皇の姿を思い描いて」、「身の毛をよだたせた」に違いないと、当時の京都と鎌倉の関係を描いてみせた。

商業や流通などの活発化、銭貨《せんか》の浸透などによって日本の社会は大きく変わりはじめていた。悪党とは、一面ではこのような変化にいち早く対応した人びとでもある。動きはじめた社会とその原動力となった人びとの要求を、悪党の雰囲気が漂う後醍醐とその廷臣《ていしん》たちがすくいあげ、鎌倉幕府を崩壊へと追いやるのである。

一代の主

後醍醐《ごだいご》天皇は、皇位継承が予定されていた人ではない。後醍醐の父である後宇多院《ごうだいん》（法皇）は、大覚寺統《だいかくじとう》の皇位を後醍醐の異母兄である後二条《ごにじょう》天皇の子孫に託すつもりであった。その後二条天皇は、徳治《とくじ》三年（一三〇八）八月、突然亡くなる。つぎの天皇は両統迭立《りょうとうてつりつ》の原則（持明院統《じみょういんとう》と大覚寺統が交互に皇位につくこと）によってすでに決まっており、持明院統の一二歳の花園《はなぞの》天皇が即位した。問題は花園天皇の東宮《とうぐう》（皇太子）に誰を立てるかであったが、後宇多は後二条の子である邦良《くによし》親王をさしおいてすでに二一歳になっていた尊治《たかはる》（後醍醐）を推し、幕府に認めさせた。これは、邦良に健康上の問題があったために、尊治にしばらくのあいだ邦良へのつなぎ役をつとめさせるためであった。つまり、尊治は自分の子孫に皇位を伝えることができない「一代の主《ぬし》」として後宇多によって位置づけられたのである。そしてこのことは、持明院統にも幕府にも了解されていたようである。

文保《ぶんぽう》二年（一三一八）、後宇多は在位が九年に達した花園天皇を「文保の和談《わだん》」と呼ばれる政治工作によって退位させ、尊治を天皇の位につけて邦良を東宮に立てることに成功する。大覚寺統の天皇が二代連続する予定が組まれたわけであるが、これは持明院統の政治力が後退した機に乗じて行なわれた後宇多の力わざであった。

こうして後醍醐は天皇となったが、「一代の主」というくびきから抜け出して政治的な手腕を思いきりふるい、皇位を子孫に伝えたいと後醍醐が考えたとき、大きな障害として立ちはだかったものがあった。それがこの間の皇位継承を最終的にすべてコントロールしていた幕府の存在である。こ

持明院統と大覚寺統の天皇系図

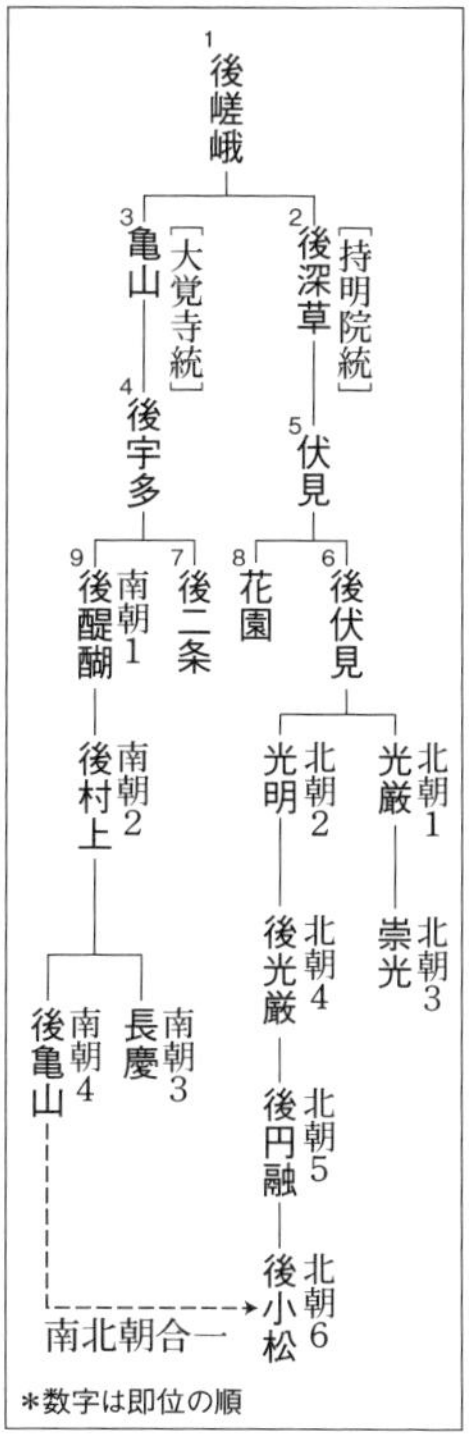

こに後醍醐が討幕へ傾いていった原点がある。

鎌倉側にも崩壊への要因はあった。幕府最後の執権《しっけん》となる北条高時《ほうじょうたかとき》は、田楽《でんがく》と闘犬《とうけん》に明け暮れ、幕政は停滞していた。有力武士のなかには、いつまでも北条氏の風下にいることを潔しとしない空気もあった。『梅松論《ばいしょうろん》』によれば、のちの室町《むろまち》幕府初代将軍となる足利高氏《あしかがたかうじ》はかねてから「関東誅《ちゅう》伐《ばつ》」の気持ちをもっていたが、父の喪に服しているにもかかわらず後醍醐討伐のために上洛を高時に命じられて恨みを深めたという。『太平記《たいへいき》』もまた同様のことを述べ、このときの高氏の心中を、「時代が移り、事態がかわって貴賤《きせん》の立場が逆になったが、高時は北条時政《ときまさ》の子孫だ。人臣《じんしん》となったのは大昔のことだ。それに対して、私は源家《げんけ》代々の一族だ。皇族であったのはそれほど昔のことではない」と描いて、本来北条と足利とでは身分に格差があることもあげている。後醍醐の皇子の護《もり》良《よし》親王は、幕府打倒を諸国に呼びかけた令旨《りょうじ》のなかで、「伊豆国在庁時政子孫高時法師《いずのくにざいちょうときまさしそんたかときほうし》」などというさげすんだ表現で高時を呼んだ。これは、地方の一介《いっかい》の在庁官人《かんじん》にすぎなかった北条時政の子孫に、いつまで唯々諾々《いいだくだく》と従っているのかと、武士たちの身分意識に訴えているのである。

幕府滅ぶ

後醍醐《ごだいご》天皇の二度目の討幕計画は、側近の吉田定房《よしださだふさ》の密告によって幕府の知るところとなり、元《げん》徳《とく》三年（一三三一）五月、文観《もんかん》、円観《えんかん》らが、次いで日野俊基《ひのとしもと》が幕府によって捕らえられた（元弘《げんこう》の変）。文観は硫黄島《いおうじま》、円観は奥州《おうしゅう》に流され、俊基は斬られた。正中《しょうちゅう》の変で佐渡《さど》に流されていた日野資《すけ》朝《とも》もこのとき処刑された。八月、後醍醐は京都を逃れて東大寺《とうだいじ》東南院《とうなんいん》に一度入るが、奈良も必ずしも安全な地ではなく、南山城《みなみやましろ》の鷲峰《じゅぶ》山《せん》（京都府和束《わづか》町）、そしてさらに笠置《かさぎ》（京都府笠置町）へ移った。ここは守りやすく、攻めにくい要害《ようがい》であったが、それだけでなく、山城・伊賀《いが》・大和《やまと》の三か国にわたる木津川《きづかわ》水系の悪党を、後醍醐が頼りにしたのだとも推測できる。九月になると、河内《かわち》の赤《あか》坂城《さかじょう》で楠木正成《くすのきまさしげ》が後醍醐に呼応して挙兵した。正成もまた、商業や流通に深くかかわった悪党的な

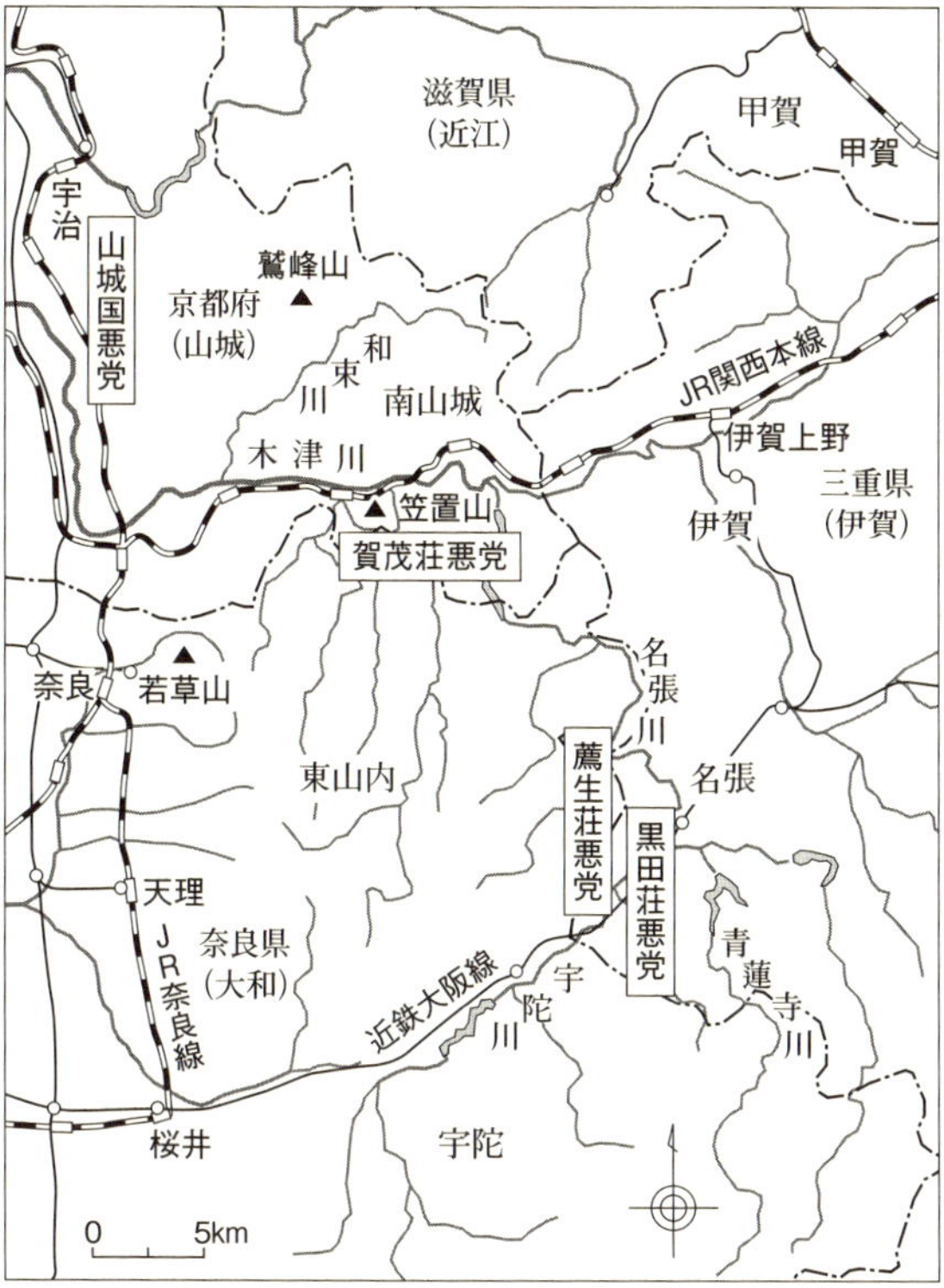

●笠置周辺と木津川水系の悪党
京都・六波羅探題や奈良・東大寺を悩ませた南山城や黒田《くろだの》荘《しょう》などの悪党らは、木津川やその支流で結ばれていた可能性がある。そして、南朝《なんちょう》勢力は彼らを利用した。

武士と推測される。

六波羅《ろくはら》探題《たんだい》指揮下の軍は笠置を包囲したが、城側の抵抗は強く、幕府は大軍を派遣した。その数を二〇万騎あまりと『太平記《たいへいき》』はいう。この大軍が到着する以前に笠置は落ちて後醍醐は逃げ出すが、まもなく神器《じんぎ》とともに幕府によって捕らえられ、京都へ護送された。皇位のしるしである三種の神器（八咫鏡《やたのかがみ》・草薙剣《くさなぎのつるぎ》・八坂瓊曲玉《やさかにのまがたま》）は後醍醐の手から奪われ、かわって即位した持明院統《じみょういん》の光厳《こうごん》天皇（北朝）に渡された。関東から上洛した大軍は赤坂城攻撃にまわり、後述のごとく楠木軍にさんざん悩まされながらも城を落とす。

翌元徳四年（元弘二年）三月、後醍醐は隠岐《おき》へ配流となり、一条行房《いちじょうゆきふさ》・千種忠顕《ちぐさただあき》・藤原廉子《ふじわらのれんし》ら少数の供とともに都を出た。しかし、これで一件落着とはならなかった。笠置落城後、護良親王《もりよし》は奈良・吉野《よしの》・熊野《くまの》などの山中に潜伏して活動した。赤坂城を脱出して姿をくらましていた楠木正成も、まもなく河内や和泉《いずみ》でふたたび動き出した。正慶《しょうきょう》二年（元弘三年）になると、播磨《はりま》では赤松円心《あかまつえんしん》（則村《のりむら》）が護良の令旨に応じて山陽道と山陰道の両道を遮断して幕府方の上洛を遮った。さらに九州では菊池《きくち》、阿蘇《あそ》氏が、四国では土居《どい》、得能《とくのう》氏らが討幕の動きを示した。

畿内や西国の情勢がただならぬことになってきたのをみて、幕府はふたたび大軍を派遣する。二《に》階堂道蘊《かいどうどううん》の率いる幕府軍は護良の立てこもる吉野を落とし、正成の千早城《ちはやじょう》を一〇〇万ともいわれる大軍で包囲した。しかし、正成が知略のほどを尽くして守ったこの小さな城は難攻不落であった。幕府軍の苦戦は、討幕勢力を勢いづかせた。

正慶二年閏《うるう》二月、後醍醐は隠岐の御所を抜け出し海を渡り、伯耆《ほうき》の名和長年《なわながとし》に擁されて船上山《せんじょうざん》（鳥取県琴浦町《ことうらちょう》）に城郭を構えた。これに驚いた北条高時《ほうじょうたかとき》は四月、名越高家《なごえたかいえ》を大将として大軍を上洛させたが、この軍勢のなかに部将のひとりとして足利高氏《あしかがたかうじ》がいた。高氏は京都を経て五月七日、丹波《たんば》の篠村《しの》（京都府亀岡市）で討幕の旗印を鮮明にし、六波羅攻撃に転じた。この足利勢、および山陽道から船上山をめざす名越高家を破って上洛してきた赤松円心勢、それに船上山を出発してからしだいにふくれあがった千種忠顕の勢力などの攻撃を受けて六波羅探題はもろくも滅んだ。そのわずか一五日後に、鎌倉の北条氏も新田義貞《にったよしさだ》らによって滅ぼされて鎌倉幕府はその歴史を閉じた。

こうして後醍醐は京都に凱旋《がいせん》し、六月五日に東寺《とうじ》、そして翌六日に二条富小路内裏《にじょうとみのこうじだいり》に入った。最大の功労者である足利高氏（この年の八月、後醍醐からその諱《いみな》の「尊治」の「尊」の字をもらい、「尊氏《たかうじ》」と名のる）は治部卿《じぶのきょう》に、弟の足利直義《ただよし》は左馬頭《さまのかみ》に任じられた。光厳天皇のもとで定められた正慶の年号は廃されて元弘に戻り、正慶二年は元弘三年となった。また鎌倉幕府によって処罰や配流されていた人びとがいっせいに復帰した。

公家一統の政道

天皇専制

討幕に成功した後醍醐《ごだいご》天皇は、武家が覇権を握った承久の乱《じょうきゅうのらん》（一二二一年）以後の歴史を否定し、公家と武家の双方の上に立って天皇が専制的な力をふるうことができる体制づくりに着手する。

まず取り組まなければならなかったのは、護良《もりよし》親王の問題であった。護良は、吉野《よしの》を幕府軍に落とされてのち、千早城《ちはやじょう》を側面から援助してゲリラ的活動を展開していたが、幕府軍の敗走後、大和《やまと》と河内《かわち》の国境の信貴山《しぎさん》に入り、軍勢を糾合《きゅうごう》していた。京都では足利高氏《あしかがたかうじ》が六波羅《ろくはら》に拠点を構えて全国の武士を組織し、新しい武士の棟梁《とうりょう》としての地位を築きつつあったが、それへの対抗からである。護良は後醍醐に、高氏の誅殺《ちゅうさつ》と、すでに自称していた将軍への任命を要求した。後醍醐は大功のある高氏の排除は拒否したが、暴走を抑えるためにやむなく護良を将軍に任じて入京を命じた。これは、将軍を置かずにみずからが直接武士の上にも立つつもりでいた後醍醐にとっては一種の妥協・後退であったが、護良の得た将軍の地位は、骨を抜かれた権限のない名ばかりのものであった。

護良のもとに馳《は》せ参じた武士の多くは、北条《ほうじょう》政権下で失った所領の回復を求めていた。旧領回復を認める親王の令旨は、討幕のために武士を引き寄せるうえで有効であった。しかし、幕府が倒れたいま、新政権を安定させるためには逆に土地の支配関係を維持し落ち着かせることが必要になる。

護良とその令旨の役割には、もはや終止符を打たなければならなかった。

後醍醐は、護良入京以前の元弘《げんこう》三年（一三三三）六月一五日に「爰《ここ》に軍旅《ぐんりよ》已《すで》に平《たいら》ぎ、聖化《せいか》普《あまね》く及ぶ」と戦争終結を宣言し、護良の令旨をよりどころとして旧領を取り戻すことを「自由の妨げ（勝手気ままな違法行為）」としてこれを禁止し、土地領有の変更には後醍醐の綸旨《りんじ》が必要であるとした。これによって護良は、武士を糾合するためのもっとも重要な手立てを奪われた。同時に、積極的に旧領回復を認めた戦時下の護良の所領政策は、後醍醐の新政権（建武政権）のもとで現状維持策へと転回させられたのである。

旧領の回復あるいは所領の確保のためには綸旨が必要ということになって、新政権には訴訟が殺到した。二条《にじょう》河原《がわら》落書《らくしょ》に「このごろ都にはやる物」のひとつとして「本領はなる、訴訟人」と揶揄《やゆ》されたとおりである。新政権自身、「諸国の輩《ともがら》、遠近を論ぜず悉《ことごと》く以て京上《きょうじょう》し、いたずらに農業を妨ぐ」として問題視していた。こうして、個別の要求に後醍醐が綸旨をもっていちいち裁許する方式は維持しがたくなり、一か月あまりあとには所領問題は中央では扱わず、諸国の国司の担当とすること、北条氏以下の朝敵以外の所領は一括して現状を承認するこ

元弘３年(1333)〔正慶2年〕	４月	足利高氏、後醍醐天皇につく
	５月	北条氏一族が自害。鎌倉幕府滅ぶ
	６月	配流先の隠岐より後醍醐入京 摂政・関白を廃止。建武政権始動 護良親王を征夷大将軍に任命 個別安堵法を公布
	７月	記録所・恩賞方を設置 諸国平均安堵法を公布
	９月	雑訴決断所・武者所・窪所を設置
建武元年(1334)	１月	大内裏造営を発表
	５月	徳政令を発する
	10月	護良親王逮捕、鎌倉へ送られる
	12月	八省の卿を交替させる
建武２年(1335)	７月	中先代の乱

●建武政権のおもな施策

後醍醐は親政をめざし、つぎつぎと新しい施策を打ち出すが、実態は近臣を厚遇し、実効性の乏しいものばかりで、人々の反発を招いた。

と、以上の二点を内容とする官宣旨《かんせんじ》が「一同《いちどう》の法」「諸国平均安堵《しょこくへいきんあんど》の法《ほう》」として出された。「綸旨万《りんじばん》能《のう》」をめざした後醍醐の意気込みは、はやくも空まわりを始めた。

延喜・天暦の聖代

後醍醐天皇は「延喜《えんぎ》・天暦《てんりやく》の聖代にかえる」ことを標榜《ひょうぼう》していた。延喜・天暦とは一〇世紀の醍《だい》醐《ご》・村上《むらかみ》天皇の時代のことで、後代から理想的な治世と評価されていた。律令《りつりょう》制の盛時で、摂政・関白は置かれず、上皇が実権を握った院政や武士政権としての幕府の出現などはずっとあとのことで、天皇親政の時代である。ふつう天皇の称号（追号《ついごう》）はその死後に定められるが、後醍醐は醍醐天皇の治世を慕ってみずからの追号を後醍醐と決め、その子の義良《のりよし》親王は、後村上《ごむらかみ》天皇と追号された。

しかし、それは単純に律令制の時代に戻ることではなかった。後醍醐は、中央には律令制の太政《だいじょう》官《かん》や八省《はっしょう》のほかに、天皇直轄の機関として記録所《きろくしょ》・恩賞方《おんしょうがた》・雑訴決断所《ざっそけつだんしょ》・武者所《むしやどころ》・窪所《くぼどころ》を設け、地方の諸国には国司と守護《しゅご》とを併置した。記録所は平安時代の後三条《ごさんじょう》天皇が延久《えんきゅう》の荘園整理を行なったときに始まるが、それ以来天皇が親政を行なうときの中心機関とされた。後醍醐も後宇多《ごうだ》法皇の院政を引き継いで元亨《げんこう》元年（一三二一）から親政を行なったときに設置したが、それを復活させたのである。荘園関係だけでなく、その他の訴訟や一般の政務にも関与した。ただし、記録所は裁決権をもっていたわけではなく、天皇の判断のために先例の調査や意見の具申などを行ない、決定したことは天皇の綸旨《りんじ》で通達された。

雑訴決断所は、記録所と管轄がどう異なるのか必ずしも明らかでないが、所領相論《しょりょうそうろん》を担当した。後醍醐が自身に権限を集中した建武《けんむ》政権にあって、裁決権をもっているめずらしい中枢機関である。当初、一番が畿内と東海道を、二番が東山道と北陸道を、三番が山陰道と山陽道を、四番が南海道と西海道をというように、全国を四つに分けて各地域の訴訟を担当したが、すぐに各道別に再編・拡充され、八番編成となった。各番には裁判長である頭人《とうにん》の下に寄人《よりゅうど》、奉行《ぶぎょう》が置かれた。これらの決断所構成員の人数は八番で合わせて一〇〇人を超え、その内訳も上級貴族・下級貴族、それに武士と、多様であった。二条河原《にじょうがわら》落《らく》書《しょ》はこれを見逃さずに、「器用の堪否《かんぴ》沙汰《さた》もなく、もるゝ人なき決断所」とはやしたてているが、しだいに恩賞方や記録所の機能も引き継いだようで、今日までに残された雑訴決断所牒《ざっそけつだんしょちょう》を見るかぎり、それなりに仕事をしたと思われる。鎌倉幕府の奉行人の多くが雑訴決断所に吸収されたが、おそらく彼らが実質的な役割を果たしたのであろう。

恩賞は所領問題と密接に関連し、それと並ぶ重要問題であっ

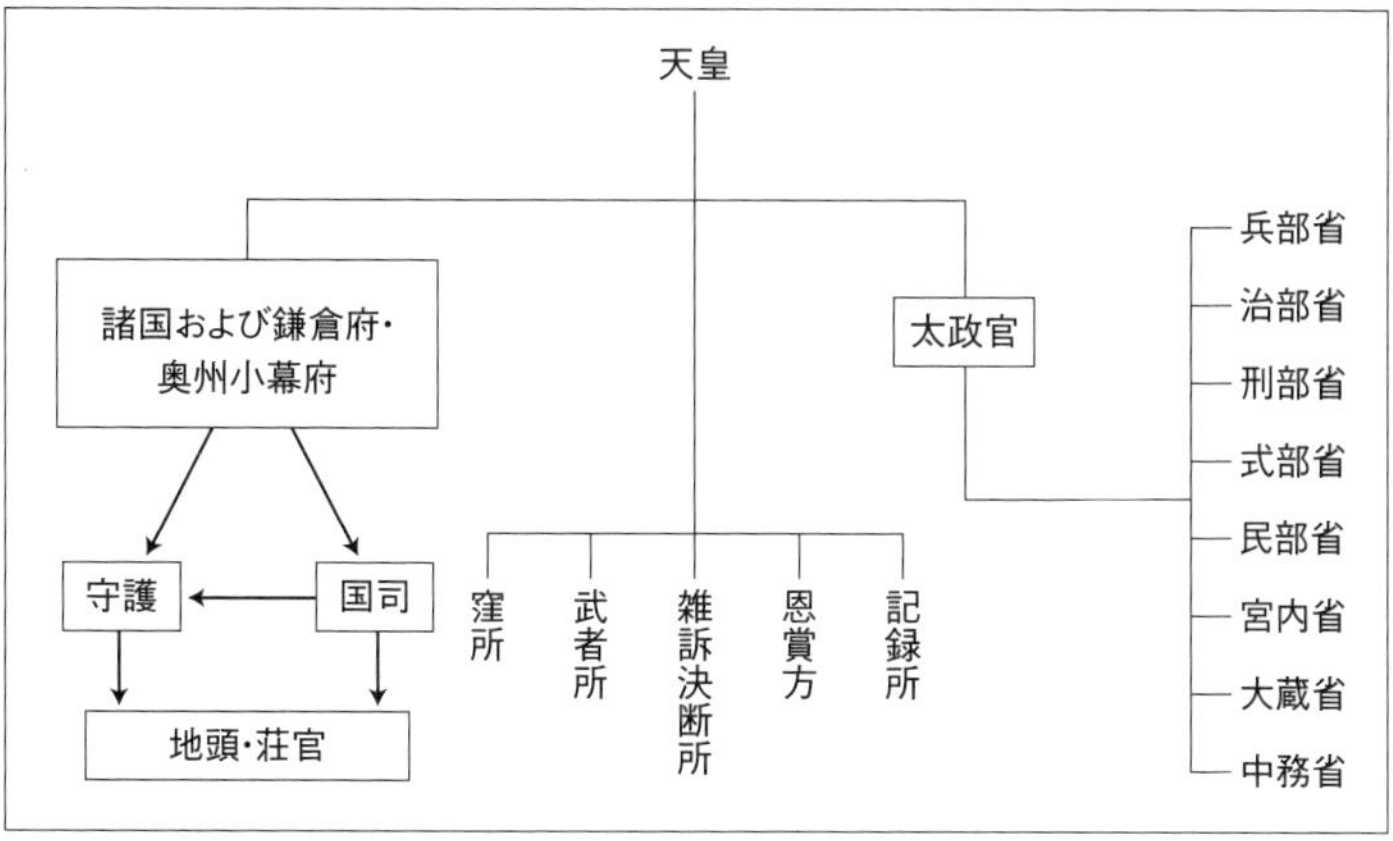

●建武政権の体制図
後醍醐のもとに権力を集約させることを意図したが、末端では国司と守護を両立させようとするなど、現実にあわせて妥協的であった。

たが、建武政権はこの扱いにつまずいて武士の支持を失ったようである。『太平記《たいへいき》』の伝えるところによれば、恩賞方の初代頭人である洞院実世《とういんさねよ》は「何千万人」の申請を前にして、数か月でわずか二〇件あまりしか処理できなかった。つぎの頭人の万里小路《までのこうじ》藤房《ふじふさ》は、女房や僧侶たちの「内奏秘計《ないそうひけい》」によって公正な恩賞配分を乱され、それに対する批判に堪《た》えかねて病と称してひきこもってしまった。三代目の頭人である九条光経《くじょうみつつね》が綿密な調査に基づいて恩賞を配分しようとしたときには、北条氏旧領をはじめとする闕所《けつしょ》は、すでに後醍醐、護良《もりよし》、藤原廉子《ふじわらのれんし》らによって山分けされていたり、あるいは女房や僧侶、遊女や蹴鞠《けまり》の達者たちに与えられたりしていて、武士たちに充行《あておこ》なうべき所領は「六十六箇国のうちには、立錐《りつすい》の地」もなかった。

このほかに、内裏の警備にかかわると思われる武者所と窪所があったが、いずれも役割や実態がよくわからない。

物狂の沙汰

このように後醍醐《ごだいご》天皇は律令《りつりょう》の制度そのものに回帰したわけではなく、天皇直轄の独自の機関を設置し、律令制以来の八省にも大きな変更を加えていた。

官位《かんい》相当制《そうとうせい》という言葉は広く知られているだろう。貴族には天皇から位が授けられたが、その高低に応じて相応の官につく制度である。たとえば最高の官である左大臣は正一位、右大臣は従一位、大納言《だいなごん》は正三位、国司のうち大国（国には大・上・中・下の四区分があった）の守《かみ》は従五位下、介《すけ》は正六位下相当などとなっていた。のちに令外《りょうげ》の官《かん》が新設されても、中納言は正四位下、近衛府《このえふ》の長官である大将は従三位などとして格付けが行なわれた。もちろん官のポスト数には限りがあり、他方、位のほうは比較的自由に授与されたので、厳密にこの制度を適用することは不可能だったが、大きな破綻《はたん》をきたすことなく、鎌倉時代にもこの制度は生きていた。また、貴族の世界ではこのころには家格が定まり、貴族たちがそれぞれ最終的につく官職はほぼ固定していた。

建武《けんむ》元年（一三三四）一一月に、後醍醐は八省の長官である卿《かみ》を全員交替させた。その後任人事は前代未聞で、兵部《ひょうぶ》卿に左大臣の二条道平《にじょうみちひら》、治部《じぶ》卿に右大臣の鷹司冬教《たかつかさふゆのり》、民部《みんぶ》卿に内大臣の吉田定房《よしださだふさ》を任じるなど、大臣・大納言クラスの貴族を格下の卿のポストにつけるものであった。平安時代以来、大臣や大納言などは国政の最高機関である公卿会議のメンバーで、八省を指揮監督する立場にあったが、天皇がすべてを決する体制をめざす後醍醐のもとでは、上級貴族の地位と役割は低下せざるをえないのである。このような強引なやり方を、のちにある公家は「物狂の沙汰」と評した。

3

◉後醍醐天皇
中国の天子の冠をかぶり、密教の法服に身を包み、密教の法具である五鈷杵《ごこしょ》を右手に、五鈷鈴《れい》を左手に持つ。「異形の天皇」といわれる。

国司と守護

諸国の制度も律令制《りつりょう》への回帰とはいいがたい。鎌倉時代の守護《しゅご》は、当初はその職権をかなり厳しく制限されており、謀叛《むほん》や殺人など重罪の取り締まりと犯罪人の処断、国内御家人《ごけにん》の軍事指揮にあたるにすぎなかった。しかし、やがて裁判の結果を現地に取り次ぎ、それが実現されるように働きかける使節遵行《しせつじゅんぎょう》などの仕事が加わり、元寇《げんこう》以後は御家人以外の武士も指揮の対象となった。国によっては国衙《こくが》の行政を事実上肩代わりして行なっている場合もあり、地方における守護の存在は重要なものとなっていた。

本来の律令制からいえば、国司の権限と競合し、その仕事を妨げかねない守護は不要であるが、後醍醐《ごだいご》天皇は守護を廃止することはできなかった。おそらく、守護がすでに地方行政のなかに深く根を下ろしていたことがおもな理由と思われるが、地方の有力武士からこの地位を奪うことが彼らの離反を招きかねないことも考慮されたかもしれない。ただし、国司・守護併置といわれるこの措置は、国司と守護とを相互に対等・同等のものとして並べ置いたものではない。明らかに国司は守護より上位に位置づけられた。武士のなかには足利尊氏《あしかがたかうじ》・直義《ただよし》、楠木正成《くすのきまさしげ》、名和《なわ》長年《ながとし》らのように国司にも任用されてその国の国司・守護の両方を兼ねた者もいたが、大半の国司は貴族で、守護はほとんどすべてが武士であった。身分からみても権限からしても、国司が守護より上であった。妥協をしつつも後醍醐は自己の構想の浸透を図っているようにみえる。

知行国制《ちぎょうこくせい》に対する対処も同様であった。知行国制とは、皇族や貴族、また大寺社などを対象とした一種の給与制度であるが、国を知行国としてもらった知行国主《ちぎょうこくしゅ》は、自分の子供や家司《けいし》などを名目的な国司とし、その国の収益を得た。このような制度は、地方の行政官である国司の地位が利権化したところから生まれてきたもので、もちろん本来の律令制とは相《あい》いれない。ところが、知行国制もすでに貴族社会には根を下ろしていた。西園寺家《さいおんじ》が伊予国《いよのくに》を四代にわたって、中院家《なかのいん》が上野国《こうずけ》を五代にわたって知行国として支配するなど、特定の家の家領と化している国もあった。皇族や寺社などの抵抗にあって、後醍醐はこのような知行国を全廃することはできなかったが、大幅に圧縮し、本来なら国司に任じられることはない上級貴族まで動員して国司制度の立て直しを図った。

奥州小幕府と鎌倉府

さらに、律令どおりでないものとしては、奥州小幕府《おうしゅうしょうばくふ》といわれる機構や、鎌倉府についても触れなくてはなるまい。新田義貞《にったよしさだ》は鎌倉を落として幕府を滅亡させたが、討幕に参加した武士たちを配下に吸収して組織することには失敗した。義貞にかわって鎌倉や東国の武士団の新しい主となったのは、足利千寿王《あしかがせんじゅおう》（のちの義詮《よしあきら》、尊氏の嫡男）であった。東国の武士たちは、新田より足利を選んだのである。義貞は足利勢との衝突を避けて後醍醐《ごだいご》天皇のもとに上京した。こうして鎌倉には、千寿王を頂点として無視できない規模の武士が集まっていた。

足利氏のもとに結集した東国の武士のなかには、出羽《でわ》や陸奥《むつ》に所領をもつ者が多かった。そこで、尊氏の力がこれ以上に強大になることを恐れた京都の護良《もりよし》親王は、足利氏から東国の武士を切り離そうと考え、その一環として奥州の多賀国《たがこく》府《ふ》（宮城県多賀城市《たがじょう》）に拠点をつくることを計画したのである。護良は北畠親房《きたばたけちかふさ》とはかり、後醍醐の皇子で異母弟である義良《のりよし》親王を多賀に下向《げこう》させ、親房の子顕家《あきいえ》を陸奥守《むつのかみ》としてこれにつけた。後醍醐は顕家の陸奥への下向時に「奥州には直勅裁《じきちょくさい》を閣《さしお》く」という特別の権限、つまり奥州統治の全権を付与した。義良を将軍、顕家を執権《しっけん》とみることができる奥州小幕府がこうして成立した。護良らの思惑《おもわく》どおりに東国の武士の多くは奥州に下り、一時鎌倉は見る影もなくなったという。

ところが尊氏は、このピンチをチャンスに変えたのである。尊氏は、奥州小幕府に対抗して、同様の機構を鎌倉に置くことを後醍醐に迫った。これに応じて、後醍醐は子の成良《なりよし》親王に相模守《さがみのかみ》となった直義をそえて鎌倉に下向させた。幕府の陥落後に後醍醐の許しがないままに尊氏が鎌倉に築いてきた拠点が公認されたのである。奥州に

此頃《このごろ》都ニハヤル物　夜討強盗謀綸旨《にせりんじ》　召人《めしうど》早馬虚《そら》騒動
生頸《なまくび》還俗《げんぞく》自由出家　俄大名迷者《まよいもの》　安堵《あんど》恩賞虚戦《そらいくさ》
本領ハナルル訴訟人　文書入タル細葛《ほそつづら》　追従《ついしょう》讒人《ざんにん》禅律僧《ぜんりつそう》
下克上《げこくじょう》スル成出者《なりでもの》　器用ノ堪否《かんぷ》沙汰モナク　モルル人ナキ決断所
キツケヌ冠上ノキヌ　持《もち》モナラハヌ笏《しゃく》持テ　内裏《だいり》マジハリ珍シヤ
賢者ガホナル伝奏《てんそう》ハ　我モ〱トミユレドモ　巧ナリケル詐《いつわり》ハ
ヲロカナルニヤヲトルラム　為中美物《いなかびぶつ》ニアキミチテ　マナ板烏帽子《いたえぼし》ユガメツツ
気色《けしき》メキタル京侍　タソガレ時ニ成《なり》ヌレバ　ウカレテアリク色好《いろごのみ》
イクソバクゾヤ数不知《しれず》　内裏ヲカミト名付タル　人ノ妻鞆《めども》ノウカレメハ
ヨソノミル目モ心地アシ　尾羽ヲレユガムエセ小鷹《おたか》　………

●「二条河原落書」の書き出し
京童の口ずさみとして建武新政の混乱ぶりや世相を、小気味よく、いきいきと伝える。（『建武年間記録《けんむねんかんきろく》』）

下った関東の武士たちもふたたび鎌倉に帰参した。後醍醐がなぜこのようなことを認めたのか不思議としかいいようがないが、尊氏をコントロールする自信をもっていたのであろうか。

以上にみてきたように、延喜《えんぎ》・天暦《てんりゃく》の聖代にかえるといっても、その後の約四〇〇年間に起きた変化や、直前の鎌倉時代後期からの連続をすべて否定し無視することは実際には不可能である。後醍醐はスローガンとは別に、あんがい柔軟に現実に対応する。

さらに、後醍醐は失地を回復し、あらためて天皇の権威を示すために、徳政令《とくせいれい》を発したり、承久《じょうきゅう》元年（一二一九）に焼けて以後、再建されなかった大内裏《だいだいり》再建計画を発表するなど、天皇専制の体制づくりに励む。

しかし、新政に対する批判は、廷臣《ていしん》だけでなく、武士や庶民たちのあいだにも広がっていった。公家優先の新政権は、武士に「奴婢《ぬひ》・雑人《ぞうにん》」としての地位を押しつけるもので、「武家、四海の権を執る世の中に又成れかし」と願う武士が多かった（『太平記《たいへいき》』）。京都の住民の新政権への冷ややかな反応は二条河原落書《にじょうがわらのらくしょ》にみられるとおりである。地方でも、若狭《わかさ》の太良荘《たらのしょう》（福井県小浜《おばま》市）の百姓らは、荘園領主である東寺《とうじ》に年貢などの減免を求めた言上状《ごんじょうじょう》のなかで、「明王聖主《めいおうせいしゅ》の御代」が到来したと「喜悦の思いを成《な》」したのもつかのまだったと、新政権への失望を表明した。

尊氏・直義の離反

護良の失脚

天皇専制をめざした後醍醐《ごだいご》天皇は、現実に直面してそれなりの妥協を重ねたといえるが、それでも足利尊氏《あしかがたかうじ》をはじめ、かつて幕府に仕えた武士を中心とする勢力とは対立を深めていった。『梅松論《ばいしょうろん》』は、「よろづ物さはがしくみえしかば、此《この》ま、にてはよもあらじ」と恐れ、世間は息をひそめていたという。さらに後醍醐は、護良《もりよし》親王・新田義貞《にったよしさだ》・楠木正成《くすのきまさしげ》・名和長年《なわながとし》らにひそかに尊氏の抹殺を命じたという。尊氏もこのような動きを十分に察知しており、警戒を怠らなかった。

先にみたように、入京した護良親王は将軍に任命されたが、その権限は親王の期待したものとは異なっており、武士の新しい棟梁《とうりょう》としての地位を約束するものではなかった。それさえも護良はまもなく剝奪《はくだつ》されたようで、かつて親王のもとに参じた武士たちは離散し、かわって怪しげな無頼《ぶらい》のような者たちが集まってきていた。『太平記《たいへいき》』は、護良のすさんだ生活を「身を慎んで将軍職に専念なさるべきであるのに、お心のままに奢侈《しゃし》をきわめ、世間の非難を顧みずに淫楽をもっぱらにされる」と述べ、その配下のならず者たちとその無法無頼ぶりを、「強弓《つよゆみ》を射る者だ、大太刀を使う者だといえば、それだけで忠功もないのに厚い恩賞を下されて、左右前後に召しつかわれた。その結果、そのようなソラガクル者（みだりに刀などを振りまわす者）どもは、毎夜京・白河《しらかわ》をめぐって辻斬《つじぎ》りをしたので、路地で行きあった稚児《ちご》法師、女子供たちが、ここかしこに斬り倒され、横死《おうし》するものが跡を絶たない」と描いている。

護良は、義貞や正成らと異なり、もともと後醍醐の制御がききにくい存在であったが、ひそかに諸国に令旨《りょうじ》を発して軍勢を集めるなど独自に動き出した。尊氏はその動きを察知し、後醍醐に「護良親王に帝位をうかがう謀叛《むほん》がある」と訴えた。こうして建武《けんむ》元年（一三三四）一〇月二二日、清涼殿《せいりょうでん》の詩会に出るために参内《さんだい》してきたところを護良は捕らえられた。護良は武者所などに拘束されたあと、鎌倉に護送されて足利直義《ただよし》に身柄を渡された。直義は護良を「二階堂《にかいどう》の薬師堂《やくしどう》の谷《やつ》」に幽閉した。

この件に関して『梅松論』は、「宮の御謀叛、真実は叡慮《えいりょ》」だったとしている。ほんとうは後醍醐が護良の背後にいて尊氏をねらわせたのだ、ところが尊氏に詰めよられると罪を護良になすりつけたのだという。護良は「武家よりも君のうらめしく渡らせ給ふ」と、尊氏よりも後醍醐を恨んだと伝えられる。護良の身柄が尊氏側に渡されたのは、武士社会の「私闘の解決法」によったとみられている。

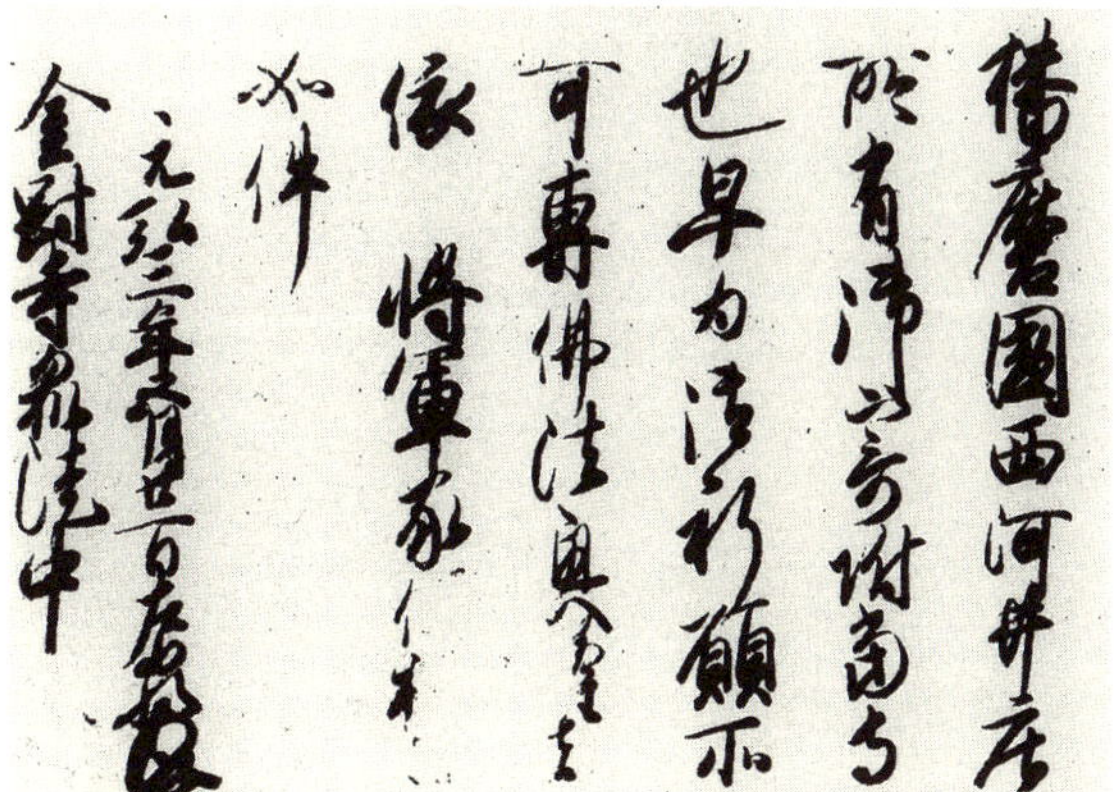

4

◉護良親王令旨
播磨国西河井庄《はりまのくににしかわいのしょう》（兵庫県加西市《かさいし》）を金剛寺《こんごうじ》に寄進したもの。護良親王が、「将軍家」と呼ばれている点が注目される。

中先代の乱

鎌倉時代、京都の西園寺《さいおんじ》氏が関東申次《かんとうもうしつぎ》として幕府と朝廷のあいだに立って重要な役割を果たしていたことは前巻に詳しい。幕府が滅んで、西園寺公宗《きんむね》は最後の関東申次となった。この公宗のところに、幕府陥落後、北条高時《ほうじょうたかとき》の弟である泰家《やすいえ》が奥州を経て上洛し、かくまわれていたと『太平記《たいへいき》』はいう。泰家は時興《ときおき》と名前を変え、「田舎侍」がはじめて京都で奉公するようなふりをしていたと伝えられる。公宗は時興を通じて各地の北条残党と連絡をとったのだろう。

公宗は後醍醐《ごだいご》天皇を自邸である北山殿《きたやまどの》に招いて浴室でこれを暗殺し、持明院統《じみょういんとう》の後伏見《ごふしみ》法皇を擁立する計画であったという。同時に、畿内近国は時興を、関東では高時の遺児時行《ときゆき》を、北陸では名《な》越時兼《ごえときかね》を大将として北条与党を糾合《きゅうごう》し、いっせいに蜂起《ほうき》する予定であったらしい。実際、北条残党を中心とする反乱は各地で起こっており、それらを組織すれば新政府転覆の企ても無謀とばかりはいえない状況であった。

しかし、計画は事前にもれた。公宗の弟である中納言公重《きんしげ》が後醍醐に兄の計画を告げたのである。後醍醐は、後伏見法皇ら持明院統の上皇たちが利用されないようにこれを拘束すると同時に、公宗や公宗の妻の兄らを召し捕った。建武《けんむ》二年（一三三五）六月のことである。公宗は配流《はいる》地の出雲《いずも》に護送される前に名和長年《なわながとし》によって斬られ、西園寺の家督は公重に安堵《あんど》された。こうして西園寺公宗の陰謀は未然に終わったが、これは建武政権崩壊の序曲であった。

翌七月、信濃《しなの》で北条時行が蜂起した。信濃は北条氏が守護職《しゅごしき》をもち、所領も多かった国で、時行が身を寄せていた諏訪《すわ》社《しや》の神官である諏訪氏は北条氏の譜代《ふだい》の家臣であった。時行は快進撃を続けてしだいに軍勢を増やし、足利《あしかが》軍を女影原《おなかげがはら》・小手指原《こてさしがはら》・武蔵府中《むさしふちゅう》で破り、鎌倉に迫った。足利直義《ただよし》は鎌倉を出て武蔵の井出沢《いでのさわ》で時行軍を迎え撃ったが敗れ、西へ敗走する。時行は七月二五日に先祖の地である鎌倉に入った。鎌倉を出発するとき、直義はまるで自己の西走を予感するかのように幽閉中の護良親王を殺害した。

鎌倉が時行の手に落ちたことを知った尊氏は、後醍醐から征夷大将軍《せいいたいしょうぐん》の地位を得て東下しようとした。しかし、将軍を置かずにみずから武士を統率するつもりであった後醍醐は、尊氏の要求を拒否し、東下も許さなかった。たびたびの要求を退けられた尊氏は、「私にあらず、天下の御為《おんため》」（『梅《ばい》松論《しょうろん》』）と称して見切り発車し、軍勢を率いて八月二日に京を出た。尊氏のこの行動に驚いた後醍醐は、あわてて後追い的に将軍の号を尊氏に授けたが、これはかつて護良に将軍号を許したときと同様で、後醍醐の見通しの悪さ、あるいはずるずると妥協する性格を示していよう。

直義は三河《みかわ》の矢作《やはぎ》（愛知県岡崎《おかざき》市）にとどまっていた。足利氏の本拠地はもちろん足利荘のある下野《しもつけ》であるが、三河にも足利氏の所領が多く、一族も根を

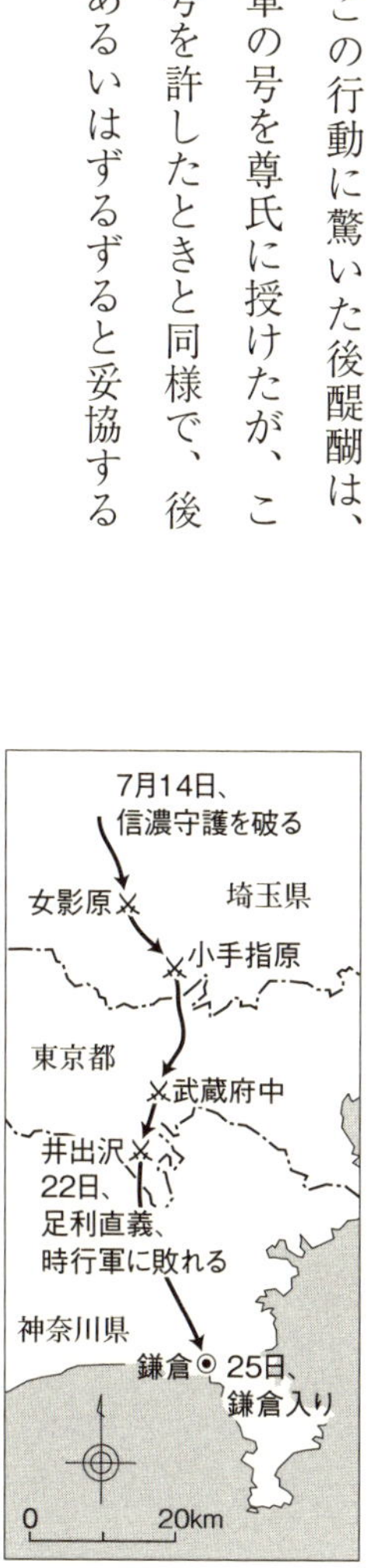

◉中先代の乱における、北条時行の進路
関東平野に出た時行の軍団は、一路鎌倉へ南下する。先祖たちが整備した「いざ鎌倉」の鎌倉街道をたどったのであろうか。一面の雑木林が開けた場所で合戦が行なわれた。

張っていて第二の本拠地ともいえるところであった。尊氏はここで直義に合流し、つぎつぎと勝利して東海道を進み、八月一九日には時行を鎌倉から敗走させた。以上を中先代《なかせんだい》の乱《らん》という。北条氏を先代、足利氏を後代とし、時行を中先代とする見方による呼称である。

尊氏と直義

北条時行《ほうじょうときゆき》敗走の報に接した後醍醐《ごだいご》天皇は、ただちに足利尊氏《あしかがたかうじ》に帰京を命じた。京都においてみずから綸旨《りんじ》を用いて武士に恩賞を付与するためである。尊氏が鎌倉にとどまり、勝手に恩賞付与を行なうことは、鎌倉幕府の復活にほかならない。それを後醍醐は恐れたのである。

『梅松論《ばいしょうろん》』によると、後醍醐の命を受けて尊氏は「急ぎ参るべ」し、つまりすぐに帰洛すると返答した。これに対して弟の直義《ただよし》は、「上洛はおやめになるべきです。北条高時《たかとき》を滅ぼして天下一統がなったのは、すべて兄上の武略のおかげです。それなのに、京都におられたときは、つねに天皇や新《に》田義貞《たよしさだ》の陰謀に脅かされておられました。いまご無事なのは、運があっただけです。たまたま大敵の手を逃れたのですから、このまま関東におられるべきです」と諫《いさ》め、これを容《い》れた尊氏は鎌倉にとどまった。すでに、尊氏は東下の途中から自分の判断で配下の武士に恩賞を付与していた。また、宿敵である新田義貞の一族が東国に拝領していた所領を没収し、部下に配分した。さらに鎌倉将軍邸あとに邸宅を新築して一〇月にここに移る。これらのことは、京都からみれば、すでに公然たる反逆であり、新幕府の樹立を示したものにほかならない。それにもかかわらず、後醍醐が上京を命令すると、尊氏はただちにこれに従おうとしたのである。これは不思議なことといわねばならない。

尊氏が鎌倉にとどまったことをうけて、後醍醐は新田義貞を追討使《ついとうし》に任命し、一一月、義貞は大軍を率いて東に進軍してきた。これに対する尊氏の反応が『梅松論』と『太平記《たいへいき》』の双方にある。

『梅松論』によると、尊氏は、「私は天皇のおそば近くに仕えて勅命を受け、親しくお言葉を頂戴し、叡慮《えいりよ》にあずかった。いつどこにいようと、天皇のご芳志を忘れるものではない。今度のことは本意ではない」といって政務を直義に譲り、細川頼春《ほそかわよりはる》をはじめ近習《きんじゆう》の者を二、三人を連れてひそかに鎌倉の浄光明寺《じようこうみようじ》にこもってしまったという。

『太平記』にはつぎのようにある。直義をはじめ仁木《につき》、細川《ほそかわ》、高《こう》、上杉《うえすぎ》氏の面々は、出陣を要請して尊氏に詰めよった。これに対して、しばしの沈黙のあと、尊氏は「このたびの天皇のお怒りは、護良《もりよし》親王を殺害したことと、諸国に軍勢催促状を出したことによる。これらはいずれも自分のせいではない。謹《つつし》んで弁明すれば、お怒りも解けるだろう。あなた方は好きなようにすればいい。私は天皇に対して弓を引き矢を放つことはしない。それでも罪を逃れることができなければ、剃髪染衣《ていはつぜんえ》の僧となり、天皇に不忠を存ぜざることを子孫のためにに明らかにしておきたい」と気色ばんで言い、言い終わらぬうちに後ろの襖《ふすま》をさっと引いて奥に入ってしまった。甲冑《かつちゆう》をつけて参集した人びとはすっかりシラけて解散し、「なんということだ」とささやきあったという。後醍醐の反対を押しきって京都を出たときの毅然《きぜん》たる行動に比べると、ここでの尊氏の態度は優柔不断で、理解できないものである。

東進してきた義貞は、三河《みかわ》の矢作《やはぎ》で高師泰《こうのもろやす》と戦い、これを破った。次いで直義が駿河《するが》の手越河原《てごしがわら》（静岡市）で義貞を迎え撃ったが、やはり負けてしまった。尊氏は、形勢がここまで不利になってようやく重い腰を上げるのである。『太平記』によると、尊氏は、「たとえ遁世降参《とんせいこうさん》の者であっても誅《ちゅう》殺《さつ》せよ」という後醍醐の綸旨《りんじ》を見て、これでは「一門の浮沈」にかかわるとして翻意した。この綸旨は、じつは直義らが偽造したものであった。『梅松論』によると、尊氏は「直義が死んでは自分が生きていても無益である。ただし、違勅の気持ちはまったくない。これは天の知るところである。八幡大菩薩《はちまんだいぼさつ》もご加護あるべし」と言って出陣した。実際、直義が命からがら手越河原を逃れたらしいことは、今川了俊《いまがわりょうしゅん》の『難太平記《なんたいへいき》』からもうかがえる。

以上のようにみてくると、直義の態度は毅然と一貫している。それに対して、尊氏は優柔不断で、局面によって大きく揺れ動く。しかし、わかりにくい尊氏の態度も、つぎのように考えると、なんとか説明がつくのではなかろうか。後醍醐の反対を押しきって尊氏が東下したのは、北条時行の軍勢を早くつぶさなければいけない、あるいは鎌倉の地をすぐに回復する必要があると尊氏が考えたからでは必ずしもない。尊氏の関心は、むしろ時行に敗れて矢作まで撤退した直義の安全だった。それで後醍醐の命を無視して出陣した。こう仮定してみれば、手越河原で直義が危機にさらされたことが尊氏出陣のきっかけになったする『梅松論』の記述とも一致する。つまり、尊氏は直義が第一で、後醍醐はそのつぎなのである。直義の安全が確保されれば、尊氏は後醍醐の命に従う。しかし、たとえ後醍醐の意向に反するとしても、直義の身の安全が優先されるのである。

尊氏と直義の関係が問題となるとき、ほとんど必ず言及されるものに、尊氏が清水寺《きよみずでら》に奉納した願文《がんもん》がある。光明天皇践祚《こうみょうてんのうせんそ》の直後の日付をもつ、つぎのようなものである。読みやすくするために、一部書きあらためた。

この世は夢のごとくに候《そうろう》、尊氏に道心（仏道をおさめる心）賜《たば》せ給《たまい》候て、後生たすけさせをはしまし候べく候、猶々《なおなお》疾《と》く遁世したく候、道心賜せ給候べく候、今生の果報（幸福）にかへて、後生たすけさせ給候べく候、今生の果報をは直義に賜せ給候て、直義安穏にまもらせ給候べく候、

建武三年八月十七日　尊氏（花押）

清水寺

尊氏の心は、はや後生に向かっていた。今生の大事としては、ひたすら直義の果報と安穏が祈られたのである。この願文を見るかぎり、尊氏が直義の身の安全を何よりも優先させていたと考えることは十分可能であろう。

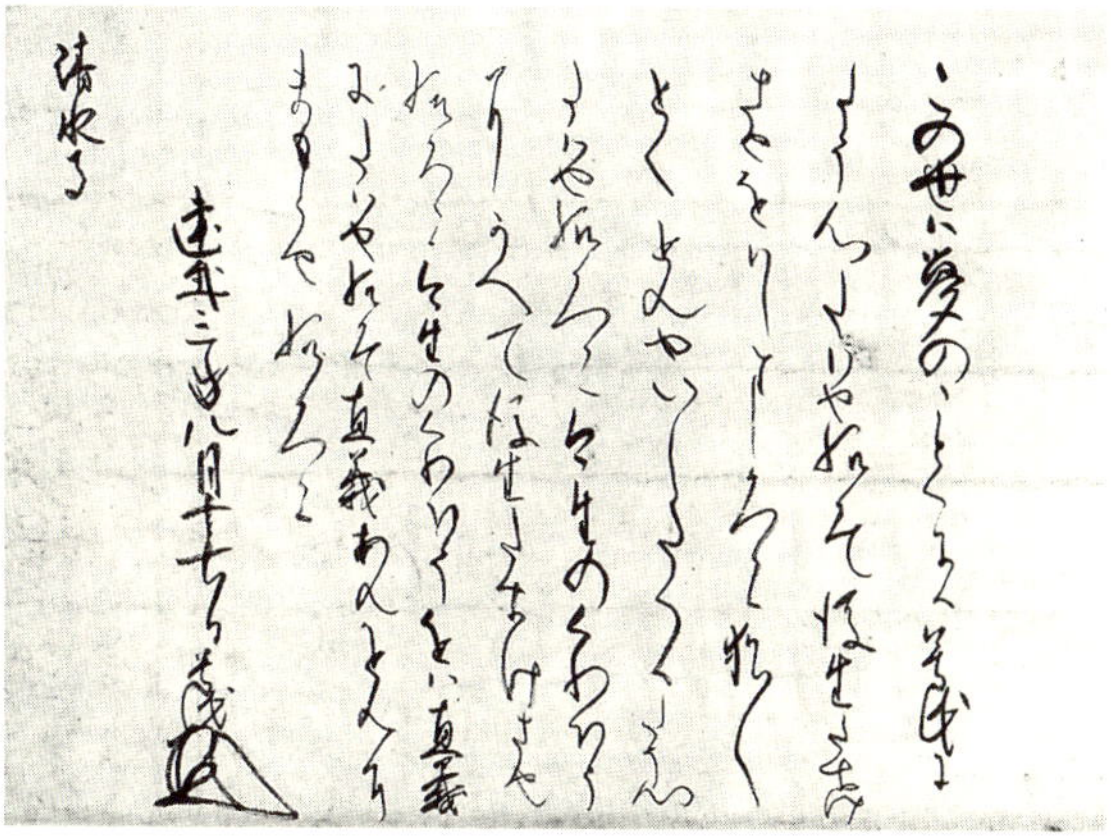

◉足利尊氏願文
勝利が決定的になった段階のものであるにもかかわらず冷めた印象で、遁世したい、道心が欲しいなど、厭世《えんせい》的な気分が伝わってくる。

尊氏の大返し

箱根《はこね》で新田義貞《にったよしさだ》を破った足利尊氏《あしかがたかうじ》と直義《ただよし》は、そのまま敗走する義貞を追撃して京都に入る。かつて源頼朝《みなもとのよりとも》は、富士川《ふじがわ》の戦いで平氏を敗走させたあと、東国御家人《ごけにん》たちの意向に従って東に引き返して鎌倉に幕府を開いた。その先例に倣う途《みち》もあったが、尊氏・直義は上洛を選んだのである。来るべき幕府が京都の地に開かれることは、ここにほぼ決定したとみてよい。

建武《けんむ》三年（延元《えんげん》元年〔一三三六〕）は、激動の年であった。いちいち細かく述べる余裕はないので、略述すると、一月に尊氏軍が入京する。しかし、背後から追いかけてきた奥州の北畠顕《きたばたけあき》家《いえ》らに尊氏・直義は京都から一度は追い出される。そして、はるか九州まで下って態勢を立て直し、五月の末に摂津《せっつ》まで戻り、次いで入京を果たすのであるが、九州落ちに際して尊氏・直義はいくつか重要なことを行なっている。

ひとつは、元弘没収地返付《げんこうぼっしゅうちへんぷ》令《れい》を出したことである。元弘三年（一三三三）に後醍醐《ごだいご》天皇によって没収された所領を返すという法令である。これによって北条与党として憂き目を見ていた

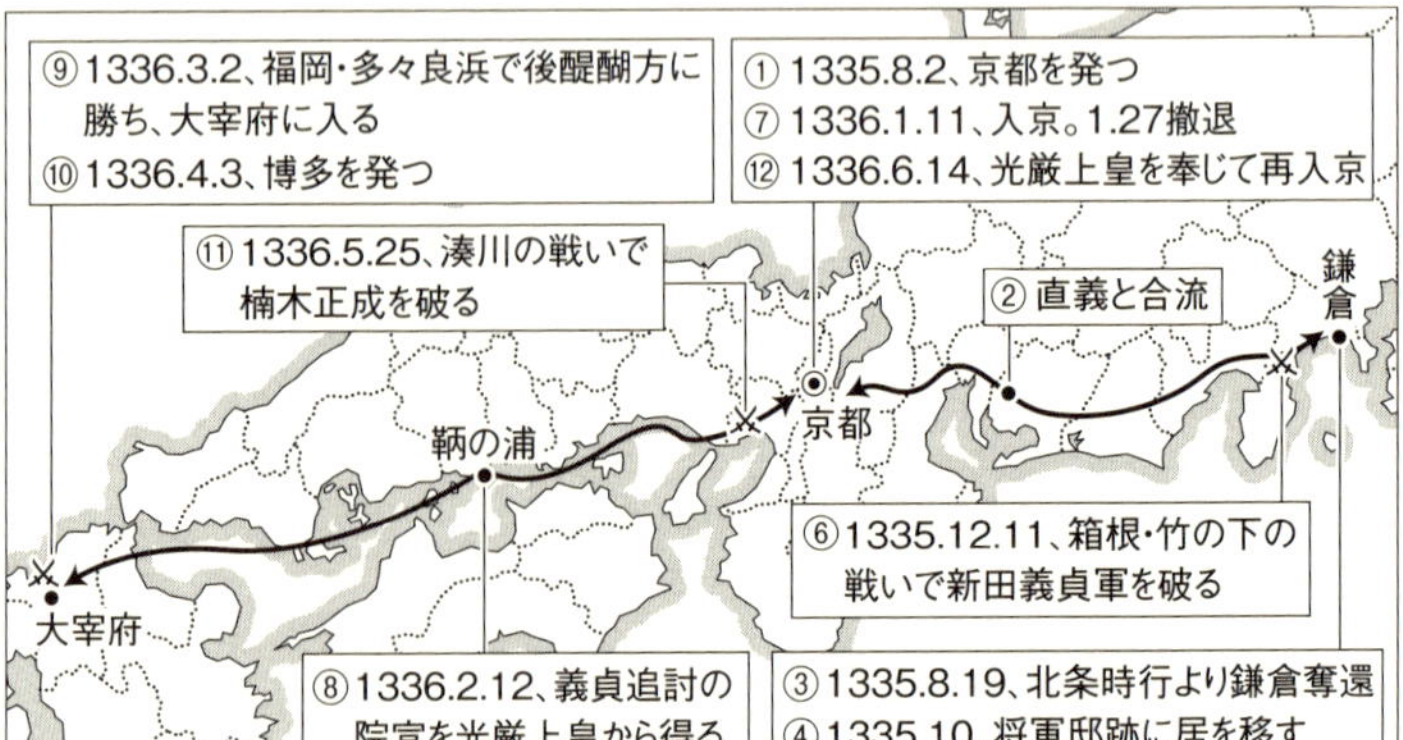

⑨1336.3.2、福岡・多々良浜で後醍醐方に勝ち、大宰府に入る
⑩1336.4.3、博多を発つ
①1335.8.2、京都を発つ
⑦1336.1.11、入京。1.27撤退
⑫1336.6.14、光厳上皇を奉じて再入京
⑪1336.5.25、湊川の戦いで楠木正成を破る
②直義と合流
鎌倉
京都
鞆の浦
⑥1335.12.11、箱根・竹の下の戦いで新田義貞軍を破る
大宰府
⑧1336.2.12、義貞追討の院宣を光厳上皇から得る
③1335.8.19、北条時行より鎌倉奪還
④1335.10、将軍邸跡に居を移す
⑤1335.12.8、鎌倉を発つ

●尊氏の京都奪還
一度は京都へ入るものの、北畠勢の追撃を受け九州・博多まで下る。その後、西日本の武家勢力を結集し、一気に建武政権を打ち倒した。

武士たちの吸収を図ったのである。

二つは、持明院統《じみょういんとう》の光厳《こうごん》上皇から院宣《いんぜん》を獲得したことである。自分たちは光厳上皇の命を奉じて行動しているのだという名目を得ることで朝敵の汚名から逃れて、対後醍醐の戦いを「君と君との御争《おんあらそい》に成」すことに成功した。

三つは、西下途中の室泊《むろどまり》（兵庫県たつの市御津《みつ》町）で軍議を開いて中国・四国地方の守備体制を固めたことである。これはのちの幕府の守護《しゅご》体制の原形となった。

尊氏・直義は、九州から折り返して東上し、五月末に摂津国湊川《みなとがわ》（神戸市）で楠木正成《くすのきまさしげ》を敗死させて入京する。八月には持明院統の光明《こうみょう》天皇が践祚《せんそ》。一〇月には比叡山《ひえいざん》に登って抵抗していた後醍醐が尊氏の説得に応じて下山し、一一月には後醍醐から光明に三種の神器《じんぎ》が渡された。次いで建武式目《けんむしきもく》が制定され、新しい幕府は京都の地に開かれることとなった。しかし、年末の二一日、後醍醐は京都から吉野《よしの》に脱出した。こうして京都と吉野の地に朝廷が並びたつ事態となる。

弓矢と刀剣

一騎打ちと集団戦

私は長いあいだ、勘違いしていたことがある。中世前期の合戦では一騎打ちが主流で、鎌倉末・南北朝期になってから集団戦が一般的になると。しかし、一騎打ちで合戦全体の勝敗が決まるということはなく、結局は入り乱れての集団戦に展開していったようである。軍記物語のある研究者は「（一騎打ちを）合戦の全体像だと思ってしまうとするならば、それは、たとえば名選手によるＰＫ戦をサッカーの全体像だと思い込んでしまうような誤解」だといい、有職故実《ゆうそくこじつ》・合戦史《かっせんし》の別の研究者は、「一騎打ちが特徴ではなく、一騎打ちに合戦の特徴が出る」のだと述べている。この考えによって中世前期の一騎打ちをみてみよう。

『今昔物語集《こんじやくものがたりしゆう》』に描かれた合戦は、院政期の合戦の実態を反映している。よく引かれるのが、源充《みなもとのみつる》と平良文《たいらのよしふみ》の一騎打ちである。充と良文は本来仲がよかったが、武士としての能力をお互いに自慢しあううちに意地の張り合いとなり、ついには兵を率いて戦うことになった。日時と戦場をあらかじめ決め、二人はそれぞれ数百人の兵を従えて約束の場所へやってきた。

両軍は盾《たて》を並べて対峙《たいじ》し、使者が交換されていざ開戦となったとき、良文が提案した。「きょうはお互いの腕前を知りたいだけだ。兵を使わず、一騎打ちで決めよう」と。充もこれに応じて二人だけで戦うことになった。その戦い方はつぎのとおりである。馬上の両者が一定の距離をとって向かい合う。お互いに馬を走らせて接近し、相手が適切な距離や角度に入ったと思ったとき、ねらって矢を放つ。そしてすれ違う。そしてふたたび向かい合い、駆けあって射あう。これを繰り返すのである。もちろん、相手から矢が飛んでくれれば、馬から落ちんばかりにして身をかわす。二人ともぎりぎりのところで矢を逃れた。何度かこれを繰り返したあとで、良文が「もうお互いに腕のほどはよくわかった。やめよう」と提案し、以後二人は仲よく暮らした。

私はここに描かれた充と良文の一騎打ちのような戦いが、何百あるいは何千組みか行なわれるのが当時の合戦だと思っていた。充と良文の場合は、お互いの氏素性《うじすじょう》をよく知っていたから省かれたが、そうでなければ、一騎打ちに先行して、自分にふさわしい相手を求めて例の、「やあやあ、遠からん者は音にも聞け。近くば寄って目にも見よ。われこそは八幡太郎義家《はちまんたろうよしいえ》が……」という大音声《だいおんじょう》での名のりと氏文読《うじぶみよ》みが行なわれる、そう思っていた。

6

◉一騎打ち
一一世紀なかばの前九年合戦の一場面だが、絵巻が制作された一三世紀中〜末期の一騎打ちを描いたものであろう。(『前九年合戦絵巻《ぜんくねんかっせんえまき》』)

しかし、それは違うようだ。良文たちの場合は、一騎打ちは良文のその場での思いつきに基づくもので、本来は率いてきた兵たち全員が戦うのである。そしてそれは、一人ひとりの兵が名のりをあげて、それぞれ自分にふさわしい相手を見つけてから一騎打ちとして行なわれるような、そんなのどかなものでは決してない。相手が少数であれば、大勢で取り囲んで雨の降るごとくに矢を射かけて針坊主《はりぼうず》にしてしまう集団戦、殺戮戦《さつりくせん》である。馬上で、あるいは地上で敵と一対一で戦っているときに、横合いから矢が飛んできたり、突然加勢が現われたりするのもめずらしいことでも、とりたてて卑怯《ひきょう》なことでもない。命をやりとりする戦場には、ルールや仁義などないに等しい。

中世前期の合戦は、騎兵集団による弓射戦《きゅうしゃせん》が主要な戦闘形態だったといえるが、では南北朝期ではどうであろうか。一騎打ちにその時代の合戦のあり方が現われるという説にふたたび依拠して、この時期の一騎打ちをみてみよう。

のちに詳しくみるが、足利尊氏《あしかがたかうじ》と直義《ただよし》の兄弟は、観応《かんのう》年間（一三五〇〜五二）にいたって戦うことになる。そのころの合戦のひとつに、直義方の桃井直常《もものいただつね》と尊氏方の高師直《こうのもろなお》らの軍勢が京都の四条《しじょう》河原《がわら》で対峙したことがある。両軍がそれぞれ思惑《おもわく》を秘めてにらみ合っているときに、桃井方から秋《あき》山光政《やまみつまさ》という武士が進み出た。秋山は、身長七尺（約二一〇センチメートル）の大男で、八角に削った一丈（約三メートル）あまりの樫《かし》の木の棒を得物《えもの》に持ち、白川原毛《しらかわらげ》（白色の勝った薄茶色）の太くたくましい馬に乗り、「鞍馬《くらま》の奥で愛宕《あたご》や高雄《たかお》の天狗《てんぐ》が九郎判官義経《くろうほうがんよしつね》に授けた兵法を自分はすべて習った。仁木《にっき》・細川《ほそかわ》・高《こう》家の御家中にわれと思わん人は、ここへ名のり出られよ。はなやかに打ち物をして見物の衆の眠り醒《さま》さん」と呼びかけた。挑戦を受けた仁木氏らの軍勢は、しばらくお互いに見合っていたが、やがて師直配下の阿保忠実《あぼただざね》という武士が大勢のなかから駆け出た。阿保は、連銭芦毛《れんぜんあしげ》（葦毛《あしげ》に灰色の円い斑点《はんてん》の混じった毛色）の馬にまたがり、四尺六寸（約一四〇センチ）の大太刀を鞘《さや》から抜き、「私は兵法の書など一巻も読んだことがないが、元弘建武《げんこうけんむ》以来、三〇〇余か度の合戦を経験した。生兵法《なまびょうほう》など恐れる人があろうか。忠実を討ち取ってから大口をたたかれよ」と応じた。これを見て、「数万の見物衆」は戦場であることも忘れ、走り寄ってきて固唾《かたず》を呑《の》んで見守った。

阿保と秋山はにこっと笑ってから互いに馬を駆け寄せ、秋山が樫の棒ではたと打つと阿保はこれを太刀で受け流し、阿保が後退してさっと切りかかると秋山は棒で打ちよけた。三度接近して三度引き分かれたあとの両者を見ると、秋山は樫の棒を五尺ばかり切り取られ、阿保は太刀を鍔《つば》のもとから折られていた。これを見た高師直は、太刀を折られた阿保を討たせてはなるまいと精兵七、八人に命じて秋山を射させた。秋山は短くなった樫の棒で矢をつぎつぎに打ち落とし、阿保は秋山ほどの名人をむざむざと射殺させてはならないと味方を制して矢の前に立った。これで両者とも退いたが、二人が見せた技量やふるまいはまことに見事で、都で大評判となり、絵馬《えま》や扇団扇《おうぎうちわ》の婆娑羅《ばさら》絵《え》に秋山・阿保の一騎打ち場面を描くことが流行した。

ここでは騎乗した武士が、樫の棒と太刀とで戦った。棒は少し変則的な武器かもしれないが、打物《うちもの》での戦い、斬撃戦《ざんげきせん》である。南北朝期には、合戦の主要形態はかつての騎馬弓射戦から騎馬斬撃戦に変化していたということになる。実際、このころの合戦は、最初に矢を射かけあったあとで、ころあいをみて騎兵が互いにかけ入る、かけあうという、つまり入り乱れての打物戦、斬撃戦に展開することが多い。武士が馬から降りて打物で戦う徒歩《かち》斬撃戦も多くなった。

足軽・野伏

合戦は騎兵だけで行なわれたわけではもちろんない。「はじめに」でとりあげた『春日権現験記絵《かすがごんげんけんきえ》巻《まき》』でも歩兵のほうが多く描かれており、当時の軍勢に占める歩兵の割合を無視することはできない。ここでは足軽《あしがる》と野伏《のぶし》についてみておこう。

『太平記《たいへいき》』の「足軽」の用法には二つある。ひとつは、「足軽の兵」や「足軽の射手」などにみられるように、「俊敏な」あるいは「機動力のある」の意味で形容詞的に使われる場合である。たとえば、正慶《しょうきょう》二年（元弘《げんこう》三年〔一三三三〕）正月、幕府方について護良《もりよし》親王を攻めた吉野《よしの》執行《しぎょう》は、足軽の兵を一五〇人選んで歩立《かちだち》にしている。「歩立ニナシ」とあるので、本来騎乗していた兵、つまり騎兵である。騎兵のなかから俊敏な者を選抜して臨時に歩兵の部隊を編成したのである。貞和《じょうわ》四年（正平《しょうへい》三年〔一三四八〕）正月には、四条畷《しじょうなわて》の合戦に先立って、高師直《こうのもろなお》が「足軽ノ射手八百人馬ヨリヲロシテ」生駒山《いこまやま》を固めさせている。やはり騎兵を一時歩兵として使っているのである。このようなことは、馬に乗っていては戦いにくい山岳戦などでしばしば行なわれただろう。

二つは、身分が低く、もともと乗馬などもたない補助的な歩兵、雑兵《ぞうひょう》としての足軽である。足軽といった場合に、ふつうイメージするのはこちらのほうであろう。彼らは京都の町屋や城下の在家を放火するときや、田んぼの細いあぜ道を疾走して奇襲攻撃をするときのゲリラ的な兵として、また櫓《やぐら》や塀などをつくる工作兵などとして駆使された。『太平記』にそれほど頻繁に登場するわけではなく、のちの応《おう》仁《にん》の乱（一四六七～七七年）のころのような比重は、おそらくまだない。

雑兵としての足軽と少し重なるかもしれない存在として、野伏がある。『太平記』に出てくる野伏には、山立《やまだち》（山賊《さんぞく》）・強盗・溢者《あぶれもの》・悪党などと置き換えられるような用法もみられる。したがって、野伏のなかにそのような犯罪者やならず者などが含まれていたことは間違いあるまい。しかし、野伏の大半は、ふだんはごくふつうの地域住民、荘民であったのではなかろうか。中世のごくふつうの人びとが、合戦が起こると野伏となったのである。そう思われる例を二、三みてみよう。

正慶元年（元弘二年）七月、楠木正成《くすのきまさしげ》・和田《わだ》孫三郎《まござぶろう》は、天王寺《てんのうじ》に入った宇都宮公綱《うつのみやきんつな》の軍勢を威嚇《いかく》するために、「和泉《いずみ》・河内《かわち》の野伏どもを四、五千人駆り集めて、しかるべき兵《つわもの》二、三百騎差し副《そ》え」て、あたかも大軍が天王寺を包囲しているかのように遠篝火《とおかがりび》を焚《た》かせたという。ここから野伏は、「しかるべき兵」といえない雑兵で、「しかるべき兵」が馬に乗った騎兵であるのに対して、おそらく歩兵であることなどがわかる

7

◉**戦いに備える悪党たち**
大和・河内・吉野・十津川の奥から駆り出された悪党たちが、にわかに足軽に仕立てられて、奈良や京都の寺院を襲った。（『芦引絵《あしびきえ》』）

が、そのほかに、「和泉・河内の」と地名をつけて呼ばれる存在であることが注目される。

野伏が地名を冠して呼ばれている例はほかにもある。護良《もりよし》親王が千早城《ちはやじょう》に立てこもった正成を側面から援助したことは先に述べたが、その兵は「吉野《よしの》・戸津河《とつかわ》（十津川）・宇多《うだ》（宇陀）・内《うち》（宇智）郡の野伏ども」「七千余人」だった。ここに見える地名は、「戸津河《とつかわ》」のほかはいずれも大和《やまと》の郡の名前である。「戸津河」も郡に相当する地域と考えられる。

国名や郡名ではなく、もう少し狭い範囲が示される場合もある。建武《けんむ》三年（延元《えんげん》元年〔一三三六〕）五月、九州から京都をめざす足利尊氏《あしかがたかうじ》・直義《ただよし》軍は快調に進撃し、迎え撃つ新田《にった》軍は苦戦していた。新田方の和田範長《わだのりなが》主従八三騎は、落ちる途中の播磨国赤穂郡那波野《はりまのくにあこうなばの》（兵庫県相生《あいおい》市）付近で赤松《あかまつ》軍に包囲されたが、なんとか囲みを破って逃走した。そのとき赤松軍は、「落人が通るぞ。打ち止めて物具《もののぐ》をはげ」と一帯の荘園に触《ふれ》を出した。これによって、そのあたり二、三里のあいだの野伏どもが二、三〇〇〇人出合い、山中の人目につかない場所、あるいは田んぼのあぜ道に立ち並んで散々《さんざん》に和田勢を射たという（『太平記』）。

このように周辺に対して動員がかけられるのは、野伏が地域の住民であることを示しているだろう。野伏は、合戦が起これればどこからともなく現われて、終わればまたどこかへ去っていくような国籍不明の傭兵《ようへい》などでは決してなく、その国、その郡、その地域の住人なのである。また、「七千余人」「四、五千人」などという数字はもちろん誇張されていると思われるが、そのおびただしい数からみて、野伏の主体は山賊や強盗などの犯罪者や悪党などといった特別な存在だったわけではなく、ごくふつうの人びとだったと思われる。

合戦が起こると軍隊が移動する。南北朝期には、武士たちの移動は大規模化・全国化・長距離化した。中世の軍隊には兵站《へいたん》という考えがないので、食料や必要な物資は現地調達、つまり略奪によって行なわれた。したがって、武士たちが進軍していったあとには、荒廃した荘園、疲弊した村々が残されることになる。それが悲惨《ひさん》な光景であったことはいうまでもない。

しかし、中世の人びとは、やられっぱなしではなく、みずからも野伏として合戦に参加していたのである。もちろん、そのなかには凶暴な武士たちに動員されてやむをえず従軍したというケースもあるだろうが、両軍の優劣を判断してみずから勝ち馬に乗る人びとも少なくなかっただろう。

落人狩り

野伏《のぶし》が『太平記《たいへいき》』などにもっともいきいきと登場するのは、落武者、落人《おちうど》を襲うときである。赤《あか》松《まつ》勢に集められた那波野《なばの》近辺の野伏は、かき入れ時とばかりに勇躍して和田《わだ》勢を襲った。落人の物《もの》具《のぐ》や乗馬は、野伏としてみずから利用するもののほかはおそらく売却され、地域の人びとに貴重な臨時収入をもたらした。

天皇の権威も、獲物《えもの》を前にした野伏には通用しなかった。六波羅《ろくはら》軍（鎌倉幕府側）が光厳《こうごん》天皇を擁して京都を脱出したとき、山科《やましな》の四宮河原《しのみやがわら》で五、六〇〇人の野伏が「楯《たて》をつき鏃《やじり》を支えて待懸《まちか》」けていた。供奉《ぐぶ》の武士が「かたじけなくも天皇の関東への臨幸である。何者がこのような狼藉《ろうぜき》を働くのか。心ある者ならば、弓を伏せ甲《かぶと》を脱いで通し奉れ。礼儀を知らぬ奴《やつ》らは、いちいち召し捕って頸《くび》を切ってさらして通るぞ」と威嚇《いかく》した。これに対して、野伏らはからからと笑い、「運がつきて落ち行かれるのを通さないとは言わない。無事にお通りになりたいとお思いならば、お供の武士の馬や物具はすべて捨てて、心やすく落ちられよ」と応じ、どっと鬨《とき》の声をあげたという。

さらに『太平記』には敗走する軍隊が付近の住民にもたらした富について、以下のような話も載せている。元徳《げんとく》三年（元弘《げんこう》元年〔一三三一〕）九月、楠木正成《くすのきまさしげ》の赤坂城《あかさかじょう》を攻めた鎌倉幕府軍は予想外の抵抗にあい、一時退却して城を遠巻きにした。圧倒的な大軍である幕府軍を相手に楠木軍が城から打って出てくることはよもやあるまいと思い、武士たちは重い武具を脱ぎ、馬から鞍《くら》を下ろした。

その虚をついて城外に隠れていた騎馬隊が急襲する。休んでいた幕府軍は、突然鬨の声をあげて現われた軍勢が敵か味方かもわからなかった。そこをさらに、城中にこもっていた軍勢が攻撃した。幕府軍のあわてようは目を覆うばかりであった。弦《つる》の張って

8

◉合戦の様子
画面左下に、山間で長刀《なぎなた》や刀で斬り合う斬撃戦が描かれている。待ち伏せて、一気に襲いかかったのであろうか。（『六道絵《ろくどうえ》』のうち「人道苦相図《にんどうくそうず》」部分）

いない弓で矢を射ようとする者、ひとつの鎧《よろい》を奪い合う者など、大混乱のまま幕府軍は五キロメートル以上、国境を越えて大和《やまと》まで後退させられた。敗走のあとにはおびただしい数の馬や武具が残され、付近の住民はこれをかき集めてにわかに裕福になった。このケースでは、住民らは野伏となって略奪するまでもなく、まさに濡れ手で粟《あわ》であった。

戦う公家

どうやらごくふつうの人びとが、広く戦いに参加していたようであるが、身分の高い貴族たちがみずから軍勢を率いて戦ったのもこの時代の特徴である。もちろん、公家のなかにも武官と分類される人びとはいつの時代にもいたが、武士が歴史上に登場してからその役割は極小化され、本格的な軍事作戦に従事することはほとんどなかった。血なまぐさい荒々しい仕事は、東夷《とうい》である武士に任せておけばよかった。しかし、この時代、武士と比べても遜色《そんしょく》のない働きをした公家が多くみられるのである。

その筆頭は、公家というより皇子であるが、護良《もりよし》親王であろう。護良が将軍の地位に執着したことはすでに述べたが、それは必ずしも親王の能力を超えた不当な望みというわけではなかった。『太《たい》平記《へいき》』によると、護良は天台座主《てんだいざす》の地位にあったときから、「行学《ぎょうがく》（僧としての修行や学問）共に捨てはてさせ給《たまい》て、朝暮ただ武勇の御嗜《おんたしな》みのほかは他事なし」といわれるほど「武芸の道」に親しみ、その結果、七尺（約二一〇センチメートル）の屛風《びょうぶ》を飛び越えるほど身が軽く、剣術の達人で兵法書に通じていたという。笠置落城《かさぎらくじょう》後、護良は奈良の般若寺《はんにゃじ》に身を隠していたが、追っ手が寺内に乱入したとき、「隠形《おんぎょう》の呪《じゅ》」を唱えて大般若経《だいはんにゃきょう》の唐櫃《からびつ》に隠れてあやうく難を逃れた。さらにその後、山伏《やまぶし》に身をやつして怪しまれることなく十津川《とつかわ》へ逃げ延びた。これらの話は、護良の軍人としての能力を反映したものであろう。

吉野《よしの》で鎌倉幕府軍に攻められた護良は、甲冑《かっちゅう》に身を包んで小《こ》長刀《なぎなた》をふるって奮戦した。その後、死を覚悟して酒宴を行なうが、そのとき「宮の御鎧《おんよろい》に立つところの矢七筋、御頬《ほお》さき、二の御うで二箇所つかれさせ給て、血の流るること滝のごとし」だったという。のちには万単位の兵を率いる大将としてもっぱら行動することになるが、護良自身、高い戦闘能力をもった武人だったのである。最後には鎌倉で足利直義《あしかがただよし》の手の者に殺されるが、相手の刀の切っ先を食い切って抵抗したと伝えられるのも、護良の猛々《たけだけ》しい性格を表わしていよう。

後醍醐《ごだいご》天皇の供をして隠岐《おき》まで行った千種忠顕《ちぐさただあき》も、たおやかな公家ではなかった。「文字の道をこそ、家業とも嗜まるべかりしに、弱冠のころより我が道にもあらぬ笠懸《かさがけ》・犬追物《いぬおうもの》を好」んだという。奥州と京都とのあいだを二度大軍を率いて往復し、「武略知謀その家にあらずといえども、無双の

9

◉武者姿の護良親王
額の丸い描き眉、白い肌は高貴さの象徴であろうか。皇子でありながら、つねに戦闘のなかに身を置いた。（『伝護良親王出陣図《もりよししんのうしゅつじんず》』）

勇将」といわれた北畠顕家《きたばたけあきいえ》も、その父親房《ちかふさ》とともに戦う公家としてあげておかなければなるまい。そのほか、洞院実世《とういんさねよ》、四条隆資《しじょうたかすけ》、中院定平《なかのいんさだひら》、二条師基《にじょうもろもと》、一条行実《いちじょうゆきざね》らの活躍が『太平記』には記されており、顕家のように戦死した者もめずらしくない。この内乱期は公家、少なくともその一部が武士のように行動した時代でもあった。

戦いを見物する

この時代の合戦には、敵と味方の軍勢のほかに、見物衆の姿もしばしばみられた。先にみた秋山《あきやま》光政《みつまさ》と阿保《あぼ》忠実《ただざね》の一騎打ちでは、秋山が「見物の衆の睡《ねむ》り醒《さま》さん」と呼びかけている。阿保がこれに応じると、「数万の見物衆」が走り寄ってきた。合戦、なかでも一騎打ちは格好の見世物であった。場所が四条河原《しじょうがわら》という芸能興行の地であったことも、多数の都市民を見物に誘い込んだ要因であろうという指摘もある。

京都の外の合戦でも見物衆は確実にいた。先にみたように、討幕計画が発覚したことを知った後《ご》醍醐《だいご》天皇は笠置《かさぎ》に逃れるが、このとき陽動作戦がとられ、大納言《だいなごん》の藤原師賢《ふじわらのもろかた》は天皇の御衣を着、その輿《こし》に乗って比叡山《ひえいざん》に登った。こうして行幸を信じた比叡山の衆徒《しゅと》と幕府軍は戦火を交えることになったが、唐崎《からさき》の浜（大津《おおつ》市坂本《さかもと》）では騎馬の海東左近将監《かいとうさこんしょうげん》と、小長刀《こなぎなた》を使う歩立《かちだち》の山徒《さんと》・快実《かいじつ》の変則的な一騎打ちがあった。快実は海東の喉笛《のどぶえ》を下から突いて落馬させ、頸《くび》を掻《か》き切った。その頸を長刀の切っ先に貫いて「さい先がいいぞ」と悦にいっていると、「見物衆の中より、年十五、六ばかりなる小児」が飛び出してきて快実を襲った。「法師の身」の快実は、子供は殺せないとして相手にしたくなかったが、少年は執拗《しつよう》にかかってきた。仕方なく太刀を打ち落として組みとどめようとした矢先に、少年は比叡山方の兵の放った矢に射られて絶命した。あとでわかったことだが、この少年は海東の嫡子の幸若丸《こうわかまる》であった。戦場に来ることを父に禁止されたものの、気がかりで見物衆に紛れて、あとについてきていたのであった。

合戦の場にどこからともなくやってくる見物衆のなかに、『太平記《たいへいき》』作者の影をみることもできるだろう。合戦そのものではないが、康安《こうあん》元年（正平《しょうへい》一六年〈一三六一〉）に斯波《しば》氏経《うじつね》が九州探題《たんだい》として兵庫津《ひょうごのつ》から九州に下向《げこう》するとき、「左京大夫《さきょうのだいぶ》（氏経）の屋形船」や「士卒《しそつ》の小船共」を見物する人びとが磯に立ち並んでいた。どの船にも「傾城《けいせい》（遊女）を十人二十人」と乗せているのを見て、「些《ち》こ《と》ざかしげなる遁世《とんせい》者」が氏経を非難した。女性の「陰気」が「陽気」を消して「兵気」が立つのを妨げる、「大敵の国に臨む人」のすることとは思えないと。このような遁世者が『太平記』の成立にひと役買っていることは間違いあるまい。

第二章

京都の幕府

1

幕府再興

建武式目

建武《けんむ》式目《しきもく》は、のちに「貞建《じょうけん》の式条」といわれ、貞永《じょうえい》元年（一二三二）に制定された鎌倉幕府の御成敗式目《ごせいばいしきもく》（貞永式目《じょうえいしきもく》）と並び称される武家法で、室町《むろまち》幕府の基本法である。その制定日である建武《けんむ》三年（延元《えんげん》元年〔一三三六〕）一一月七日をもって、室町幕府が成立したとされることが多い。もっとも、京都・室町の地に幕府が置かれるのはまだ先のことだが、足利《あしかが》氏を首長とし、のちに室町幕府と称されるようになる武家政権が、建武式目の制定によってスタートしたとみてよい。

建武式目は、法文を通達するふつうの法と違って、諮問に答える答申の形式をもつ、やや奇妙なもので、二項一七か条からなる。一項目は、「鎌倉にもとのごとく幕府を置くべきか、他所に置くべきか」という諮問から始まる。そして、それに対する答申がこれまた妙ないいまわしになっている。おおよそつぎのようにいう。「中国でも日本でも遷都《せんと》はめずらしいことではないが、末世《まっせ》の現在、簡単なことではない。鎌倉は、源頼朝《みなもとのよりとも》がはじめて幕府を開き、承久《じょうきゅう》に北条義時《ほうじょうよしとき》が天下を取った、武家にはめでたい地である。北条氏はおごりをきわめて滅亡した。（だから鎌倉は不吉だという意見があるかもしれないが）たとえ他所に幕府を移しても、政道をあらためなければ、幕府は傾くだろう」。「隋《ずい》

◉騎馬武者像
かつてこの総髪の武者は足利尊氏とされていたが、現在では高師直説、その息子の師詮《もろあきら》説などがあり、決着がついていない。
前ページ図版

と唐《とう》はともに長安《ちょうあん》に都を置いたが、隋は二代で滅び、唐は三〇〇年栄えた。その地が栄えるかどうかは、政道の善《よ》し悪《あ》しによる」。このように答申は、最後の一文まで徹底して鎌倉に幕府を置くべきだという意見を述べる。ところが、最後にきて、「ただし、諸人もし遷移せんと欲せば、衆人の情《こころ》にしたがうべきか」、つまり、多数の人が鎌倉ではだめだというのであればそれに従う、として、それまでの論調を何もかも放棄してしまうのである。

この奇妙というべきか、不自然な論理展開への着目から、答申の背景と意図はつぎにように解明された。この答申を書いたのは、足利直義《ただよし》の考えに同調する武士・公家・僧侶らである。直義の権力基盤は、東国に基盤を置く伝統的な武士団であり、北条時行《ときゆき》を鎌倉から逐《お》ったのち後醍醐《ごだいご》天皇の命に応じて上洛《じょうらく》しようとした尊氏《たかうじ》を止めたように、直義は京都を避けて鎌倉に新しい根拠地をつくろうと考えていた。しかし、その一方、畿内やその周辺に勢力をもつ武士たちの力や発言権も無視しがたいものになっており、もちろん、こちらは新しい幕府を京都に置くことを要求した。その勢力の代表格が高師直《こうのもろなお》である。

答申は、直義派から師直派に提示された妥協案である。直義派は、幕府を鎌倉に置くべきだという主張を引っ込める。幕府

2

◉足利尊氏
勇気、慈悲、無欲の三つの徳を備えた将軍と夢《む》窓疎石《そうそせき》は称《たた》えたという。九州西下の際に立ち寄ったという、尾道《おのみち》市の浄土寺《じょうどじ》に伝わる肖像画。

は京都に置いてもよい。そのかわりに、師直方は二項目の残り一七か条の「政道の事」を呑《の》め、こう直義派は要求した。そして、師直方はこの提案を受け入れて、答申は幕府を立ち上げるための基本方針、法としてそのまま残されたのである。

京都に開かれることになった幕府は、前代の鎌倉幕府と違い、朝廷や貴族たちと積極的にかかわっていくことは避けられないのである。そのことを答申の起草者たちは十分に自覚していた。「遠くは延喜《えんぎ》・天暦《てんりやく》両聖《りようせい》の徳化を訪《とぶら》い、近くは義時《よしとき》・泰時《やすとき》父子《おやこ》の行状をもって、近代の師となす」と、あたかも後醍醐のめざした公武統合路線を継承するかのようなものの言い方も、ただの修辞ではなかった。いやでもその努力が始められなければならなかったのである。

幕府の機構

建武《けんむ》式目《しきもく》は、第二項のなかで「武家全盛の跡を逐《お》」って「善政を施」す、そのための「宿老《すくろう》・評《ひよう》定衆《じようしゆう》・公人《くにん》等済々《せいせい》たり」と述べている。つまりこれは、前代の鎌倉時代の執権《しつけん》政治と、鎌倉幕府の人材を継承するということである。事実、新しい幕府の初期の機構は前代のそれによく似ており、各所に配置された人びとの顔ぶれも連続している。しかし、少し違う点もあった。評定は鎌倉幕府では最高の合議・決裁機関で、執権・連署《れんしよ》もこれに出席した。裁判の判決も、引付《ひきつけ》から上申された原案を評定が審議して最終的に判断し、執権・連署が将軍の命を奉じる形で下した。室町幕府では、下図のように評定は足利直義《あしかがただよし》の指揮下に置かれた。安堵《あんど》方《がた》をはじめとする各機関で審議した内容が評定に上程され、評定の場で最終的に決定されたことは鎌倉と同様であるが、裁許は直義の命令として下達された。ちなみに安堵方は、所領や遺領などの知行《ちぎょう》の安堵（承認・保証）を扱った。

引付方は、おもに所領をめぐる紛争を審理する訴訟機関、つまり裁判所で、鎌倉時代の五番制《ごばんせい》が引き継がれた。各番には二〇名弱の引付衆が所属し、そのうちそれぞれ上位の八名程度が評定衆を兼ねた。評定衆は大きく、足利一門および被官《ひかん》と、足利一門以外の武士とに分けられるが、足利一門以外の者はたいてい前代から評定衆を出している家の出身である。

禅律方《ぜんりつがた》は禅宗《ぜんしゅう》や律宗《りつしゅう》の寺院や僧侶の訴訟、禅律寺院・僧侶と武士の紛争を扱った。前代にはなかった機関であるが、前巻で明らかにされたように西大寺流《さいだいじりゅう》をはじめとする律宗が社会で大きな存在となり、禅宗も盛んになってきて必要になったのであろう。

そのほか、官途奉行《かんとぶぎょう》は武士が朝廷からもらう位や官職を統括し、問注所《もんちゅうじょ》は訴訟関係の文書記録を蓄積保管して、のちの必要に備えた。

尊氏《たかうじ》のもとに置かれた機関についても略述しておこう。侍《さむらい》所《どころ》は前代同様、武士の統率、刑事事件や警察を担った。地方で

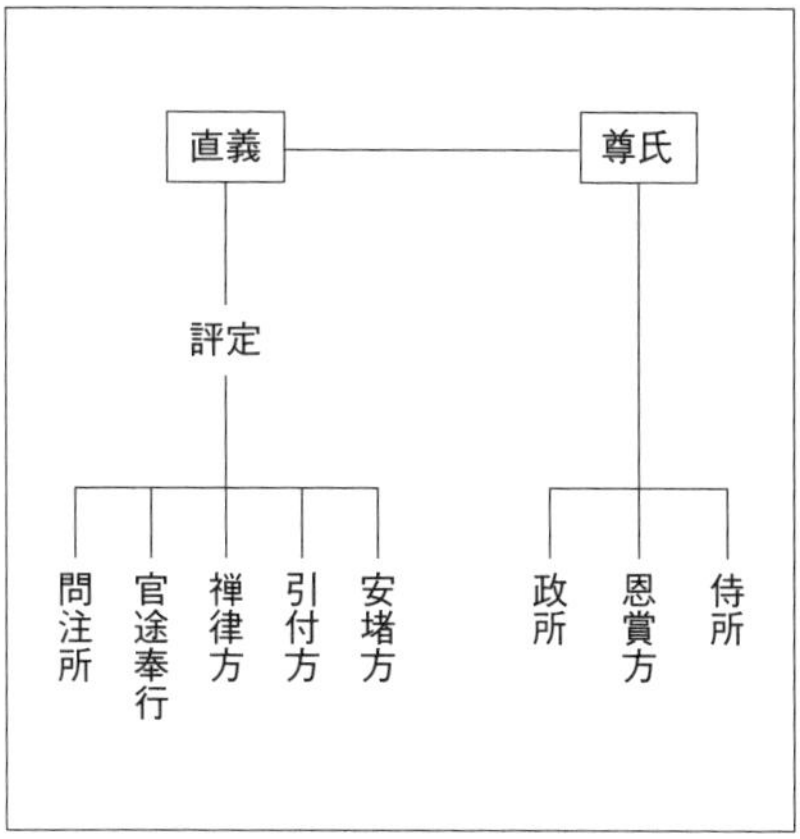

●初期の室町幕府機構図
尊氏と直義の二頭政治も、二人の仲がよいうちはうまく機能した。二代将軍・義詮《よしあきら》になって、機構組織は整えられることになる。

は守護《しゅご》が武士の統率上で大きな役割を果たしたが、尊氏は侍所をもって守護を掌握した。恩賞方《おんしょうがた》は戦功に対する恩賞を審理し、政所《まんどころ》は将軍家の家務、幕府の財政、売買・貸借関係などの裁判を担当した。

弓矢と政道

以上のように、初期の室町幕府は足利尊氏《あしかがたかうじ》と弟の直義《ただよし》の「ふたりの将軍」に率いられていた。この二人の関係、権限の分掌はどうなっていたのか。

一章でみたように、北条時行《ほうじょうときゆき》を鎌倉から逐《お》ったのち、尊氏は直義に諫《いさ》められて上洛を思いとどまった。『梅松論《ばいしょうろん》』によれば、後醍醐《ごだいご》天皇の命に反することになった尊氏はそれを本意ではないとして、鎌倉の浄光明寺《じょうこうみょうじ》にこもって謹慎した。このとき政務を直義に譲ったという。今川了俊《いまがわりょうしゅん》の『難太平記《なんたいへいき》』も、「中先代《なかせんだい》の時」に尊氏は直義に天下をも御当家をもゆずったという。この記述によれば、尊氏はいっさいの権限を直義に譲ったかのようにも解釈できるが、一方では、当時の人びとは「大休寺殿《だいきゅうじどの》（直義）は政道」、「大御所《おおごしょ》（尊氏）は弓矢の将軍」という認識をもっていたとも述べているので、尊氏は将軍として少なくとも軍事指揮権は保留したとみてよさそうである。

そうだとすると、尊氏は弓矢、直義は政道と分けられることになる。前ページの図のように、両者の管轄の違いは、まさにそれを反映したものである。尊氏は武士たちの主君としての権限を行使し、直義は武士同士、あるいは武士と貴族や寺社などとの利害調整（裁判）をおもに担当した。日本史研究者たちのあいだでは、尊氏の権限を主従制的支配権、直義のそれを統治権的支配権と呼ぶことがふつうである。

このように、初期の室町幕府では、二種類の支配権が尊氏と直義とに分掌されて明確に現われたが、本来それはひとりの将軍によって未分化のまま保持され、行使されるべきものである。このような状態は、権力のあり方としてはやはり不安定であるが、じつは、鎌倉幕府にもこの現象はみられた。頼朝《よりとも》・頼家《よりいえ》・実朝《さねとも》の源氏《げんじ》三代の将軍の権限は強かったが、のちの摂家将軍《せっけしょうぐん》や皇族将軍《こうぞくしょうぐん》は「飾りもの」といわれるほど、その権限は制約された。かわって北条氏《ほうじょう》の執権《しっけん》が力を伸ばしたが、「飾りもの」の将軍が京都に送還されるということが繰り返し行なわれた。このことは、主従制的支配権はあくまでも将軍がもっていて、将軍がそれを実際に行使するようになると北条氏にとって危険なのでとられた措置と考えられている。

尊氏と直義の権限分掌がはらむ問題は、二人の性格の違いや、尊氏の弟への思いが支えとなって

足利将軍家系図 I

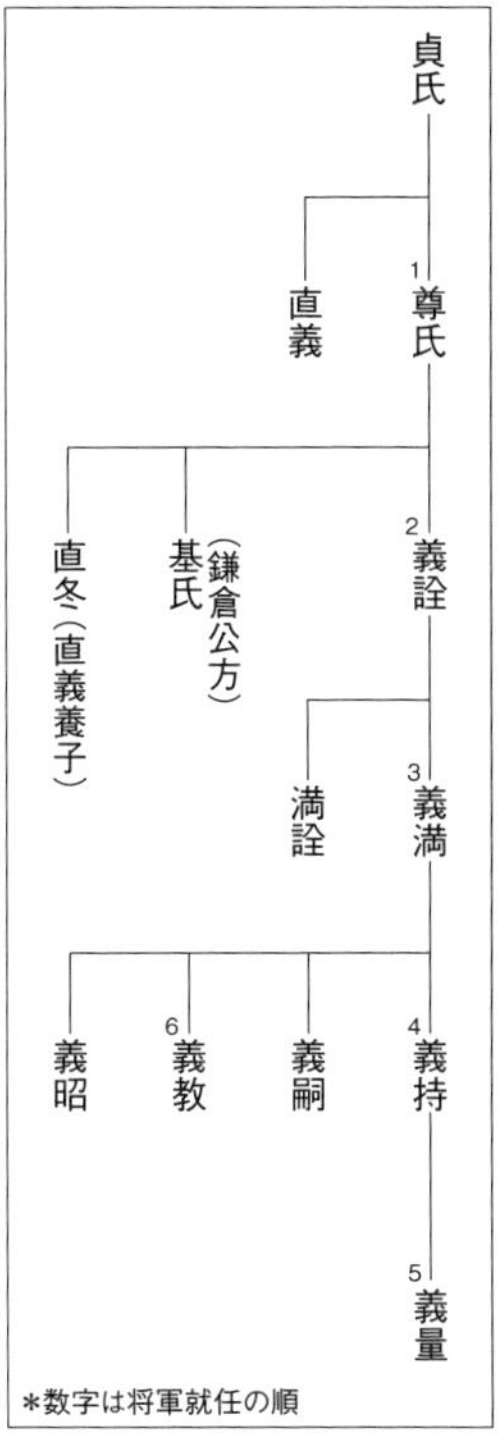

しばらくのあいだは表面化しなかった。うまく棲《す》み分けができていたといえる。しかし、尊氏と直義の権限はそれぞれ別の世界で行使されるわけではなく、異なった方角から、あるいは時間を隔てて、同一の対象に及ぼされるものである。したがって、場合によっては二つの権限が競合し、矛盾する事態は避けられない。二つの権限の統合へ向けて、やがて人と政治が動き出すのは避けられないことであったのかもしれない。

守護と国人

本来、軍事指揮権や警察権しかもっていなかった守護《しゅご》は、鎌倉時代後期以後、少しずつ職権を拡大して変質しはじめていたことは先に触れたが、建武《けんむ》式目《しきもく》には当時守護がどのようなものとして意識されていたのかがよく現われている。式目をみてみよう。

諸国の守護人には、ことに政務に有能な者が選ばれるべき事
現今のありさまをみると、戦功を賞して守護職に任命されている。恩賞を行なわれるのであれば、荘園を宛給《あてたま》うべきではないか。守護職は地方を治める職務である。国中の治否はただこの職による。政務の練達者を任命されれば、撫民《ぶみん》の儀にかなうだろう。

式目を起草した人たちの眼には、政治的に無能であるにもかかわらず、戦場で手柄を立てた武士

が褒美として守護に任命されていると映っていた。ここには当時競合して存在した二つの守護観が示されている。

ひとつは、守護職を財産、収入源とする見方、もうひとつは職務、しかも民政にかかわるものとする見方である。もちろん、守護職にはもともとその両面があるが、どちらを重視、優先するかである。足利直義《あしかがただよし》派の人びとは、守護は「上古《じようこ》の吏務《りむ》」、つまり昔の国司《こくし》、地方の行政官であるという立場から「器用（有能）」な人材の登用を主張し、そしてそれが受け入れられたのである。

事実、初期の幕府では守護＝吏務観は優勢だった。幕府成立から貞治《じようじ》二年（正平《しようへい》一八年〔一三六三〕）の約三〇年間で、和泉国《いずみのくに》で八回、摂津《せつつ》国で五回、若狭《わかさ》国では一二回も守護が交替している。守護はまさに「遷替《せんたい》の職」だった。ところがつぎの三〇年間、応永《おうえい》元年（一三九四）頃までをみると、事態が変化している。その間、和泉で三回、摂津で三回、若狭でも四回の交替にとどまっている。そして応永以後にはほとんどの国で守護は特定の家に固定されていく、つまり世襲されていく。守護はしだいに「遷替の職」から「相伝《そうでん》の職」になっていったのである。

鎌倉時代には、鎌倉や京都など都市にいることが少なくなかった地頭《じとう》や荘官《しようかん》クラスの武士は、南北朝期には所領経営のために在地性を強め、国人《こくじん》と呼ばれるようになる。国人を組織し被官化《ひかんか》していくことが、職権の拡大と並んで守護が強大化していくためのもうひとつの途《みち》であったが、これも平坦《へいたん》なものではなかった。国人たちは、自分たちは将軍に直属する御家人《ごけにん》だとして、守護の不当な支配には強く抵抗した。

いや、それだけでなく、守護の合法的な指揮や命令にも容易には従わなかった。たとえば、一国内の武士に対する軍事指揮権は守護のもっとも基本的な職権である。しかし、幕府から国人を軍事動員するように命じられた守護は、しばしば幕府に「○○国地頭御家人」を宛所《あてどころ》とする御教書《みぎようしよ》の発給を要求した。守護の催促だけでは国人たちは軍勢催促に応じなかったからである。

国人たちはまた、守護の力に対抗するために、一揆《いつき》を結ぶことがあった。ひとりでは対抗できなくても、一致団結すれば可能だからである。一揆は戦場でも多くみられ、『太平記《たいへいき》』には白旗《しらはた》一揆・赤旗《あかはた》一揆・大旗《おおはた》一揆・小旗《こばた》一揆・下濃《すそご》の旗一揆・鍬形《くわがた》一揆・母衣《ほろ》一揆・カタバミ一揆・鷹《たか》の羽《はね》一揆・一文字《いちもんじ》一揆・平《へい》一揆・桔梗《ききよう》一揆など、じつに多くの一揆があげられている。ひとつのシンボルのもとに結集し、一個の部隊として戦ったこれらの一揆は、平時でも必要に応じて結成され機能した。国人らは守護支配には抵抗しつつ、庶子《しよし》や近隣の土豪《どごう》、名主《みようしゆ》などの被官化を進めて、しだいに地域の支配者として基盤を固めていった。

苦戦する南朝

吉野の行宮

建武《けんむ》三年（延元《えんげん》元年〔一三三六〕）一二月二一日の夜に後醍醐《ごだいご》天皇が「女房の姿」で京都を脱出して吉野《よしの》に向かったとき、付き従ったのは刑部大輔景繁《ぎょうぶのたゆうかげしげ》なる者と、輿舁《こしかき》に変装した近習《きんじゅう》の上《じょう》北面《ほくめん》たちにすぎなかったと『太平記《たいへいき》』にある。公卿《くぎょう》の名前が年ごとに列記された『公卿補任《くぎょうぶにん》』を見ると、この年の一二月に四《し》条隆資《じょうたかすけ》、洞院実世《とういんさねよ》、北畠顕家《きたばたけあきいえ》、堀川光継《ほりかわみつつぐ》の四人の中納言《ちゅうなごん》が官を解かれている。いずれも後醍醐方だからであるが、このとき彼らのうち四条隆資は紀伊《きい》に、洞院実世は北陸に、北畠顕家は奥《おう》州《しゅう》にいた。したがって、後醍醐とともに吉野に赴いた公卿はほとんどいなかったと思われる。年が明けて建武四年（延元二年）には関白の近衛経忠《このえつねただ》と前内大臣《ないだいじん》の吉田定房《よしださだふさ》が「吉野宮《よしののぐう》に出《しゅ》奔《つぽん》」と記されている。このころの公卿の数は三〇名あまり、定房のような前官や非参議で三位以上の者を含めれば一〇〇人あ

3

◉吉野宮の御座所
奈良県吉野町の吉水《よしみず》神社に残される書院は後醍醐天皇の居室であったとされ、重要文化財の指定を受けている。

まりの名前が『公卿補任』に記載されているが、南朝《なんちょう》に従ったと明記されている公卿は、上記二名以外にはいない。

公卿以下の中下級の貴族たちがどの程度吉野に下ったのかはもとより不明であるが、京都の朝廷に匹敵するような組織が吉野にできたかといえば、とてもそうはいえない。後醍醐の出奔を知って急いで馳《は》せ参じた武士たちに対して、足利尊氏《あしかがたかうじ》は「いつまでも後醍醐の警固《けいご》をしなければならないのは煩わしい。自分から京都を出て行ってくれたのは幸いである」という趣旨のことを言ったと『梅松論《ばいしょうろん》』は記す。これはいささか楽天的にすぎると思われるが、興福寺《こうふくじ》の大乗院門主《だいじょういんもんしゅ》が「一天両帝、南北京」とあたかも天下が二分されたかのように日記に記したのは、南朝の過大評価であろう。

行宮《あんぐう》（吉野宮）が置かれた吉野の地は、古くは壬申《じんしん》の乱《らん》（六七二年）で大海人皇子《おおあまのみこ》が、平安末期には源義経《みなもとのよしつね》が逃れた地で、外界から遮断された山奥との印象がもたれやすいが、必ずしもそうではない。先に護良《もりよし》親王が奈良から吉野に落ち延びたとき、親王をかくまった戸野兵衛《とののひょうえ》は、自分がひと声かければ「吉野十八郷の者」と並んで紀伊《きい》の「鹿瀬《ししがせ》、蕪坂《かぶらざか》、湯浅《ゆあさ》、阿瀬川《あぜがわ》」などの武士たちも親王のもとに参じるといっている（『太平記』）。湯浅は紀伊水道に面しており、阿瀬川は有田川《ありだがわ》沿いの地である。有田川は湯浅の北で紀伊水道に流れ出ており、蕪坂も海に近い。紀伊水道に出れば瀬戸内海や太平洋はすぐそこである。吉野はそういった土地ともつながっているのである。

吉野川《よしのがわ》も外界への通路であった。この川は大和《やまと》では吉野川であるが、西へ下って紀伊に入ると紀《き》ノ川《のかわ》と名前を変える。「はじめに」で述べた荒川《あらかわ》悪党たちが活躍した、あの紀ノ川である。さらに下れば、河口の和歌浦《わかのうら》で同じく紀伊水道に流れ出る。

吉野川やその支流の高見川《たかみがわ》を東にさかのぼり、分水嶺《ぶんすいれい》を越えて伊勢《いせ》に入り、宮川《みやがわ》や櫛田川《くしだがわ》を下れば伊勢湾である。湾岸の大《おお》湊《みなと》（三重県伊勢市）や泊浦《とまりうら》（三重県鳥羽《とば》市）は中世有数の港で、全国各地へ通じていた。

吉野から北に出ると大和の国中《くになか》で幕府方（北朝方）が優勢であるが、吉野川を渡って北西へ出れば護良親王に野伏《のぶし》を供給した宇智《うち》郡である。そこから国境を越えて河内《かわち》に入ると、そこは楠木《くすのき》氏の根拠地である。さらにその先には堺が位置する。堺といえば、「堺浦魚貝売買輩《さかいうらぎょかいばいばいのともがら》」が「吉野通達の疑」い、つまり南朝方と疑われて商業活動を禁止されたが、彼らから魚介を調達して神供《じんぐ》を納入した春日社《かすがしゃ》の神人《じにん》らの訴えを容《い》れて、室町幕府は供菜売買の再開を許可している。堺も吉野から海への玄関口として機能したのかもしれない。

吉野から東北へ行くと、宇陀《うだ》郡、東山内《ひがしさんない》（奈良盆地＝国中の東に広がる大和高原地方）、それに伊賀《いが》である。宇陀郡の人びともまた護良のもとで野伏として働いていた。東山内については

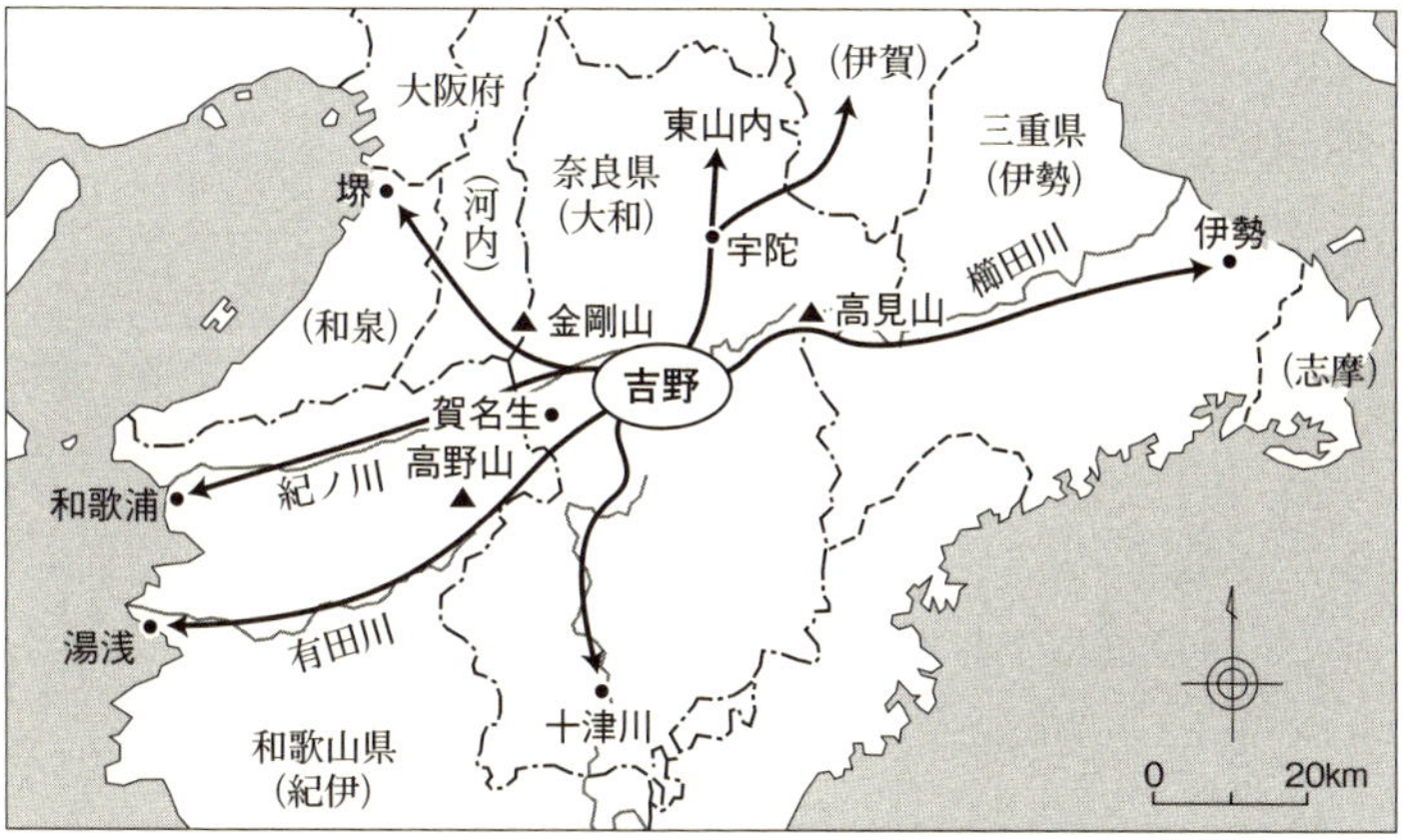

◉吉野周辺の地図
周囲を山で囲まれた吉野だが、四方に道が開かれている。吉野の南の山中は、九世紀以来、修《しゅ》験道《げんどう》の山伏《やまぶし》たちが修行に行き来していた。

後述する。黒田荘《くろだ》（三重県名張市《なばり》）の荘民は後醍醐の供御人《くごにん》（食べ物などを天皇に貢納する人びと）で、動員に応じて戦闘にも従事する集団であった。

このように吉野は、後醍醐にとってはまわりをぐるりと味方によって守られた地であった。そこに河内の楠木勢をはじめとして大和や紀伊の武士たちが三〇〇騎、五〇〇騎と「引きも切らず」に馳せ参じて「雲霞《うんか》の勢《ぜい》」となったという（『太平記』）。吉野の朝廷は組織としては整ったものではなかったであろうが、京都に対抗する政治的・軍事的拠点としてそれほど悪いものではなかった。

新田義貞の最期

しかし、南朝《なんちょう》が頼みとしたのは吉野《よしの》やその周辺の勢力だけではない。北陸に下った新田《にった》義貞《よしさだ》と、北畠顕家《きたばたけあきいえ》の率いる奥州《おうしゅう》の軍勢は、南朝にとってきわめて重要な存在であった。

建武《けんむ》三年（延元《えんげん》元年〈一三三六〉）の一〇月、後醍醐《ごだいご》天皇が足利尊氏《あしかがたかうじ》の和睦《わぼく》を受け入れる姿勢を見せたとき、後醍醐に従ってともに比叡山《ひえいざん》に立てこもっていた義貞は猛烈に反対した。これは当然である。後醍醐は尊氏と和解しえても、宿敵である義貞はそういうわけにはいかない。また後醍醐が下山すれば、義貞は孤立して朝敵とされてしまうことは明らかだからである。

これに対して、後醍醐は天皇位を恒良《つねよし》親王に譲り、義貞に同行させるということで反対を押しきった。こうして後醍醐は京都に戻り、義貞は新天皇および尊良親王《たかよししんのう》を奉じて北陸へ下ったのである。

義貞の目的地は当初越前《えちぜん》の国府（福井県越前市）だった可能性が指摘されているが、義貞勢は金崎《かねがさき》城《じょう》（福井県敦賀《つるが》市）に入った。越前には尊氏方の有力部将である斯波《しば》高経《たかつね》が守護《しゅご》として配されており、思いどおりにはいかなかったのかもしれない。行軍《こうぐん》の途中で例年にない寒波に襲われて、多くの凍死者や脱落者が出たのも予想外であった。

越前の在地勢力は、恒良を天皇と認識してこれを迎えた。恒良も天皇が発給する文書である綸旨《りんじ》を敦賀から各地へ出して軍勢を催促している。義貞は、この新天皇のかたわらにいて「天下の事、大小となく」成敗するはずであった。

ところが金崎城は、ほとんど孤立無援の状態に置かれた。斯波軍に、ついで高師泰《こうのもろやす》軍に攻められて城中の兵粮《ひょうりょう》は底をつき、馬を食い尽くしたあげくに死人の肉を食べて最後の力を振り絞る者もいたという。建武四年（延元二年）三月、城は落ち、尊良親王と義貞の嫡男《ちゃくなん》の義顕《よしあき》は自殺し、恒良は捕らえられて京都に送られた。義貞は、なんとか城を逃れ出て国府南方の杣山《そまやま》城（福井県南条《なんじょう》町）に入った。

それから一年あまり、国府を奪うなど勢力を盛り返してふたたび斯波氏と戦う力を蓄えた義貞は、高経を攻めに向かう途中、藤島《ふじしま》（福井市）で歩兵が放った矢に眉間《みけん》を射られ、自害して果てた。武将として何が重要かの判断を誤り、つまらない戦闘にこだわったと『太平記《たいへいき》』は義貞の最期に冷たい。

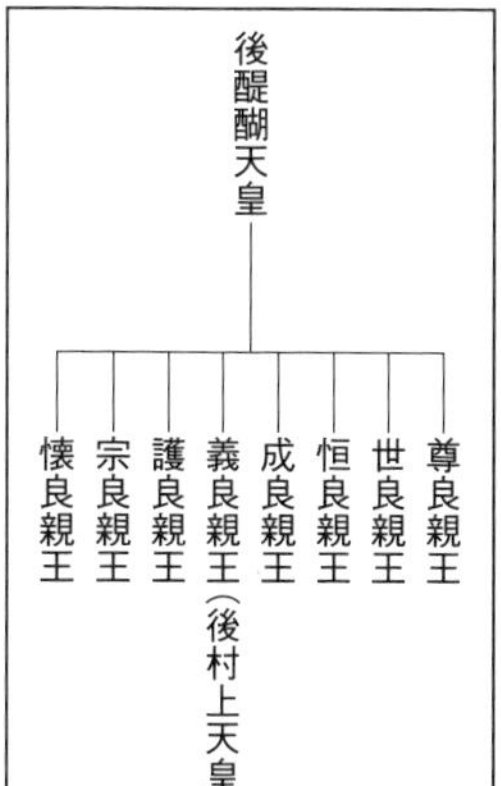

●後醍醐のおもな皇子たち
『太平記』は後醍醐の子は一六人とするが、天皇家の系図によれば皇子一七人、皇女一五人の計三二人。名前さえわからない者もいる。

顕家の諫奏

中先代《なかせんだい》の乱《らん》のあと、建武政権に反旗を翻した足利尊氏《あしかがたかうじ》を京都から逐《お》うと、北畠顕家《きたばたけあきいえ》は陸奥《むつ》の国《こく》府《ふ》・多賀城《たがじょう》（宮城県多賀城市）に戻った。奥州《おうしゅう》は南朝優勢の地であったが、しだいに北朝方が進出してくる。南朝方の拠点のひとつである常陸国瓜連城《ひたちのくにうりづら》（茨城県那珂《なか》市）が落とされるとまもなく、顕家は多賀城を出て伊達《だて》郡の霊山城《りょうぜん》（福島県伊達市）に移動を余儀なくされた。霊山は険しい山で、まわりを結城《ゆうき》氏などの南朝方武士の所領で囲まれた難攻不落の要害であった。顕家はこの地で後醍醐《ごだいご》天皇や父親房《ちかふさ》から何度も再度の西上を要請された。

建武《けんむ》四年（延元《えんげん》二年（一三三七））八月、顕家は霊山城を発《た》った。しかし、幕府方（北朝方）勢力のあいだを縫って進軍するのは容易ではなく、鎌倉に入ったのは一二月の末のことであった。鎌倉を出てからの顕家軍の行軍《こうぐん》は素早く、翌年の正月末には顕家軍は美濃《みの》まで進攻し、青野原《あおのがはら》（岐阜県関ヶ《せきが》原《はら》町）の戦いで幕府軍（北朝方）を破り、伊勢《いせ》、伊賀《いが》を通って奈良に入った。途中での破壊や略奪ぶりはすさまじいものだったと『太平記《たいへいき》』は記す。顕家はさらにそこから京都をめざし南下してきた幕府軍を、奈良市北方の般若坂《はんにゃざか》に陣を構えて迎え撃つが、敗北を喫して河内《かわち》に転進した。ここで態勢を立て直して一時は京都に迫ったが、五月二二日、堺の戦いでついに戦死した。新田義貞戦死の二か月前のことである。

北畠親房・顕家父子は、後醍醐に忠節を尽くしながらもその政治を批判的にみていた。顕家は戦死する直前の五月一五日付で政道を批判する諫奏《かんそう》を後醍醐に提出している。残念ながら現在残っているのは不完全なもので、最初の部分が欠けた一か条と、それにつづく六か条である。それらは、租税免除と倹約、適切な人材の登用と行賞《こうしょう》、無用な行幸《ぎょうこう》と宴飲の禁止、朝令暮改《ちょうれいぼかい》の根絶、寵臣《ちょうしん》の政治介入の禁止など、建武《けんむ》式目《しきもく》の条文かと見まがうようなものもあって、足利直義《あしかがただよし》と顕家はよく似たタイプの政治家だったと思われるのである。その点に関してはのちに少し詳しくみるが、ここでは前文が欠けている最初の条に注目したい。

このなかで顕家は、厳しく後醍醐の中央集権志向を批判している。「もし一所に於《お》いて四方を決断せば、万機《ばんき》紛紜《ふんうん》（政治のすべてが混乱）して、いかでか患難《かんなん》を救わんや」と述べて、後醍醐の権限集中に政治混乱の原因があるとし、すみやかに適任者を選んで九州・関東・山陽・北陸の各地に派遣し、近隣諸国を統括させることを提言している。「当時の急にすべきこと、これより先はなし」と最初の条を結び、「あらあら管見《かんけん》の及ぶところを録し、いささか丹心《たんしん》の蓄懐《ちっかい》（正直な意見）を攄《の》ぶ。書は言を尽くさず。言は意を尽くさず。伏《ふ》して冀《ねがわ》くば、上聖《じょうせい》の玄《げん》鑑《かん》（昔の聖人の戒め）を照らして、下愚《かぐ》の懇情（自分の気持ち）

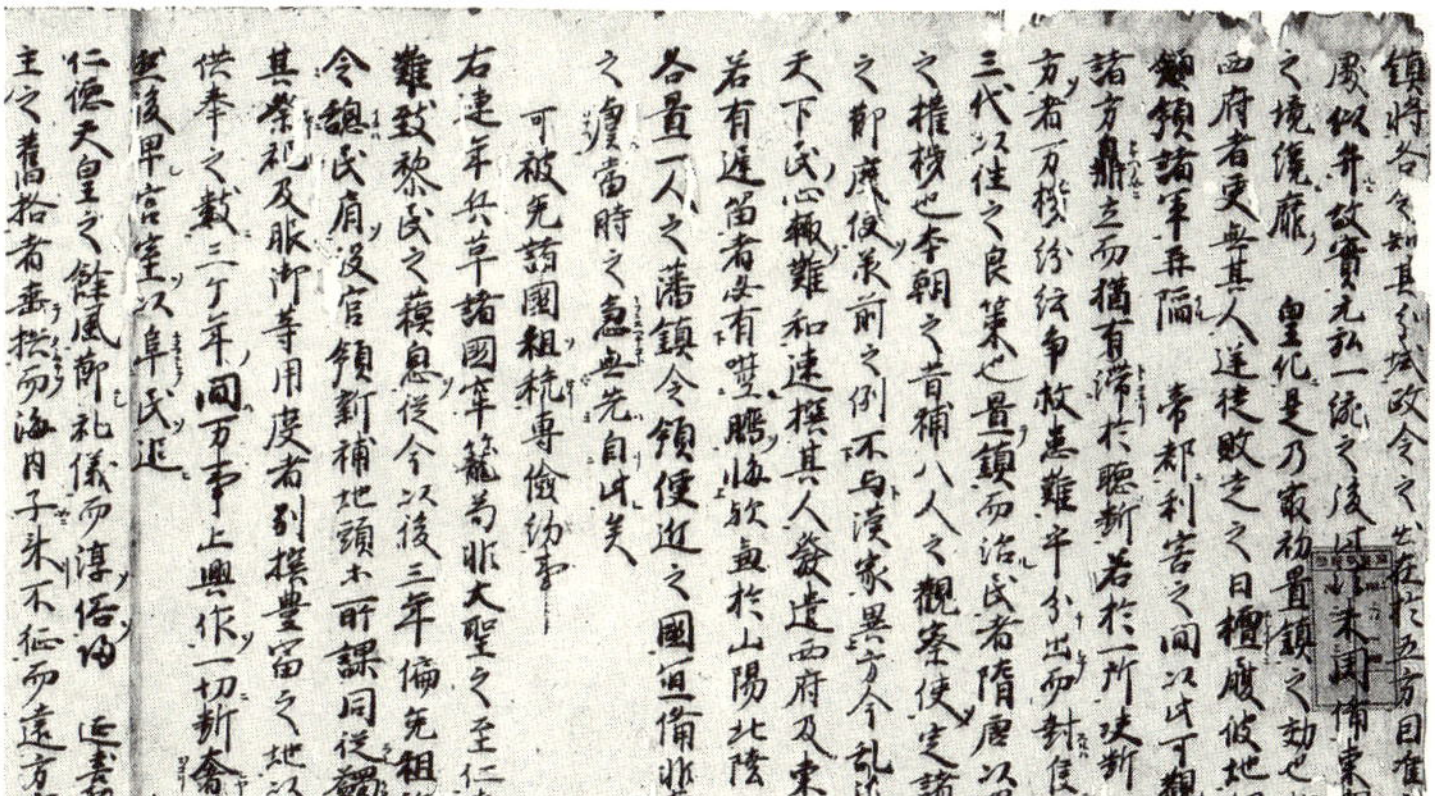

◉二一歳の青年の必死の訴え
村上源氏《むらかみげんじ》の流れをくむ北畠家は、「代々和漢の稽古をわざ」とする公家。諫奏を決断する覚悟はいかほどであったろう。（『北畠顕家諫奏文』）

を察したまえ。謹んで奏す」と全文を総括した。おそらく死を覚悟していた二一歳の青年の心情には、時を超えて人の心を打つものがある。

顕家と義貞を相次いで失った後醍醐は、顕家の献策を取り入れて地方の立て直しを図ることにした。その柱は三本。ひとつは、義良《のりよし》親王と北畠顕信《きたばたけあきのぶ》（顕家の弟）を下して奥州をもう一度掌握することである。後醍醐は顕信を鎮守府《ちんじゅふ》将軍に任じ、武士に対する賞罰権を付与し、北畠親房と結城宗広《ゆうきむねひろ》を同行させることとした。二つめは、東海道に南朝方の拠点をつくることである。宗良《むねよし》親王は後醍醐が比叡山《ひえいざん》を降りたとき伊勢《いせ》に赴き、そこから遠江《とおとうみ》の井伊谷《いいのや》（静岡県浜松市）に移り、顕家の西上に参加して吉野《よしの》に来ていた。この宗良を再度遠江に送り込んで南朝勢を糾合《きゅうごう》する。三つめは、九州の把握である。これに関しては、すでに懐良《かねよし》親王が四国に下り、九州入りをめざしていた。

暦応《りゃくおう》元年（延元《えんげん》三年〔一三三八〕）九月、おそらくほぼ同時に、吉野から伊勢にいたった義良・顕信・親房・宗広・宗良らは大湊《おおみなと》（三重県伊勢市）から出帆した。しかし、途中嵐にあって義良・顕信・宗広は伊勢に吹き戻された。義良は吉野に戻って皇太子となり、宗広はまもなくこの地で没した。親房は常陸にいたり、宗良もなんとか井伊谷に到達したが、当初のもくろみは大幅にくるった。

暦応二年（延元四年）八月一六日、後醍醐が吉野で没し、義良親王が践祚《せんそ》する。これが後村上《ごむらかみ》天皇であるが、醍醐・村上朝復活の可能性は、さらに遠のいていた。

親房と東国

北畠親房《きたばたけちかふさ》は、当時内海であった常陸《ひたち》の霞ヶ浦《かすみがうら》の南岸に漂着し、現地の南朝方武士に迎えられて岸にほど近い神宮寺《じんぐうじ》城（茨城県稲敷《いなしき》市）に入った。しかし、付近の幕府方武士に攻撃されて一所に落ち着くことはできず、ようやく小田《おだ》城（茨城県つくば市）に移ってしばしの安泰を得た。『神皇正統記《じんのうしょうとうき》』はここで書かれたものである。

暦応《りゃくおう》二年（延元《えんげん》四年〔一三三九〕）の秋、京都から遠征してきた高師冬《こうのもろふゆ》が小田城の攻撃を開始した。南朝方はよくこれを防いだが、同四年（興国《こうこく》二年）一一月、小田城は落ち、親房は関《せき》城《じょう》（茨城県筑西《ちくせい》市）へ逃れた。ここで親房は、近隣の大宝城《だいほうじょう》（茨城県下妻《しもつま》市）の軍勢とともにさらに二年にわたって師冬の攻撃に耐えた。しかし、康永《こうえい》二年（興国四年〔一三四三〕）一一月、関・大宝両城はついに落城し、親房は吉野《よしの》へ帰った。

親房の常陸での五年間の成果は、結局はかばかしくなかったわけであるが、南朝勢力を組織しようという親房の努力はなまなかではなかった。その苦闘の跡は、書状など多くの発給文書という形で残されている。親房は、天皇こそが日本の王で武士たちはみな王民である、それにもかかわらず保元《ほうげん》・平治《へいじ》の乱以

5

◉若い後村上のために書かれた『神皇正統記』　神代からつづく歴史をたどり、南朝の正統性を説いた。「天地の始は今日を始とする」と積極的、意欲的な歴史観を表明している。

後、武士たちは源氏や平家に仕えるようになり、さらには北条《ほうじょう》氏の命に従うようになった、それは恥ずべきことである、足利尊氏《あしかがたかうじ》も権勢を長く保つことはできないという立場から、懸命の説得を続けた。とくに標的とされたのは、親房と一緒に伊勢大湊を発《た》った結城宗広《ゆうきむねひろ》の嫡男《ちゃくなん》の親朝《ちかとも》である。親房は、今日残るだけでも七〇通以上の手紙を白河《しらかわ》（福島県白河市）の親朝のもとに送った。しかし、親房はついに親朝を味方につけることはできなかった。

関東や奥州の武士たちは、南朝方につく交換条件として、失った旧領の回復、新所領の給付、周辺の勢力に誇れる官職などを親房に要求した。このような現実的な一種の条件闘争に対して、親房は先のような立場から、たとえばつぎのような論理でこたえた。「おまえたちは現在敵である。しかし、先非を悔いて降参するならば、所領の半分、三分の一を安堵《あんど》するのは古来の風儀である。ましてや本領全部を保証するのはたいへんな善政である。しかるに味方になる前に、何度も過分の褒美を所望するとは何事か。武士として恥ではないか。そのような商人のような所存では、将来天皇の御用に立つこともかなうまい」。

東国の武士たちにとって、京都の主が天皇であろうが将軍であろうが、そんなことはたいして問題ではなかった。彼らは近隣の武士との相克、一族同士の争いのまっただ中におり、南朝方につくか、幕府方（北朝方）につくかは、むしろその観点からなされる選択であった。彼らには親房が懸命に説く儒教の大義名分論など、わけのわからない一方的な主張、御託《ごたく》にしか聞こえなかっただろう。親房の努力は空転するだけであった。

分裂する幕府

執事兄弟

「ふたりの将軍」が本来抱え込んでいる不安定さは、足利尊氏《あしかがたかうじ》の執事《しつじ》・高師直《こうのもろなお》と足利直義《ただよし》の対立として潜在していたが、ついに両者が激突する事態となった。そのきっかけのひとつが、南朝方軍勢の動きの活発化である。

貞和《じょうわ》三年（正平《しょうへい》二年〔一三四七〕）八月、楠木正成《くすのきまさしげ》の子の正行《まさつら》は、河内《かわち》の藤井寺《ふじいでら》に細川《ほそかわ》軍を迎え、これを破った。幕府からは援軍として山名《やまな》軍が派遣されたが、天王寺《てんのうじ》・住吉《すみよし》の戦いで正行は細川・山名連合軍を撃破した。これまで比較的安定して内政を進め秩序の回復に努めていた直義は、配下の武将のぶざまな敗走によって政治的に窮地に陥り、幕府もまた軍事的に追い込まれた。

幕府のこのピンチを救ったのが高師直・師泰《もろやす》兄弟である。翌年正月、二人は大軍を率いて河内の四条畷《しじょうなわて》の激戦で南朝方を破り、正行は戦死した。勢いに乗って師直は吉野《よしの》にいたり、後村上《ごむらかみ》天皇をさらに奥深い西吉野の賀名生《あのう》（奈良県五條《ごじょう》市）へ追い込んだ。これによって執事兄弟の威勢は高まり、その発言権は強くなった。

こうして直義と師直の争いは激化する。そして貞和五年（正平四年）閏《うるう》六月、直義は尊氏に迫って師直の執事を罷免《ひめん》させ、さらに上杉重能《うえすぎしげよし》、畠山直宗《はたけやまなおむね》らと謀って師直の暗殺を計画したという。これに対して師直は、軍勢を集めて直義を攻撃する構えを見せた。直義はわずかに一族や近習《きんじゅう》を率いて尊氏邸に逃げ込んだ。師直・師泰は、大軍をもって十重二十重《とえはたえ》に尊氏邸を包囲した。尊氏は直義を庇護《ひご》し、「主従《しゅじゅう》の礼儀」を忘れた「累代《るいだい》の家僕《かぼく》」の行為に激怒した。重能、直宗らの「讒臣《ざんしん》（密告者）」の引き渡しを要求する執事兄弟に屈服して「天下の嘲《あざけ》り」を受けるよりも「討ち死にせん」と言い放ったという。八月のことである。

しかし、結局事態は直義を政界の第一線から退ける形で収拾が図られた。具体的には、

一、足利直義は政道に関与しない。かわって鎌倉から尊氏の子である義詮《よしあきら》が上洛して政務を執る。

二、上杉重能、畠山直宗は流罪《るざい》。

三、高師直は執事に復帰する。

ということであった。一〇月の下旬に足利義詮は上洛し、直義が住んでいた三条坊門殿《さんじょうぼうもんどの》に入った。さらに、一二月に直義は出家に追い込まれた。流罪であったはずの重能と直宗は、配流先の越前《えちぜん》で師直の差し金により殺された。直義方のほぼ全面的な敗北であり、『太平記《たいへいき》』はこれによって「天下の政道、しかしながら武家の執事の手に落」ちたと評している。

観応の擾乱

しかし足利直義《あしかがただよし》はここにいたるまでに、ひとつ重要な手を打っていた。それは足利直冬《ただふゆ》の起用である。直冬は尊氏《たかうじ》の庶子であるが、『太平記《たいへいき》』によれば母親の身分が低かったので、尊氏はなかなか

自分の子供と認めなかった。直冬を哀れに思い、かつその才能を惜しんだ直義は、これを養子としていた。南朝方討伐などで頭角を現わした直冬は、貞和《じょうわ》五年（正平《しょうへい》四年〔一三四九〕）四月に長門探題《ながとたんだい》に任じられた。長門探題は中国八か国を管領《かんれい》する臨時の職で、尊氏と直義が合意したうえでの人事と思われる。直冬は下向の途中、高師直《こうのもろなお》・師泰《もろやす》の動きを警戒して備後《びんご》の鞆《とも》の浦《うら》（広島県福山《ふくやま》市）にとどまったが、九月、直義の失脚によって九州に向かった。

師直と直義の争いとして始まった幕府の分裂は、その後の九州や中国における直冬勢力の強大化と義詮《よしあきら》の上洛とその政務掌握によって、尊氏・義詮対直義・直冬という性格をしだいにあらわにしはじめていた。観応《かんのう》元年（正平五年〔一三五〇〕）一〇月、尊氏と師直が直冬討伐に西下する前日、危険を感じた直義は京都を脱出した。観応の擾乱《じょうらん》の始まりである。直義は南朝方と連絡をとりつつ、まず大和《やまと》へ、次いで畠山国清《はたけやまくにきよ》の河内石川城《かわちいしかわじょう》（大阪府河《か》南《なん》町）に入った。直義はここを拠点として直義派に呼びかけ、細川顕氏《ほそかわあきうじ》、石塔頼房《いしどうよりふさ》、桃井直常《もものいただつね》らに京都を制圧させた。

観応の擾乱関連年表

貞和5年（1349）〔正平4年〕	4月	足利直冬、長門探題就任のため京都を発ち、鞆の浦にとどまる
	閏6月	足利直義、尊氏に高師直の執事罷免を迫る
	8月	師直側は直義方を攻め、尊氏邸を兵で囲む。直義の引退などを条件に、事態が収拾される
	9月	直冬、九州へ入る
	10月	足利義詮が鎌倉から上洛
	12月	直義出家。上杉重能、畠山直宗ら殺害される
観応1年（1350）〔正平5年〕	10月	尊氏、九州の直冬を討つため、京都を発つ。直義、河内で挙兵し、京都を制圧。尊氏、引き返す
観応2年（1351）〔正平6年〕	2月	尊氏、摂津打出浜で直義方に敗れ、和睦する 高師直・師泰、殺害される
	7月	直義、尊氏方の攻撃を事前に察知し、京都を脱出
	11月	直義、鎌倉へ逃れる
観応3年（1352）〔正平7年〕	1月	尊氏、鎌倉を制圧し、直義を幽閉する
	2月	直義、毒殺される

直義の出奔《しゅつぽん》を気にせず九州に向けて西下したものの、直義軍の予想外の展開を知って尊氏・師直らは引き返してきた。京都をめぐる攻防のあと、観応二年（正平六年）二月一七日に摂津打出浜《せっつうちではま》（兵庫県芦屋市《あしや》）の決戦に尊氏方は敗れた。尊氏は直義に和議を申し入れ、直義はこれを受け入れた。戦いで負傷した師直・師泰兄弟は、尊氏に従って京都へ上る途中で上杉能憲《うえすぎよしのり》（重能《しげよし》の養子）の手の者に殺された。

京都で会合した尊氏、義詮、直義のあいだには、さすがに気まずい空気が流れたという。直義方が師直・師泰を殺害したことは和議の条件に反していたが、尊氏は直義が義詮に「うつくしく天下をゆづり与」えることを期待して、たいして問題にしなかったと『難太平記《なんたいへいき》』はいう。かつて尊氏の最大の関心事は直義であった。しかし、時とともに兄弟の仲は冷え、尊氏はわが子義詮の行く末を心配するようになっていたのである。

尊氏・直義兄弟以上に、両派の武士たちのあいだには相互不信がつのっていた。『太平記』によると、夜になれば直義方は将軍（尊氏）より討手《うつて》を向けられるのではないかと用心し、尊氏方はあわや高倉殿《たかくらどの》（直義）より寄せてくるのではないかと肝を冷やした。疑心暗鬼にとらわれ、緊張に耐えられなくなった武士たちは、つぎつぎに京都を離れて本国へ下向《げこう》していった。守りが手薄になった京都を、播磨《はりま》の赤松則祐《あかまつそくゆう》と結んだ南朝方がねらっているといううわさも飛び交った。

七月の末に、南朝方に通じたという名目で、尊氏は近江守護《おうみしゅご》の佐々木《ささき》氏を、義詮は播磨守護の赤松氏を討つためにそれぞれ出陣する。しかし、じつは尊氏自身が南朝方と通じており、これは直義を東西から挟み撃ちにするための計略だった。それを事前に悟った直義はふたたび京都を脱出して北陸に下り、尊氏と交戦と和議交渉を繰り返した。その過程でしだいに支持を失った直義は一一月、上杉憲顕《うえすぎのりあき》を頼って鎌倉に下った。

尊氏は直義を追って東下し、翌年の正月に鎌倉を制圧して直義を幽閉した。次いで二月に、直義は亡くなる。毒殺されたという。かつては仲のよかった兄弟の、まことに悲惨《ひさん》な結末である。

正平の一統

京都を足利義詮《あしかがよしあきら》に任せて鎌倉を攻めた尊氏《たかうじ》は、先にも触れたように南朝方に和議を申し入れていた。その条件は、全面的に政権を南朝方に返すというものであった。もちろんこれは自分が東下したあとの背後の安全確保をねらったもので、尊氏に約束を守るつもりは最初からない。先に南朝方は、幕府存続を絶対条件とする直義と和議交渉を行なっていた。幕府方の本音を知っている南朝方が、いかにも怪しげな尊氏の申し入れを受けたのは、やはり尊氏を油断させて欺くためであろう。このあたりは、まさに狐と狸のだましあいである。

尊氏が発《た》ったあと京都に乗り込んできた南朝方の使節は、北朝の崇《す》光《こう》天皇と皇太子を廃し、神器《じんぎ》を接収し、年号（観応《かんのう》二年〔一三五一〕）を南朝方の正平《しょうへい》六年に統一した。これを正平の一統《いっとう》という。近衛《このえ》家や西園寺《さいおんじ》家などの家督や寺社の長官は、南朝方の人物にとってかえられた。このころ、鎌倉も一時南朝方の手に落ちた。

義詮は、なすすべもなく南朝方のペースに押されていたが、観応三年（正平七年）閏《うるう》二月二〇日、楠木《くすのき》・北畠《きたばたけ》軍を中心とする南朝方が京都に突入してきて近江《おうみ》に逐《お》われた。このとき、義詮は大きな失敗をした。それは持明院統《じみよういんとう》の三上皇、光厳《こうごん》、光明《こうみよう》、崇光《すこう》と、皇太子を廃された直仁《なおひと》親王を京都に残してきたことである。彼らはまもなく南朝方によって連れ去られ、以後北朝の再建に多くの難題を抱えることになる。

その後、南朝方がふたたび吉野《よしの》へと下り、一統が崩れ去ったので、義詮はもとの観応年号（観応三年）使用に復した。中国地方や九州の直冬《ただふゆ》方勢力は引き続き貞和《じようわ》年号（貞和八年）を使っていたため、このころ日本列島上では観応、貞和そして正平の三年号が併用されていたのである。

三月に義詮は京都を回復したが、北朝方は上皇らを根こそぎ連れ去られて存亡の危機に立たされていた。義詮はひそかに南朝方と交渉して上皇らの解放を求めたが、これは徒労だった。形式的とはいえ、将軍は天皇によって任命される存在であり、天皇の不在は幕府の正統性の問題にかかわる。天皇を必要とする義詮は、出家の予定であった光厳上皇の皇子に白羽の矢を立てた。天

6

◉吉野川の支流に沿ってつづく賀名生の里
この集落に後村上《ごむらかみ》、長慶《ちようけい》、後亀山《ごかめやま》天皇の皇居が置かれ、ここを拠点に、南朝方は京都の北朝方を牽制《けんせい》した。

皇として践祚《せんそ》するためには上皇による所定の手続きと神器が必要であったが、どちらも南朝方にあり、きわめて変則的な手続きで新しい天皇、後光厳《ごこうごん》が誕生した。

正平の一統以後、文和《ぶんな》二年（正平八年〔一三五三〕）六月と同四年（正平一〇年）正月の二度、南朝方は京都を占領するが、いずれも短期間で追い出される。文和二年の占領の際には義詮は後光厳を奉じて美濃《みの》の小島《おじま》（岐阜県揖斐川町《いびがわ》）に避難し、七月には京都を奪還した。そして九月には、二年間鎌倉で関東の経営に専念していた尊氏が上洛してきて小島で後光厳に対面し、これを奉じて入京した。文和四年の正月から三月にかけての京都占領のあいだ、南朝方は小島に随行した貴族らにそれまでになく厳しく対処し、宅地没収や解官などをもって臨んだ。

北畠親房《ちかふさ》は、観応二年（正平六年）の入京に際して軍を指揮するなど相変わらず南朝方の中心にいたが、文和三年（正平九年）四月に亡くなる。尊氏は親房が亡くなったころに義詮に将軍権限を委譲し、義詮は主従制的支配権と統治権的支配権をあわせもった幕府の首長となっていた。念願どおりに権限委譲をすませた尊氏は延文《えんぶん》三年（正平一三年〔一三五八〕）四月に亡くなる。南北で相次いで巨星が墜《お》ち、動乱の主役級の人物たちはすべて舞台から退場する。ひとつの時代に幕が下ろされた。

最前線としての大和

楠木正成の隣人、高間兄弟

大和国《やまとのくに》は、幕府のある山城《やましろ》の南に接し、後醍醐《ごだいご》天皇が立てこもった吉野《よしの》はその南部の山中に位置する。したがって、幕府方と南朝方の戦いの最前線となることは避けられず、この国の人びとは否《いや》応《おう》なく動乱の渦中に立たされた。先に宇智《うち》郡や宇陀《うだ》郡などの人びとが野伏《のぶし》として合戦に参加していたことをみたが、大和の武士や彼らがさらにどのような形で内乱とかかわったのかをみてみよう。

大和から遠く能登半島の先端に近い石川県珠洲《すず》市宝立町《ほうりゆうまち》の妙厳寺《みょうげんじ》が所蔵する史料のなかに、護良《もりよし》親王に従って吉野、千早城《ちはやじょう》周辺、奈良などで戦った高間《たかま》行秀《ゆきひで》、師房《もろふさ》、快全《かいぜん》という兄弟の名前が記されている。高間は高天とも書き、高間兄弟は現在の奈良県御所《ごせ》市高天の地の領主であった。高間氏の城跡と伝えられる城の岡（御所市）から西へ二キロメートルほど登ると金剛山《こんごうさん》頂にいたるが、そこには楠木《くすのき》氏の支城国見城《くにみじょう》があった。楠木氏の千早城は金剛山頂から西へ二キロほど下ったところにある。つまり、東西ほぼ四キロのあいだに、楠木氏の千早城と国見城、それに高間氏の城があったのである。楠木氏と高間氏とは密接な関係にあったとみてよいだろう。

高間兄弟は、二《に》階堂《かいどう》道蘊《どううん》が関東から幕府の大軍を率いて上洛し、吉野に攻め下るころに護良《もりよし》親王のもとに参じたと思われる。正慶《しょうきょう》二年（元弘《げんこう》三年〔一三三三〕）正月、吉野の攻防以前に、兄弟は東《ひがし》山内《さんない》の葉山《はやま》（奈良市都祁吐山《つげはやま》）や宇陀郡内で南下してきた鎌倉幕府軍と戦った。吉野山の合戦では、身命を捨てて防戦したので、所従《しょじゅう》を二人、討たれたという。その後、兄弟は南山城《みなみやましろ》に進出して市野辺《いちのべ》（京都府城陽市《じょうようし》）などに転戦したあと、三月下旬には反転して興福寺《こうふくじ》の北御門に押し寄せて合戦した。この直後に、行秀は護良から軍忠《ぐんちゅう》を賞する感状《かんじょう》をもらっている。四月には千早城の楠木氏の援護にあたり、六月には幕府滅亡によって帰る場所がなくなった旧幕府軍を奈良で攻撃した。

さらに行秀は、建武《けんむ》二年（一三三五）九月、中先代《なかせんだい》の乱《らん》の際には北条時行《ほうじょうときゆき》の与党として蜂起《ほうき》した名越時兼《なごえときかね》討伐のため、中院定平《なかのいんさだひら》に従って北陸に遠征し、一一月には鎌倉にとどまって建武政権に反旗を翻した足利尊氏《あしかがたかうじ》追討に従軍するように命じられている。

高間兄弟の動向がわかるのはここまでである。『太平記《たいへいき》』には記録されず、地元にもこれといった伝承は残されていない。しかしながら、なぜ遠く離れた北陸の妙厳寺の史料のなかに兄弟の名前が残されたのか、いまのところ不明である。高間兄弟はかろうじてその痕跡《こんせき》をとどめたが、その足跡を一歩も記されることなく散っていった武士や悪党は、数限りないであろう。

龍門の惣領主

それに対して、『太平記《たいへいき》』にわずかでも記録されたのが牧定観《まきのじょうかん》である。建武《けんむ》三年（延元《えんげん》元年〈一三三六〉）一二月に後醍醐《ごだいご》天皇が京都を脱出してまず賀名生《あのう》に着いたとき、吉野《よしの》の大衆《だいしゅ》や楠木正行《くすのきまさつら》ら迎えの軍勢のなかに、「真木定観」の名前がある。『太平記』には実在が疑われる人物も登場するが、定観はほかに二つの確かな史料にその痕跡《こんせき》を残している。

ひとつは、興福寺大乗院《こうふくじだいじょういん》の記録である。鎌倉末期の嘉暦《かりゃく》四年（一三二九）三月、藤原《ふじわら》氏の氏長者《うじのちょうじゃ》である二条道平《にじょうみちひら》の南都下向《げこう》の費用をまかなうために、興福寺は「寺辺国中《じへんくにじゅう》」の「有徳寺《うとくのじ》僧《そう》」、つまり裕福な僧侶に臨時の課役《かえき》である有徳役《うとくやく》をかけた。「有徳寺僧注文」には五一人の僧たちがリストアップされたが、そのなかに「牧定観房」の名前が見える。僧侶たちは、富裕度に従って上・中・下にランク分けされたが、定観は上と注記されている。ちなみに、このリストには戦国時代に大和《やまと》の覇者となる筒井《つつい》氏の祖と思われる「筒井下総公《つついしもうさのきみ》」の名前も見えるが、そのランクは中である。

もうひとつの史料は、経巻《きょうかん》の奥書《おくがき》である。奈良県吉野郡川上《かわかみ》村の運川寺《うんせんじ》に、大般若経《だいはんにゃきょう》が一セット、六〇〇巻所蔵されている。現在は折本《おりほん》の形であるが、もとは巻物であった。六〇〇巻のうち、第七巻目は江戸時代に写されたものであるが、残りの五九九巻は南北朝期の正平《しょうへい》年間（一三四六～七〇）の書写にかかるものである。この書写をひとりで行なった雲祥《うんしょう》という僧は、後村上《ごむらかみ》天皇の「玉体安全《ぎょくたいあんぜん》、天下《てんか》静謐《せいひつ》、四夷《しい》帰《き》降《こう》」などを祈願し、延文《えんぶん》四年（正平一四年〔一三五九〕）から写経を始めて、平均すると三日あまりで

7

●後醍醐天皇陵（奈良県吉野町）
「魂魄《こんぱく》はつねに北闕《ほっけつ》の天（京都）を望まん」との遺命どおり、陵は京都を望む北に向かってつくられた。忠臣に恵まれた人でもあった。

一巻を仕上げ、六年あまりで事業を完成させた。

この写経の事業を檀那《だんな》として後援したのは、津布呂光季《つぶろみつすえ》とその妻であることが各巻の奥書などから知られるが、第一五四巻の奥書に定観房の名前が出てくる。それによると、光季は定観房の二五年忌にあわせて、延文五年（正平一五年）五月二九日に出家した。ここにはさらに、牧堯観《まきのぎようかん》が「故定観房息」とある。堯観は、第四一四巻から写経事業の後援者に加わったようであるが、第四一四巻の奥書は堯観夫妻を「惣領主《そうりようしゆ》」とし、覚仏《かくぶつ》（光季）夫妻を「執事《しつじ》」としている。つまり、雲祥は当初、龍門荘《りゆうもん》（奈良県吉野町）領主である牧氏の執事の津布呂光季夫妻の、そしてのちには牧氏夫妻自身の援助をも得て大般若経書写を行なったのであった。

光季は、別の奥書には「津布呂筑後守《ちくごのかみ》従五位上」とある。鎌倉時代とは同等に比較できないとしても、鎌倉幕府の執権《しつけん》や連署《れんしよ》が正四位下どまりであったことを想起すると、光季はかなり優勢な武士だったと思われる。したがって、その主人である牧氏はそれ以上の有力者だったことになる。

そのような後援者が存在したとはいえ、雲祥はぬくぬくとした環境で写経したわけではない。時には食べるものにも困ったようである。また、戦乱のあおりであろうか、写経の場所も一定しなかった。各巻の奥書には、各地の寺院や城などで写経したことが記されている。はなはだ落ち着かない状況で写経がなされたことがわかるが、奥書のこれらの地名は雲祥など当地域の南朝方の人びとの世界を考えるうえで、ひじょうに貴重な記録である。

三輪の西阿父子

定観《じょうかん》と同時に後醍醐《ごだいご》天皇のもとに参上し、『太平記《たいへいき》』のなかに並んで名前を記録されたのが「三輪《みわ》の西阿《せいあ》」つまり戒重西阿《かいじゅうせいあ》である。後醍醐が崩じたときも吉野《よしの》山中に候じていたという。西阿は現在の奈良県桜井《さくらい》市戒重の領主で、三輪をつけて呼ばれたのは、大三輪《おおみわ》氏の出身だからのようである。その本拠地である戒重の西に接して興福寺《こうふくじ》の大仏供《だいぶつく》荘（桜井市大福《だいふく》）があったが、興福寺は基本的に北朝方（幕府方）であったので、西阿はここを押領《おうりょう》して同寺を困らせている。

京都の幕府は建武《けんむ》四年（延元《えんげん》二年〔一三三七〕）一二月に早くも西阿を討とうとしているが、その動きが本格化するのはもう少しあとで、暦応《りゃくおう》三年（興国《こうこく》元年〔一三四〇〕）三月、西阿討伐のために仁木《につき》頼章《よりあき》を下した。一〇月には興福寺が、寺領を占領している西阿を訴えて神木《しんぼく》を担ぎ出した。翌四年になると、佐々木《ささき》近江入道《おうみにゅうどう》が、ついで細川顕氏《ほそかわあきうじ》が大和《やまと》に下された。西阿は幕府軍を相手に半年近くにわたって奮戦するが、敗れてしまう。その後、まもなくして西阿は亡くなったと思われ、南朝への奉公は息子の良円《りょうえん》に引き継がれた。

一三世紀の後半以降、折にふれて大和一国を対象として一国平均役《いっこくへいきんやく》を賦課《ふか》してきた興福寺は、南朝方勢力の強い吉野《よしの》郡と宇陀《うだ》郡を除く大和の諸郡に、貞和《じょうわ》三年（正平《しょうへい》二年〔一三四七〕）にも同寺の修理・造営のために反米《たんまい》を賦課した。

このときの台帳が春日《かすが》大社に残されているが、それによると、良円は江裏《えづつみ》荘（出雲《いずも》荘とも。奈良県桜井市江包《えつつみ》）、太田《おおた》荘（同太田）、院入《いんにゅう》荘（同芝《しば》付近）の三か荘から興福寺に納めるべき反米を未進《みしん》していた。これはもちろんただの滞納や未納などではなく、南朝方の良円が北朝方（幕府方）である興福寺の賦課を拒否しているのである。これらの三か荘を含めて、東方の丘陵部から初瀬《はつせ》川《がわ》（大和川《やまとがわ》）が、南から寺《てら》川《がわ》が、おのおの平野部に流れ出てきた地域には、下図のように反米を未進している南朝方の荘園が多い。それらのなかには、興福寺に向かって「宮方（南朝方）に納めたので、興福寺には納めない」と未進の理由を堂々と説明したものもある。未進の理由を明かさない荘園の多くも、じつは南朝方であったと考えていいだろう。現在の桜井市から北側の天理《てんり》市の南部、南側の橿原《かしはら》市の東部にかけての地域は、まさに北朝方（幕府方）と南朝方の最前線であった。

みずからの本拠地周辺で興福寺の支配を

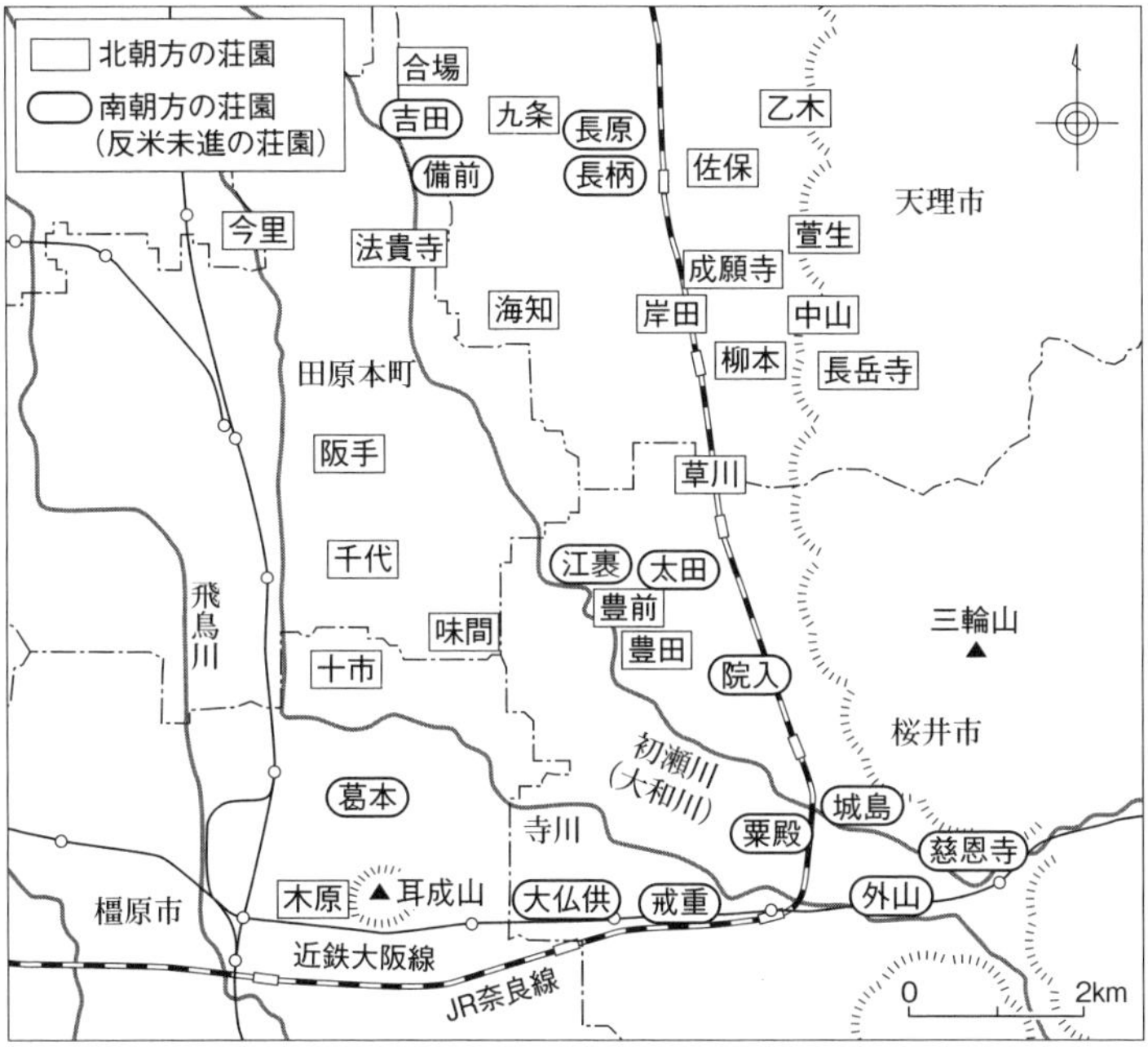

●奈良県桜井市周辺の荘園
興福寺のある奈良の中心部より一五キロメートルほど南にある荘園群。多くが興福寺の荘園であるが、これより南に位置する宇陀郡や吉野郡には、反米を賦課する使者が、入ることすらできなかったという。

はね返そうとした良円は、貞和三年（正平二年）の一二月、吉野にいた。高師直《こうのもろなお》・師泰《もろやす》との戦いを前に、死を覚悟した楠木正行《くすのきまさつら》らは如意輪堂《にょいりんどう》の板壁にそれぞれの名前を過去帳として書き残すが、良円もみずからの名を記録した。そして、翌年の正月、四条畷《しじょうなわて》の戦いで亡くなった。

現在、桜井市粟殿《おうどの》の墓地に正平三年の年号の刻まれた二メートルあまりの五輪塔があり、ひときわ目をひく。もとからここにあったものかどうかは不明であるが、銘文からこれは良円の妻が、良円と息子の追善供養と、自身の逆修《ぎゃくしゅ》（生前に冥福を祈ること）のために建立したものであることが知られる。

◉粟殿五輪塔（奈良県桜井市）
南朝方に味方したこの周辺でも、南朝の年号をもつ金石文《きんせきぶん》は意外に少ない。文献史料も在地にほとんど残されておらず、その点でも貴重。

東山内一揆

先の貞和《じょうわ》三年（正平《しょうへい》二年〔一三四七〕）の反米未進帳《たんまいみしんちょう》からもう一か所、地域的にまとまって南朝方に味方した荘園群があったことがわかる。ほぼ奈良県山辺《やまのべ》郡に属する地域であるが、盆地部からみて東の山内に位置するので、東山内《ひがしさんない》と呼ばれる。この地域の荘園にも反米を「宮方（南朝方）に納めたので、興福寺《こうふくじ》には納めない」と宣言した荘園が多い。また、理由は明示しないけれども滞納を続ける荘園も少なくない。後者も南朝方だろうと判断して地図上に落としていくと、次ページの図のような分布になる。

もう三〇年以上も前のことであるが、当時まだ大学院の学生だった私は、反米を抑留した荘園を地図に落とす作業を終えてこの図を完成させたとき、少々驚いた。ご覧のように、南朝方の荘園は、現在の名阪《めいはん》国道の南側にほぼきれいに集まっているのである。名阪国道は一九六五年一二月に暫定《ざんてい》的に二車線としてできたもので、高度経済成長を背景とする当時の交通・流通需要の急増にこたえて突貫工事でつくられ、千日《せんにち》道路という異名をもつ。そのような近代資本主義の産物のようなものが南朝方と北朝方の境界となって現われたからである。しかし、これはただの偶然ではあるまい。一日も早く道路を通そうと思えば、昔からある道、古くからのルートを利用するのが最善の方法で、そしてそのような道は、かつて地域を政治的に画する境界線でもあったのだろう。

驚いたのはそれだけではない。この地域についての先行研究として、染田天神講《そめだてんじんこう》と来迎寺《らいごうじ》（奈良市来迎寺町）に関するものがあったが、いずれも示唆に富むものであった。染田天神講とは、東山内の染田（奈良県宇陀《うだ》市室生《むろう》区染田）の天神神社を中心にして、この地域の武士らが南北朝期から戦国期にかけて運営していた連歌《れんが》の会、組織である。東山内の武士たちは、貞治《じょうじ》年間（一三六二〜六八）に一〇人の年預衆《ねんよしゅう》を中心にして講を結び、東山内の各地に天神社の天神御影《みえい》（菅原道真《すがわらのみちざね》の肖像画）を運んでそのもとで定期的に連歌会を開催していた。『染田天神神社文書《もんじょ》』として残された関係史料から、連歌講の参加者の分布範囲が興福寺へ反米を納めなかった地域とよく重なりあうこと、連歌講の運営や組織が構成員を相互に平等・対等としたうえで運営・組織されていることなどがわかった。

来迎寺は古くから東山内地域の武士の共同墓地となっており、寺の背後には多くの石塔、とくに五輪塔が林立していた。

染田天神連歌講および来迎寺に関する研究をふまえると、つぎのようなことがごく自然に推測できた。すなわち、墓地の共同維持にみられるように、東山内の武士たちは古くからある程度の結びつき、ヨコのつながりをもっていた。南北朝の争乱が起きたとき、そのような地域的連帯を背景にして彼らは相互に対等の資格で一揆《いっき》的に結合し、南朝方に参じた。そして貞和年間には興福寺の反米徴収を拒否した。染田天神連歌講は、連歌講の姿をとって現われたこの

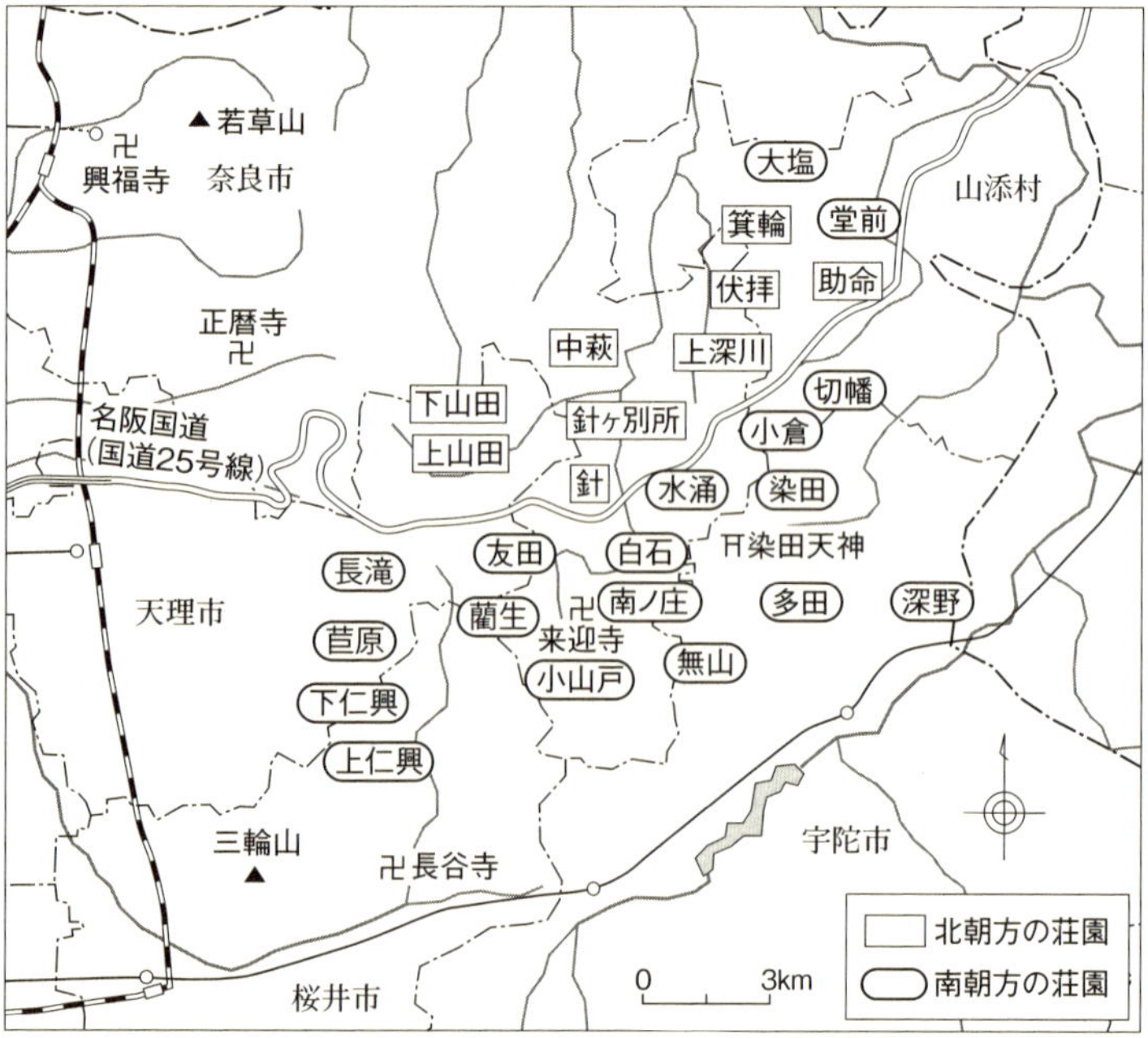

●東山内の荘園

同じく大和国とはいえ、西の盆地部とはやや違った動きをした地域である。合戦に敗れた盆地部の武士が、しばしば逃げ込んだ。東に隣接する伊賀《いが》国の動きに影響されることもあった。

東山内一揆にほかならない、と。

連歌が一揆結合にふさわしい寄合《よりあい》文芸であることは、いまでは広く認知されている。連歌はひとりで詠むものではなく、共同でつくりあげるものである。先の句はあとにつづく句にヒントを与え、あとの句はそれを受け止めて発展させ、さらにつぎの句へ引き渡す。つぎからつぎへ句が連なってひとつの作品ができるのである。連衆は突出することなく、さりとて埋没することもなく、自己を全体のなかで調和的、発展的に表現しなければならない。これは、平等・連帯・一致を要件とする一揆とひじょうによく通じあう。

建武《けんむ》元年（一三三四）の二条河原落書《にじょうがわらのらくしょ》は、「このごろ都にはやるもの」のひとつとして連歌をあげ、「京鎌倉をこきまぜて、一座そろわぬえせ連歌、在々所々の歌連歌、点者《てんじゃ》にならぬ人ぞなき」とはやしたてている。南朝方としてすでに一揆していた武士たちが、このころ隆盛をみた連歌の講を結成するのはまったく自然な流れであった。

コラム1　南北朝の年号

「時間」は天が支配し、地上では天子がそれを代行する。中国では皇帝が、日本では天皇がそれぞれ「時間」に名前を付けた。これが年号（元号）である。時の権力者による容喙《ようかい》もあったが、改元は天皇の権限でありつづけた。明治以降「一世一元」とされるまでは、天皇の代替わりにはもちろん、天変地異や戦乱などが続くと、治世を一新するために、しばしばその年号を改めている。

年号の使用はその制定者への服従であり、二人の天皇が存在した南北朝期には、それぞれが年号を制定し、各勢力はそれに従った。政権奪還をめざす後醍醐《ごだいご》天皇の「元弘《げんこう》」に対して、鎌倉幕府は光《こう》明《みょう》天皇を立て、そのまま「元徳《げんとく》」、さらに「正慶《しょうきょう》」を使う。

討幕を果たした後醍醐は「建武《けんむ》」と改元したが、その後、吉野《よしの》に脱出して南朝を開き、「延元《えんげん》」の年号を用いる。「建武」はそのまま北朝および室町幕府によって使いつづけられた。「建武の新政」と結びつけて、「建武」を後醍醐の年号と記憶している人が多いが、最後までそうだったわけではない。

◉行き来した年号
このあと一三九二年の南北朝合一まで二つの年号が併存する。その間に、北朝では一五、南朝では七つの元号が使用された。

西暦	和暦		記事
1330年	元徳2年		
1331年	鎌倉幕府年号	後醍醐年号	元弘の変
	元徳3年	元弘1年	
1332年	正慶1年	元弘2年	
1333年	正慶2年	元弘3年	鎌倉幕府滅亡
1334年	建武1年		建武の新政
1335年	建武2年		
1336年	北朝年号	南朝年号	室町幕府成立
	建武3年	延元1年	
1337年	建武4年	延元2年	
1338年	暦応1年	延元3年	
⋮	⋮	⋮	⋮

第三章

婆娑羅

1

婆娑羅大名

婆娑羅とは

「婆娑羅《ばさら》」という言葉は、高校日本史の教科書にはほとんど出てこない。教育現場では言及されないことが多いようであるが、インターネットで「婆娑羅」「ばさら」「バサラ」などを検索すると、たいへんな数がヒットする。それらのホームページを訪問してみると、ウェブ・デザインなどを請け負う会社名、居酒屋などの飲食店名、俳句や踊り、スポーツなどのサークルの名、近年になって奈良や四国の丸亀《まるがめ》で始められた祭りの名、焼酎《しょうちゅう》やひな人形、乗用車など商品名、大学の日本史研究室の機関誌名、コンピュータゲームの名前などなど、さまざまなものに使われていることがわかる。それらのなかにはネーミングの由来について説明しているものもあり、どうやら婆娑羅のなかに、豪華・裕福・自由・闊達《かったつ》・気まま・元気・独創・奇抜などといった要素が見いだされて評価されているらしい。現代の日本人は、豊かでありたい、自由に生きたい、元気で活動的でいたい、独創的でありたいなどといった願いを込めて、この言葉を使っているように思われる。

婆娑羅が現在このように人気を博していることは、とても興味深い。なぜなら、史料上の婆娑羅は、否定的な文脈で使われることがほとんどだからである。建武式目《けんむしきもく》は、政道の基本方針を定めた

●母衣武者
『洛中洛外図屏風《らくちゅうらくがいずびょうぶ》』（舟木本）の一場面、母衣《ほろ》行列の図。本来、母衣は飛んでくる弓矢を受ける戦場の装束。指物《さしもの》として装飾化し、華美さが強調された。　前ページ図版

第一条で倹約を命じ、「過差《かさ》（ぜいたく）」を戒めているが、そこには「近日婆佐羅《ばさら》と号して、専《もっぱ》ら過差を好み、綾羅錦繍《りょうらきんしゅう》、精《せい》好銀剣《ごうぎんけん》、風流服飾《ふりゅうふくしょく》、目を驚かさざるはなし」とあり、高価な衣服や華美な装飾を施した剣などを身につけて誇ることを厳しく禁じている。

このような論調は『太平記《たいへいき》』でもほぼ同様である。後醍醐《ごだいご》天皇が亡くなる前後のこととして、武士が「そゞろなるばさらに耽《ふけ》」ってぜいたくな衣服を着、食におごり、茶会や酒宴に巨額の費用を費やし、傾城《けいせい》や田楽《でんがく》に入れあげていると非難している。また別の箇所では、「政道の為に怨《あだ》なる者」として「無礼・不忠・邪欲《じゃよく》・功誇《こうこ》・大酒・遊宴・抜折羅《ばさら》・傾城・双六・博《ばく》奕《えき》・剛縁《ごうえん》・内奏」「不直《ふちょく》の奉行」をあげている。婆娑羅はここでもぜいたく、あるいは浪費のひとつとしてやり玉にあがっているのである。

婆娑羅にはぜいたく、浪費のほかにも無礼・放逸《ほういつ》・僭越《せんえつ》・傍《ぼう》若無人《じゃくぶじん》・異様・派手などの意味があるが、これらの側面が現代の日本では、豪華・自由・独創などに読みかえられて評価さ

2

◉検非違使（けびいし）の供で京の町中を歩く放免 中央の頬《ほお》ひげをはやした二人。ぜいたく品として着用が禁じられた藍染めの装束を着けている。釈放された罪人である放免《ほうめん》はいわば異類異形で、規制の外の存在であった。（『法然上人絵伝《ほうねんしょうにんえでん》』）

れ、広く受け入れられているのである。おもしろい現象であるが、それはおそらく、『太平記』などが口をきわめて非難するいわゆる婆娑羅大名たちに、今日の日本の人びとはむしろ共感することが多いからであろう。以下、婆娑羅大名といわれる何人かの人物の行動や半生をみてみよう。

放蕩息子、千種忠顕

千種《ちぐさ》忠顕《ただあき》は、楠木正成《くすのきまさしげ》、名和長年《なわながとし》、結城親光《ゆうきちかみつ》とともに「三木一草《さんぼくいっそう》」といわれた後醍醐《ごだいご》天皇の代表的な近臣のひとりである。後醍醐が隠岐《おき》に流されたときに付き従って配所でも仕え、脱出時にも行動をともにした。伯耆《ほうき》の船上山《せんじょうさん》では天皇の命を奉じて各地に綸旨《りんじ》を出した。さらに、第一章でみたように、一軍を率いて六波羅《ろくはら》を攻めた。建武《けんむ》政権では参議《さんぎ》に昇り、雑訴決断所《ざっそけつだんしょ》の職員ともなった。足利尊氏《あしかがたかうじ》・直義《ただよし》が九州から引き返してきたとき、比叡山《ひえいざん》に避難した後醍醐に従い、建武三年（延元《えんげん》元年（一三三六））六月、戦死した。

こうみてくると、後醍醐にひたすら忠節《ちゅうせつ》を尽くして死んでいったきまじめな廷臣という印象をもってしまうが、もっと陰影に富んだ人物である。『太平記《たいへいき》』は、まず「千種頭中将忠顕朝臣《ちぐさとうのちゅうじょうただあきあそん》は、故六《ろく》条内府有房公《じょうのだいふありふさこう》の孫にて御坐《おわせ》しかば、文字《もんじ》の道をこそ、家業とも嗜《たしな》まるべかりしに、弱冠の比《ころ》より我道にもあらぬ笠懸《かさがけ》・犬追物《いぬおうもの》を好み、博奕《ばくえき》・婬乱《いんらん》を事とせられける間、父有忠《ありただ》卿父子の義を離れ、不《ふ》孝《きょう》（勘当のこと）の由《よし》にてぞ置かれける」とその前半生を紹介する。忠顕の祖父六条有房は二条派《にじょうは》の歌人、能書《のうしょ》で和漢の才人であったと伝えられる。『徒然草《つれづれぐさ》』の一三六段は、知識をひけらかした医師の和気篤成《わけのあつしげ》を、有房が後宇多《ごうだ》法皇の前でやりこめた話である。その孫である忠顕も文筆の道をもって朝廷に仕えるべきなのに、二〇歳のころから脇道《わきみち》にそれて武士の行なう笠懸や犬追物を好み、博打や女色にふけったので父の有忠は忠顕を勘当したという。

家業を継がない放蕩《ほうとう》息子を家から追い出すのは不思議なことではないが、有忠・忠顕父子の場合には別の理由もあったかもしれない。有忠は後宇多に近侍し、また後醍醐親政期に東宮の邦良《くによし》親王に仕え、親王の践祚《せんそ》を実現するために奔走《ほんそう》した。いいかえると、後醍醐の退位をめざしていたのであるが、息子の忠顕はその後醍醐の近臣となっていったのである。父子のこのような政治的立場の違いが勘当の背景にあることも十分考えられよう。日野《ひの》資朝《すけとも》もまた父祖に背いて後醍醐に接近したのであるが、「後醍醐天皇の親政のもとには、そのような傍系の反逆児たちが多く集まっていた」といわれる。たしかに親のいいなりにはならない強烈な個性が、王家では傍系で「異形《いぎょう》の王権」ともいわれた後醍醐のもとに吸い寄せられていた。

建武政権下で破格の朝恩《ちょうおん》に浴した忠顕の行動は、婆娑羅《ばさら》そのものであったと『太平記』はいう。重恩《じゅうおん》を分け与えた家人《けにん》たち

3

◉笠懸
馬上から蟇目《ひきめ》の矢で綾藺笠《あやいがさ》を射る武芸。同じく騎射である流鏑馬、犬追物とあわせて、三つ物といわれる。（『男衾三郎絵詞《おぶすまさぶろうえことば》』）

に毎日順番に酒宴を開かせ、そこに諸大夫《しょだいぶ》や侍が三〇〇人以上も参集した。酒やめずらしい料理に費やされた費用は、一度に「万銭《まんせん》」でも不足したという。一銭（一文《もん》）を一〇〇円として換算すれば、一万銭は一〇〇万円となる。三〇〇人も集まれば、一度にその程度の飲み食いはするだろうが、数十間《けん》の馬屋に、よく肥えた馬を五、六〇頭飼い、宴がはてて輿に乗れば、数百騎を従えて内野《うちの》（大内裏の跡）や北山《きたやま》などに犬を出して小鷹《こたか》狩りを行なった。その衣装はといえば、豹《ひょう》や虎《とら》の皮を行縢《むかばき》にしてはき、高級織物である金襴纐纈《きんらんこうけち》を直垂《ひたたれ》に縫って着用した。ぜいたくや浪費とともに、忠顕は武士のごとくにふるまうことを好み、身分を超えて身を飾る僭上《せんじょう》があったことを伝えている。南朝方（宮方）の代表的な婆娑羅貴族であった。

院は犬、射て落さん

清和源氏《せいわげんじ》は代々美濃国司《みのこくし》を輩出し、遅くとも一二世紀には一族のうちの土岐《とき》氏が美濃に定着した。一三世紀には守護《しゅご》となった者もいて、国内には子孫が蟠踞《ばんきょ》した。鎌倉末期の土岐頼貞《よりさだ》は北条《ほうじょう》氏と縁戚にあったが、子の頼兼《よりかね》が正中《しょうちゅう》の変《へん》（元亨《げんこう》四年［一三二四］）にかかわっていたように鎌倉幕府を倒す側にまわり、足利尊氏《あしかがたかうじ》・直義《ただよし》に接近して、室町幕府成立後には美濃守護となった。土岐頼遠《よりとお》は頼貞の子で、父の死後その地位を継承する。

頼遠の名前は、直義が新田義貞《にったよしさだ》の討伐軍を三河《みかわ》の矢作《やはぎ》で迎え撃つあたりから『太平記《たいへいき》』にみられるようになる。尊氏・直義が九州から上洛して京都を攻めたとき、頼遠は五条大宮《ごじょうおおみや》の合戦などで活躍している。しかし、頼遠がもっとも重要な役割を果たしたのは、美濃《みの》の青野原《あおのがはら》（岐阜県関ヶ《せきが》原《はら》町）の戦いであろう。

建武《けんむ》四年（延元《えんげん》二年〔一三三七〕）八月、奥州《おうしゅう》に戻っていた北畠顕家《きたばたけあきいえ》は、ふたたび京都をめざして陸《む》奥国《つのくに》伊達《だて》郡の霊山城《りょうぜんじょう》をあとにした。顕家の率いる南朝方の大軍は鎌倉を経由して、翌年の正月下旬、ようやく美濃にいたった。美濃の東端から西端まで長く連なる顕家の大軍を追尾していた幕府軍（北朝方）は、途中での交戦を避け、宇治《うじ》あるいは近江《おうみ》の勢多《せた》（滋賀県大津市）で京都の幕府軍（北朝方）と東西から挟み撃ちにして、決着をつけようと計画していた。

これを変更させたのが頼遠である。頼遠は、自分の分国《ぶんこく》を通過する敵に「矢の一をも射ずして」ゆうゆうと通過させることに我慢がならず、合戦を主張した。そしてこれは、追撃軍の武将たちにも京都の幕府にも容《い》れられた。その結果は頼遠たち幕府方（北朝方）の敗北に終わったが、応戦を強《し》いられた顕家軍の消耗ははなはだしかった。顕家は行軍の進路を変更せざるをえなくなり、西に進むことを断念して人馬への補給が期待できる伊勢《いせ》に向かって転進した。この転進は、南朝方による京都奪

◉青野原（岐阜県関ヶ原町）
二六二年後にふたたび天下が争われる（関ヶ原の戦い）この地域は、北側の伊吹《いぶき》山地と南側の鈴鹿《すずか》山地に挟まれた天然の関所。

還のチャンスを最終的に失わせるものとなった。今川了俊《いまがわりようしゅん》の『難太平記《なんたいへいき》』によれば、頼遠はのちに「青野原の軍は土岐頼遠一人高名」と評価されたという。

青野原で敗れた頼遠は、その後新田義貞の弟の脇屋義助《わきやよしすけ》を美濃から逐《お》い、康永《こうえい》元年（興国《こうこく》三年〔一三四二〕）六月、京都に入った。そして九月に事件を起こす。その日、頼遠は幕府吏僚《りりよう》の二《に》階堂行春《かいどうゆきはる》とともに昼間は新日吉《いまひえ》社《しや》の馬場《ばば》で笠懸《かさがけ》をし、夜は遅くまで酒を飲んで帰途についた。その途中、伏見《ふしみ》天皇の年忌《ねんき》仏《ぶつ》事《じ》から帰る光厳《こうごん》上皇の行列に出くわしてしまった。

院の召次《めしつぎ》が行列の前にぱらぱらと走り出て、狼藉《ろうぜき》を避けて下《げ》馬《ば》するように叫んだ。行春はすぐに御幸《ごこう》であると悟り、馬から跳んで降りてかたわらに畏《かしこ》まった。それに対して頼遠は、「此《この》比《ごろ》洛中にて、頼遠などを下《おろ》すべき者は覚ぬ者を、云《いう》は如何《いか》なる馬鹿者ぞ。一々に奴原蟇目負《きやつばらひきめおう》せてくれよ」と、馬鹿者呼ばわりしたうえに蟇目の矢を射かけてやるとわめいたので、行列に従っていた前駆《せんく》や随身《ずいじん》たちが重ねて狼藉を制止して院の行列であると叫んだ。しかし、頼遠はそれを聞いてからからと笑い、

4

●天皇の行幸
土岐頼遠に襲われた光厳上皇は、牛車を使用していた。図は江戸時代の初め、後水尾天皇の二条城行幸を描いたもので、天皇は駕輿丁《かようちょう》たちの担ぐ鳳輦《ほうれん》の中。（『洛中洛外図屛風《らくちゅうらくがいずびょうぶ》』歴博F本）

「何《な》に院と云《い》うか、犬と云《いう》か、犬ならば射て落《おと》さん」と放言し、院の乗った車を取り囲んで犬追物《いぬおうもの》のようにさんざん矢を射たのである。牛飼童《うしかいわらわ》たちが命からがら逃げまわり、供の公卿《くぎょう》や殿上人《てんじょうびと》らがみな馬から打ち落とされるなどの混乱のなかで、院を乗せた車は簾《すだれ》を落とされ車輪を壊された無惨《むざん》な姿で路上に転倒した。

天皇や上皇に対するこれほどの不敬は歴史上たいへんめずらしく、『太平記』に描かれたこの事件はにわかには信じがたいほどである。創作ではないかと疑うこともできるが、ほぼ事実だった。事件の三か月近くあと、ある貴族がその日記につぎのように記している。

閭巷《りょこう》の説に云《いわ》く、美濃国の守護土岐弾正少弼頼遠《ときだんじょうしょうひつよりとお》、今参洛と云々、是《これ》去る秋のころ、御幸《ごこう》（伏見《ふしみ》殿《どの》御幸の還幸）に参会せしめ、矢を放ち狼藉におよぶこと露見せしむ。あまつさえ去るころ暇《いとま》を申さず美濃国に逃げ下り了《おわ》んぬ。（『中院一品記《なかのいんいっぽんき》』康永《こうえい》元年一一月九日条）

自分のしでかしたことの重大さを悟った頼遠は、美濃に脱出した。しかし、分国も決していつまでも安全ではないと判断し、ふたたび上洛した。先の貴族は翌日の日記に、頼遠が尊氏・直義の篤《あつ》く帰依《きえ》した禅僧・夢《む》窓疎《そうそ》石《せき》を頼って助命を願い出たことを記している。事件のあとのこれらの行動はそれなりに合理的で、頼遠は正常な判断が下せない人物でもなかっただろう。猛将《もうしょう》であったことは青野原で証明されている。したがって、光厳院への狼藉は酒に飲まれてたが緩んだうえでの暴挙だったとしか考えられないが、日ごろから頼遠が天皇や上皇をよく思っていなかった、あるいは王など無用な存在だと考えていた可能性はあるだろう。虚実おりまぜた『太平記』の描写であるからすべてを信じてしまうのは危険であるが、つぎに取り上げる高師直《こうのもろなお》の言動をみると、このころの婆娑羅大名たちがそのような思想をもっていたとしても不思議ではない。

ちなみに二階堂行春は讃岐《さぬき》へ流罪《るざい》となり、「車裂きにしてやろうか、殺して肉を塩漬けにしてやろうか」と激怒した直義を夢窓はついになだめきれず、頼遠は六条河原《ろくじょうがわら》で首を落とされた。ただし、累《るい》が一族に及ぶことは夢窓が防いだ。

王はどこぞへ流せ

高《こう》氏は足利《あしかが》氏の執事《しつじ》を代々つとめる家柄である。『太平記《たいへいき》』は師直《もろなお》を「思慮深き大将」、弟の師泰《もろやす》とともに「執事兄弟無《なく》ては、誰《だれ》か天下の乱を静むる者有るべき」と、武将として称賛する箇所もあるが、ぜいたく・僭越《せんえつ》・無頼《ぶらい》を旨とする婆娑羅《ばさら》大名としての側面を強調している。

師直のぜいたく・おごりは、その邸宅によってまず語られる。師直は、護良《もりよし》親王の母である日野《ひの》経子《けいし》が長年住んでいた一条今出川《いちじょういまでがわ》の御所を選び、四方に立派な棟門《むねもん》や唐門《からもん》をつくり、釣殿《つりどの》・渡殿《わたどの》・泉殿《いずみどの》などの殿舎《でんしゃ》を豪壮に構え、庭には伊勢《いせ》、志摩《しま》、紀伊《きい》の雑賀《さいが》から大石、さらに各地から桂・桜・松などの名木を取り寄せた。それはまるで各地の名所の風景を一所に集めたようであったという。

次いであげられるのが、女性である。都じゅうには、宮めぐりのごとくに師直が夜な夜な通う先があちこちにあった。本来なら「東夷《とうい》の礼《れい》なき」師直など歯牙《しが》にもかけないはずの「月卿雲客《げつけいうんかく》（公卿《くぎょう》と殿上人《てんじょうびと》）の御女《むすめ》など」が、背に腹はかえられず、つぎつぎと師直を受け入れたのである。師直は前関白二条道平《にじょうみちひら》の妹も「盗出《ぬすみだ》」して男子をもうけた。これを見て、京童《きょうわらわ》は「執事《しつじ》の宮廻に、手向《たむけ》を受ぬ神もなし」とはやしたてたという。

この程度のことならば、私生活の問題として目くじらを立てるほどのことでもないかもしれないが、しかし師直・師泰兄弟の婆娑羅はもっと反社会的なものであった。彼らは、家来が御恩としてもらった所領が小さいと嘆くと、「どうして狭い所領だと嘆くのか。隣近所に寺社本所の所領があるだろう。境界を越えて支配すればいい」とそそのかし、罪を得て所領没収の憂き目にあった者が頼ってきたときには、「よしよし、師直は知らん顔をしていてやる。たとえ将軍の命令であっても、押して支配していろ」と、将軍家の執事、権力の中枢にいる者とも思えぬようなことを請け負った。

きわめつけは、天皇・上皇に対する姿勢である。

都に王と云う人のまし〳〵て、若干《そこぼく》（多く）の所領をふさ

5

◉公家の女性
高師直は前関白の妹とのあいだに男子をもうける。高貴な出であったので容貌に優れ、世人ときめき合ったという。（『芦引絵《あしびきえ》』）

げ、内裏・院の御所と云う所の有て、馬より下《お》る《る》六借《むつかし》さよ。若《も》し王なくて叶《かなう》まじき道理あらば、木を以《もつ》て造るか、金を以て鋳るかして、生《いき》たる院、国王をば何方《いずかた》へも皆流し捨て奉《たてまつ》らばや……

都に王という人がいて多くの所領をもち、内裏あるいは院の御所というところがあって、その前を通るときは下馬しなければならない煩わしさよ。もし王がなくてはならないのであれば、木か金でつくり、生身の王はどこぞへ流してしまいたいと、師直たちはそんなことを言ったという。ここには天皇や朝廷の権威など、微塵《みじん》も感じられないだろう。

実際の師直は優れた武将で、教養や信仰心もあったと考えられる。『太平記』では悪役としてそのぜいたくや反権威ぶりなどが誇張されたのだろう。しかし、当時、天皇や院などは不要な存在だと公言してはばからないような有力な武士、婆娑羅な大名が、たしかに存在したのだろう。『太平記』の師直の像は、おそらくその投影である。

門跡焼き討ち

土岐《とき》頼遠《よりとお》と同じく、にわかには信じられないような事件を起こしたのが、佐々木《ささき》導誉《どうよ》である。暦《りゃく》応《おう》三年（興国《こうこく》元年〔一三四〇〕）一〇月六日、導誉の一族・若党らが近郊で小鷹《こたか》狩りをして帰る途中のことであった。「例のばさらに風流《ふりゅう》を尽して」と『太平記《たいへいき》』でいわれているので、具体的な内容は明らかでないが、ただの狩りではなく人目をひくような派手な趣向が仕掛けられていたのであろう。

酒を飲んでいたかもしれない。一族・若党一行が天台三門跡《てんだいさんもんぜき》のひとつである妙法院《みょうほういん》にさしかかったとき、門主《もんしゅ》の亮性法親王《りょうしょうほっしんのう》は御簾《みす》のうちから南庭の紅葉を見ながら心静かに「諷詠閑吟《ふうえいかんぎん》」、つまり詩歌をつくっていた。そこへ門を通ってずかずかと入ってきたのであろうか、門主がいままさに愛《め》でている「色殊《いろこと》なる紅葉の下枝」を一族・若党の下部《しもべ》がポキッと引き折ってしまったのである。驚いた門主は人を呼んでこれを制止させようとしたが、呼ばれた僧が、いったい何者だ、御所の紅葉を折るなんて、と狼藉者《ろうぜき》に叫んだところ、下部は、御所がなんだ、ちゃんちゃらおかしいわい、とあざ笑い、もっと大きい枝を折った。この日はたまたま多数の山法師《やまほうし》たちが宿直《とのい》として御所に詰めていたので、彼らは狼藉者を捕らえてさんざんに打擲《ちょうちゃく》して門外に放り出した。

　これを聞いた導誉の反応が常軌《じょうき》を逸している。導誉は、「いかなる門主であらせられようと、この導誉の内の者がこんな目にあわされる覚えはない」と怒り、息子の秀綱《ひでつな》とともに三〇〇余騎を率いて妙法院を焼き討ちにしたのである。そのとき行法《ぎょうぼう》中だった門主ははだしして逃げ出して難なきを得たが、若宮は板敷きの下に隠れているところを秀綱に見つかって打擲された。御所にかけられた火は近隣の建仁寺《けんにんじ》に

6

◉佐々木導誉
導誉七〇歳の寿像《じゅぞう》（生前の肖像画）。臨済禅《りんざいぜん》に帰依し、時宗《じしゅう》にも親近感をもっていたと思われる。七八歳で亡くなった。

飛び火し、輪蔵《りんぞう》・開山堂《かいさんどう》・塔頭《たっちゅう》などを焼いた。夜中のことだったので、鬨《とき》の声は京都の町なかに響き渡り、在京の武士たちは何事かと大騒ぎとなった。この事件も『太平記』の創作ではないかと考えてもおかしくないが、やはり確かな史料の裏付けがあり、大筋ではこのとおりだったと考えざるをえない。

亮性法親王は光厳《こうごん》上皇、光明《こうみょう》天皇の兄弟である。妙法院は比叡山延暦寺《ひえいざんえんりゃくじ》の長官である座主《ざす》を代々出す門跡で、親王自身、貞和《じょうわ》二年（正平《しょうへい》元年〔一三四六〕）に座主の地位についた。その延暦寺といえば、最大の寺院権門《けんもん》で、院政期には奈良の興福寺《こうふくじ》と並んで南都《なんと》北嶺《ほくれい》といわれて大きな勢力を誇り、強訴《ごうそ》を繰り返して身勝手な要求も押し通したことはよく知られているだろう。そのピーク時に比べれば力は衰えていたが、屈辱を受けて黙っているはずもなく、比叡山は導誉父子の死罪を要求した。しかし、北朝に幕府の要人を処罰する力はなく、足利尊氏《あしかがたかうじ》・直義《ただよし》にも導誉を死罪にするまでの意思はなかった。比叡山の再三の要求にもかかわらず、導誉父子の処罰は流罪《るざい》にとどめられた。

さらに『太平記』は、導誉の婆娑羅《ばさら》ぶりをつぎのように描く。京都から配所の上総《かずさ》に赴くとき、導誉は近江《おうみ》の国分寺まで三〇〇余騎の若党を前後に従えた。若党は全員が猿皮を靫《うつぼ》にかけて、猿皮の腰当《こしあて》をつけ、手には鶯籠《うぐいすこ》を持った。道中では酒宴を開き、遊女とたわむれた。その様子は通常の流人ではなく、華やかで美しいものであった。これは朝廷の処置を軽んじ、比叡山の鬱憤《うっぷん》をこけにするふるまいであった、と。

猿は日吉社《ひえしゃ》の神の使いとされ、同社を鎮守と仰ぐ比叡山にとっては神聖な動物である。その猿の皮を、これみよがしに体や武具につけさせたのである。比叡山に対するこれ以上の嘲弄《ちょうろう》はなく、導誉のしたり顔が思い浮かぶ。

婆娑羅の芸能

田楽の外、他事なく候

鎌倉時代末から南北朝期には、婆娑羅《ばさら》な人びとが輩出しただけではなく、婆娑羅な芸ももてはやされた。

田楽《でんがく》はいまではほとんど滅んでしまった芸能である。毎年一二月一七日に行なわれる奈良のおん祭り（春日若宮祭《かすがわかみやさい》）では、保延《ほうえん》二年（一一三六）の祭礼開始以来ずっと田楽が奉納されてきており、いまなお一三人の田楽法師《でんがくほうし》の参勤があるが、一の鳥居をくぐったところで行なわれる松の下式や若宮神殿などで披露される田楽は、編木《ささら》・刀玉《かたなだま》・高足《たかあし》にほぼ限定されており、それもきわめて形骸化《けいがいか》している。たとえば、高足はもともと次ページの図のように横棒の部分に乗って飛んだり跳ねたりする軽業《かるわざ》的な芸だった思われるが、今日では横棒に片足を一瞬ちょこんと乗せてみせるだけになっている。刀玉も、本来は数本の小刀をお手玉のように操る危険な芸だったはずであるが、いまでは二本のナイフがきわめて慎重に扱われるものとなっている。田楽法師の装束も、本来は豪華《ごうか》絢爛《けんらん》なものが毎年新調されて全員に下げ渡され、田楽という芸能の重要な一部を構成したのであるが、いまでは例年同じものが着用されている。

物たりないのは視覚的な面だけではない。編木は、数十枚から一〇〇枚前後の短冊形の木片の一端を紐《ひも》で綴《と》じ、両端にグリップをつけた楽器の一種で、これを両手でアーチ状に持って両手首のスナップをきかせ、木片同士を衝突させてシャッシャッという音を出させる。中門口《ちゅうもんぐち》といわれる踊りで使われるが、本来田楽の場で鳴り響いていた音は、こんなおとなしいものではなく、耳をつんざくようなものだった。『今昔物語集《こんじゃくものがたりしゅう》』には、近江国矢馳《おうみのくにやばせ》の郡司《ぐんじ》が比叡山《ひえいざん》の僧侶を堂供養に招いたときに、勘違いをして田楽を準備し、田楽法師たちは「左右の手に桴《ばち》を持《もち》」「笛を吹き、高拍子を突き、編木を突き、□《(ママ)》を突き、朳《えぶり》を差て、様々の田楽を、……打喤《うちののし》り吹き乙《かなで》つ、狂ふ事限無《かぎりな》」く演奏したとある。また、後白《ごしら》河《かわ》法皇が作成させた『年中行事絵巻《ねんじゅうぎょうじえまき》』には、馬上でのけぞって太鼓をたたき、笛を吹き、編木を鳴らす田楽の一隊が描かれており、田楽の喧噪《けんそう》を彷彿《ほうふつ》させる。

◉田楽の高足
足をかける横棒がもっと高い位置にある「鷺《さぎ》足《あし》」というのもあった。乗ったまま宙返りなどの曲芸をしたと思われる。

『年中行事絵巻』にみられるように、田楽は祇園会《ぎおんえ》などの御霊会《ごりょうえ》で奉納された芸能である。御霊会は、祟《たた》りをなす悪霊、災《わざわ》いの気配を追い払う（祓う）ための行事であるから、田楽はつまり辟邪《へきじゃ》の呪法《じゅほう》であった。この世のものではないものを退治するためには、通常のおとなしい方法ではだめなのである。人間わざとは思えない軽業、目を驚かす華美な装束、われを忘れさせる強烈なリズムやけたたましい音など、野性的、原始的なエネルギー、身体が必要とされた。朝廷などが繰り返して華美過差《かさ》を禁じたにもかかわらず、田楽のために毎年豪華な装束が新調されたのは、「中途半端なもので悪魔払いができるか」という人びとの確信犯的な行為だっただろう。

北条高時《ほうじょうたかとき》は、「田楽の外、他事なく候」といわれるほど田楽に熱中して鎌倉幕府を崩壊に導いたとされるが、『太平記《たいへいき》』によれば、あるとき高時の屋敷に現われた新座《しんざ》・本座《ほんざ》の田楽法師は、じつは「一人も人にては無《なか》りけり。或觜勾《あるいはくちばしかがまつ》て鵄《とび》の如くなるもあり。或《あるい》は身に翅在《つばさあつ》て、其《その》形山伏《やまぶし》の如くなるもあり。異類異形《いるいいぎょう》の媚者《ばけもの》共が姿を人に変じた」ものだった。ここでは田楽法師自体が「天狗《てんぐ》」や「禽獣《きんじゅう》」などの異類異形として登場させられている。また高時は、大名たちに田楽法師をひとりずつ預けて装束を競わせ、「是《これ》は誰がし殿の田楽、彼《かれは》何がし殿の田楽なんど云《いい》て、金銀珠玉を逞《たくましく》し綾羅《りょうら》錦繡《きんしゅう》を妝《かざ》」らせたという。

足利尊氏《あしかがたかうじ》もまた田楽に熱中した。摂関・大臣以下の貴族や僧侶・神官たちがこぞって見物した貞《じょう》和《わ》五年（正平《しょうへい》四年〔一三四九〕）六月一一日の四条河原勧進田楽《しじょうがわらかんじんでんがく》は、三、四階建ての巨大な桟敷が倒壊したことで有名であるが、『太平記』に描かれた会場は金襴《きんらん》や纐纈《こうけち》などの絢爛たる幕が人目を驚かせただけではなく、「薫香《くんこう》天に散満」したといわれるように、匂《にお》いの演出にも工夫が凝らされたものであった。周到に準備されたこの空間に、「八、九歳の小童《こわらわ》」が「赤地の金襴の打懸《うちかけ》に虎の皮の連貫《つらぬき》を蹴開《ふみ》き、小拍子に懸《かかっ》て、紅緑のそり橋《ばし》を斜《ななめ》に踏《ふん》で出」てきて、「高欄に飛び上がり、左へ回《まわり》右へ曲《めぐ》り、抛返《はねかえり》ては上」るアクロバティックな田楽能を披露したとき、感きわまった見物人の動きと重みに耐えられなくなって桟敷が倒れたのである。

もちろん誇張された描写であるが、当時の田楽のあり方や雰囲気をよく伝えるものであろう。このころには桟敷に囲まれた舞台上で行なわれるようになって大道芸的な要素を弱めていき、能につながる演劇的な面を強めていくが、田楽はまだまだ婆娑羅の芸であった。

婆娑羅と連歌

連歌《れんが》はその席に連なった連衆《れんじゅ》の共同作品であるが、共同作品として成立するためには、連衆は相互に平等でなければならな

7

●蛙の田楽
編木を鳴らし、踊る蛙の田楽師。手前の蛙は蓮の葉をかぶるが、これは綾藺笠《あやいがさ》の代用であろう。(『鳥獣人物戯画《ちょうじゅうじんぶつぎが》』甲巻)

い。したがって、二条河原落書《にじょうがわらのらくしょ》に「京鎌倉をこきまぜて」とあるように、連歌の場には社会的な地位や身分は持ち込まれない。前章の最後のところで少し触れたように、これが一揆《いっき》と関連する連歌や連歌会《れんがえ》の重要な特徴のひとつであったが、ここから連歌の場は、しばしば無礼講《ぶれいこう》、自由狼藉《ろうぜき》の場となる。

連歌会は、必ずしも上品に取り澄ました歌の会というわけではない。『徒然草《つれづれぐさ》』一三七段には、「花のもとにはねぢより、立ち寄り、あからめもせずまぼりて（じっと見守って）、酒のみ、連歌して、はては大《おお》きなる枝、心なく折り取りぬ」とあって、「片田舎の人」びとが行なう連歌会の雰囲気がどんなものであったかがよくわかる。どうやら酒がつきものだったようで、室町時代中期の連歌師である宗砌《そうぜい》の『古今連談集《ここんれんだんしゅう》』によれば、鷲尾《わしのお》の花《はな》の下《もと》連歌に院（伏見院《ふしみいん》か）がお忍びでやってきたとき、宗匠《そうしょう》の善阿《ぜんな》が酒に酔って院の「御車の簾《す》を少しあげ奉《たてまつ》」るという狼藉に及んだが、院は少しも咎《とが》めなかった。

このような狼藉性は、連歌自体にもともと内包されていた。連歌には一定のルールがあり、連衆には共有された教養があったが、連歌の付合《つけあい》は思わぬ方向に発展し展開していくところに醍醐味《だいごみ》がある。自分の言葉が他人に継承されていくときの意外性と偶然性、その連続と集積が連衆の興奮を高めていく。人びとがわれを忘れて狼藉にいたるまで高揚することが、むしろ連歌会の成功を意味したのである。

連歌の婆娑羅《ばさら》は以上にとどまらない。建武式目《けんむしきもく》は「或《ある》いは茶寄合《ちゃよりあい》と号し、或いは連歌会と称して、莫大《ばくだい》の賭《かけ》に及ぶ」と非難している。茶寄合についてはつぎにみるが、連歌の場は賞品や賞金が飛び交う場でもあった。鎌倉時代の後鳥羽《ごとば》院の御前で行なわれた「柿下栗下《かきのもとくりのもと》」連歌では「銭《ぜに》を以《もっ》て懸物《かけもの》」とされ、「尋常の句の時百文、秀句の時二百文」が与えられた。後鳥羽院が当日の賞金王で、二貫《かん》七〇〇文《もん》を獲得した。ほかの参加者たちは、一貫あまり、六、七〇〇文、五、六〇〇文程度であった。この話をその日記『看聞日記《かんもんにっき》』に記録した伏見宮貞成《ふしみのみやさだふさ》親王は、「上代已《すで》に此《かく》の如《ごと》し。いわんや末代においてをや」と述べ、ことさら室町時代になって賞金つきの連歌会を「下品」とすることもないとしている。

『徒然草』八九段は、人を喰《く》らう「猫また」という妖怪《ようかい》の話である。行願寺《ぎょうがんじ》辺に住む連歌師が夜更けに帰宅の途中、飼い犬が喜んで飛びかかってきた。それを連歌師は「猫また」に襲われたと勘違いし、あわてふためいて川に転落した。そのとき、連歌師の懐には連歌の賭物《かけもの》としてその日獲得した「扇・小箱など」があったが、すべて水に浸《つか》ってしまったという。連歌に賭がつきものだったことがうかがえる。

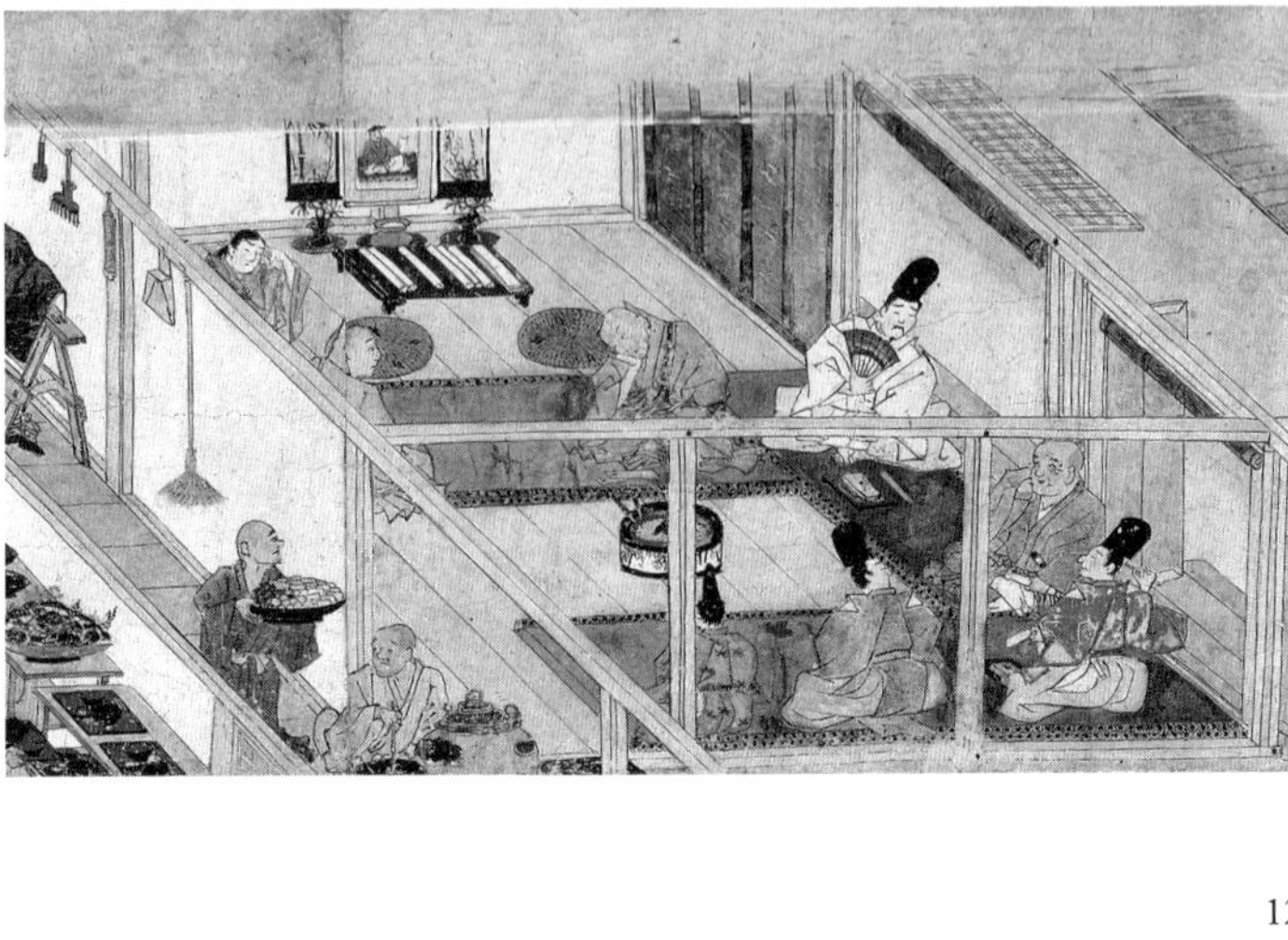
8

●連歌会の様子
苦吟する僧侶。上座には柿本人麻呂の肖像画が掛けられ、座る部分にのみ畳が敷かれている。歌会の様子がよくうかがえる。(『慕帰絵《ぼきえ》』)

大原野の茶寄合

現在茶道《さどう》とか茶会《ちゃかい》といえば、すぐに思い浮かぶのは「わび」「さび」といった閑寂な境地や厳格な行儀作法などで、豪華とか放逸、過剰などといった言葉を連想することはまずないだろう。しかし、建武式目《けんむしきもく》が連歌会《れんがえ》と茶寄合《よりあい》を並べたように、これもまた婆娑羅《ばさら》であった。

当時の茶会で行なわれたのは、闘茶《とうちゃ》と呼ばれる競技で、本茶《ほんちゃ》といわれる栂尾《とがのお》（のちには宇治《うじ》）の茶と、非茶《ひちゃ》と称されるそれ以外の茶を何人かで飲み当てるものである。通常は本茶を含めて四種類の茶が用意され、本茶を一回、非茶を各三回、計一〇回服して何番目がどの茶かを解答する。本茶をA、非茶をB、C、Dとし、たとえば、C、B、C、D、D、D、C、B、B、Aの順で試飲したとする。このように解答すればもちろん満点だが、なかなかそうはいかず、成績には差が出る。その得点に応じて莫大《ばくだい》な賭物《かけもの》が与えられるのである。これでは執着心を捨てて心静かに茶を頂くという境地にはなれないだろう。

佐々木導誉《ささきどうよ》は、貞治《じょうじ》五年（正平《しょうへい》二一年〔一三六六〕）三月四日、政敵である斯波高経《しばたかつね》への嫌がらせとして、大原野《おおはらの》（京都市西京区《にしきょう》）の花の名所である勝持寺《しょうじじ》で婆娑羅の極致といわれる遊宴を催した。小塩山《おじおやま》のふもとで車を降り、曲がりくねった細い道を登っていくと寺の門にいたる。ここに谷川に架けられた橋があり、「高欄を金襴《きんらん》にて裹《つつみ》て、ぎぼうしに金箔《きんぱく》を押し、橋板に太唐氈《たいとうのせん》・呉郡《ごぐん》の綾・蜀江《しょっこう》の錦」などが敷かれている。さらに進むと、屈曲した藤の枝ごとに高く「平江帯《ひんごうたい》（両端にふさのある帯）」が掛けられ、沈水《じんすい》が薫《た》かれていて、まるで梅檀《せんだん》の林に迷い込んだかのようないい香りである。頭を上げて四方を見渡すと、そこから見えるのはまさに絶景であった。

さらに進んで本堂の庭に至ると、そこには一〇囲《い》（約一五メートル）の桜の木が四本あり、導誉はその木のもとに一丈（約三メートル）あまりの真鍮《しんちゅう》の花瓶をつくらせて「一雙《そう》の華に作り成し」た。つまり桜の木を、花瓶に立てられた花に見立てたのである。「一雙」とあるので、木は二本ずつ、二つの花瓶に分けられたのであろう。そのあいだには机が二つ置かれ、その上に二囲（約三メートル）の香炉《こうろ》が置かれて「一斤《きん》の名香を一度に炷上《たきあげ》た」ので、あたり一帯は芳香に包まれてまるで浄土にいる心地がした。

ここでの茶会は、つぎのように行なわれた。「其《その》陰に幔《まん》（幕）を引曲彔《ひききよくろく》（椅子）を立雙《たてならべ》て、百味の珍膳を調《ととの》へ百服の本非《ほんぴ》を飲《のみ》て、懸物《かけもの》山の如く積み上《あげ》たり」。百味は文字どおり一〇〇あったかどうかは不明だが、種々の珍味・珍膳、百服は先にみたような四種一〇服の闘茶を一〇回組み合わせたものであろう。賭物が山のごとくだったこととあわせて、まさに過剰としかいいようがない。

◉勝持寺の桜（京都府西京区大原野）
現在も「花の寺」と呼ばれている。鎌倉時代の歌人・西行ゆかりの寺でもある。この仁《に》王門《おうもん》は唯一、応仁《おうにん》の乱《らん》の兵火をまぬがれた。

この後、遊宴は猿楽《さるがく》から白拍子《しらびようし》や遊女の舞踊・歌謡に移り、参会者たちは身に着けていた大口《おおぐち》や小袖《こそで》を脱いで投げ与えた。大酒を飲んで夜になると人びとは松明《たいまつ》を掲げさせ、車の車軸をとどろかせ、馬の轡《くつわ》を鳴らして大騒ぎで帰路についた。その喧噪《けんそう》は、「只三尸《ただざんし》（腹中に棲《す》んでいて、その人の罪悪を天に告げる三匹の虫）百鬼の夜深《ふけ》て衢《ちまた》を過るに異《ことなら》」ないありさまで、「一城（京）の人皆狂ぜるが如し」だった。

以上は『太平記《たいへいき》』が載せる話で、例によって誇張があるだろうが、それにしても「わび」も「さび」もあったものではない。

この茶会に曲彔が準備されたように、このころの茶席は椅子に座り、テーブルを囲むという異国風のものであった。椅子には虎《とら》や豹《ひょう》の皮が敷かれ、茶室の飾り付けや賭物も唐物《からもの》が好まれた。のちの畳が敷き詰められた純和様の四畳半の茶室や茶会とは、かなり趣が異なる。

身の振廻廉直

忠義と裏切り

この時代を特徴づける婆娑羅《ばさら》な人物や芸能をみてきたが、その一方で、婆娑羅を快く思わない人びともちろんいた。代表的な人物をみてみよう。

吉田定房《よしださだふさ》は、後宇多《ごうだ》上皇や後醍醐《ごだいご》天皇に仕えた大覚寺統《だいかくじとう》の廷臣でありながら、後醍醐の討幕計画を鎌倉幕府に告げた人物である。それだけだと定房はただの裏切り者でしかないが、定房は、まだ機が熟していない、時期尚早だと考え、計画の首謀者を日野俊基《ひのとしもと》とすることによって後醍醐を守ろうとした忠臣であるとされる。しかし、定房が守ろうとしたのものは、後醍醐とは限らない。

後醍醐は文保《ぶんぽう》二年(一三一八)の践祚《せんそ》のころより討幕を考えていたようである。定房はそれに強い危惧《きぐ》を感じ、元応《げんおう》二年(一三二〇)六月に最初の奏状《そうじよう》を後醍醐に提出して計画を諫《いさ》めた。これは黙殺されたようで、定房はその後何度か諫奏《かんそう》を行なったようである。花園《はなぞの》上皇は元亨《げんこう》元年(一三二一)四月二三日の日記に、「伝え聞く、近日禁裏根合《きんりねあわ》せ(歌会の一種)の沙汰《さた》あり。而《しこう》して定房卿、諫諍《かんそう》を納《たてまつ》る。其の詞《ことば》太《はなは》だ切と云々、誠に然《しか》るべし。凡《およ》そ定房卿は常に直言を納るか。誠に忠臣と謂《い》うべし。伝え聞き感思《かんし》極《きわ》まりなき者《もの》なり」と記した。

定房は同年一〇月、後醍醐の意をうけて関東に下向《げこう》し、後宇多院政から後醍醐親政への転換を幕府に働きかける。使命を果たした定房は一二月九日に帰京して、後醍醐の親政が開始されることになるが、後宇多の政界からの退場によっていよいよ後醍醐の暴走が始まることを恐れた定房は、旅先で再度奏状をしたためた。その草稿の写しが『醍醐寺文書《だいごじもんじょ》』のなかに残されており、定房の「裏切り」の理由を知ることができる。一〇か条からなるこの奏状の冒頭で、定房は「国家草創の事、叡念《えいねん》議あるに似たりといえども、天命いまだ知らず、時機測りがたし」と述べ、討幕は時期尚早だと強い疑念を表明している。このことは「今の時、関東の武士、天理に逆《さか》うの志なきか」「今の時、関東の妖孽《ようげつ》（災いのきざし）いまだ見《あらわ》れず。万民の愁苦いまだ聞《き》こえず」などと奏状のなかで繰り返されており、定房の現状認識では幕府はまだ天から見放されておらず、したがってこれを討つ正当な理由はなかった。また、当時の貴族としてはめずらしく、定房の視野には民百姓《たみひゃくしょう》が入っていた。「万民の愁苦」というフレーズがただの文飾でないことは、定房が第二条で「民の力役《りょくえき》を費《つい》やさざる事」、続く第三条で「人の死命を重んずる事」を論じて「万民の役死《えきし》」を避けよと主張していることからもうかがえよう。

第九条では、時機を誤った挙兵は敗北に直結し、それによって「天嗣《てんし》ほとんどここに尽きなんや。本朝の安否この時にあり」とあって、定房が守ろうとしたのは後醍醐というよりももっと広く朝廷や国家そのもの

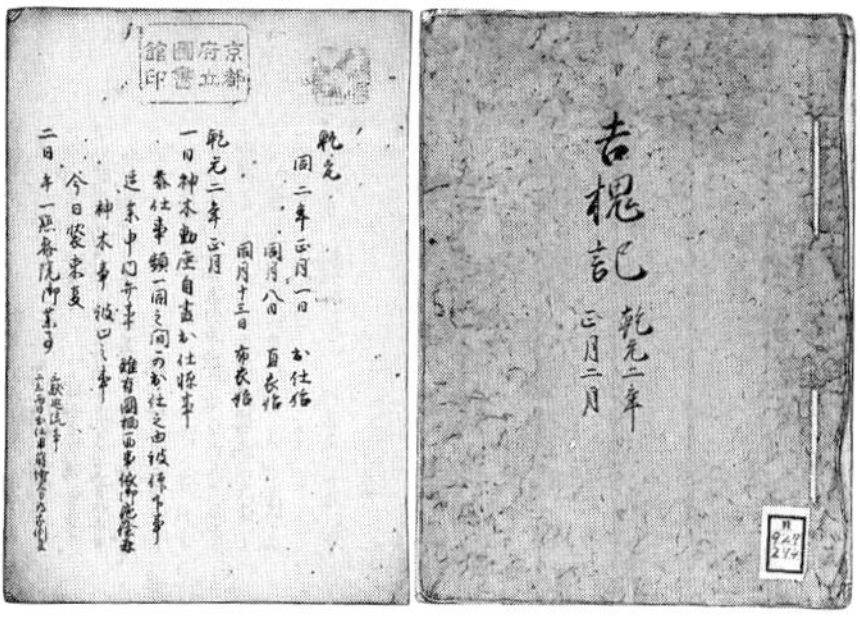

9

◉定房の日記『吉槐記（きつかいき）』
吉田定房の家は、代々このような日記をつける律儀な実務官僚を輩出してきたが、そのなかで定房はきわだって行動的な人物であった。

だったこと、第一〇条の最後は「兵革を用いずして、暫《しばら》く時運を俟《ま》つ。これ大義ならくのみ」とあって、定房が武力行使を否定し、幕府の天運が尽きるのを待つことが大義に通じるとしていたことがわかる。

後醍醐を諫めつづけた定房であったが、建武《けんむ》三年（延元《えんげん》元年〔一三三六〕）の年末に後醍醐が吉野《よしの》に出奔すると、翌年に定房が吉野に参じたことは第二章で触れた。この地で約半年のあいだ後醍醐に仕え、暦応《りやくおう》元年（延元三年〔一三三八〕）正月に没した。

げに〳〵しく偽りの色なし

すでに何度か触れたように、建武《けんむ》式目《しきもく》は婆娑羅《ばさら》を目の敵にしている。第一条の「倹約を行《おこな》はるべき事」では「綾羅錦繡《りようらきんしゆう》・精好《せいごう》銀剣《ぎんけん》・風流《ふりゆう》服飾《ふくしよく》」の「過差《かさ》」を「物狂《ぶつきよう》」として指弾《しだん》し、第二条の「群《ぐん》飲佚遊《いんいつゆう》を制せらるべき事」では、女色に耽《ふけ》ること、博奕《ばくえき》・茶寄合《ちやよりあい》・連歌会《れんがえ》を浪費として退ける。第一〇条では賄賂《わいろ》を禁止し、「殿中内外に付き諸方の進物を返さるべき事」を規定したつぎの第一一条のなかでは、「次に唐物《からもの》已下《いか》の珍奇、ことに賞翫《しようがん》の儀あるべからざるものなり」として前代以来の輸入品崇拝を排撃した。これらは、式目の実質的な制定者である足利直義《あしかがただよし》の意向が強く押し出されたものである。

直義が婆娑羅の対極にいた政治家であることを示す例は多い。土岐《とき》頼遠《よりとお》の光厳《こうごん》上皇に対する狼藉《ろうぜき》に厳しく対処したことはこの章のはじめのほうでみたが、上皇も直義を深く信頼していた。『太平《たいへい》記《き》』によれば、頼遠の狼藉事件以前に直義が病を得て重体に陥ったことがあったが、その際上皇はひそかに石清水八幡宮《いわしみずはちまんぐう》に勅《ちょく》使《し》を立て、直義は「爪牙《そうげ》の良将《りょうしょう》」「股肱《ここう》の賢弼《けんぴつ》」で「四海《しかい》の安《あん》危《き》、偏《ひとえ》にこの人の力に嬰《かか》る」として神の擁護を祈ったところ、神は「君臣合体《くんしんがったい》の誠」に感じ入って三日で直義は平癒《へいゆ》したという。直義が高師直《こうのもろなお》・師泰《もろやす》兄弟と激しく対立したのも、両者の支持勢力や政治路線が違っただけでなく、相互の体質的な反発、嫌悪感が大きな要因としてあったのではないだろうか。

直義は暦応《りゃくおう》年間(一三三八~四二)にたびたび夢窓疎石《むそうそせき》のもとを訪れて信仰上の疑問などを率直にぶつけて教えを請うている。その問答を直義が「何となく仮字《かな》にて記し置」いたものがもととなってできたのが夢窓の『夢中問答集《むちゅうもんどうしゅう》』であるが、そのなかには為政者としての直義に突きつけられた、まことに厳しい言葉も記録されている。

あるとき直義は、「あまりに善根に心を傾けたる故《ゆえ》に、政道の害になりて、世も治まりやらぬよしを申す人あり。その謂《いわ》れありや」と問うた。直義としてはそれなりに善根を積んできた

10

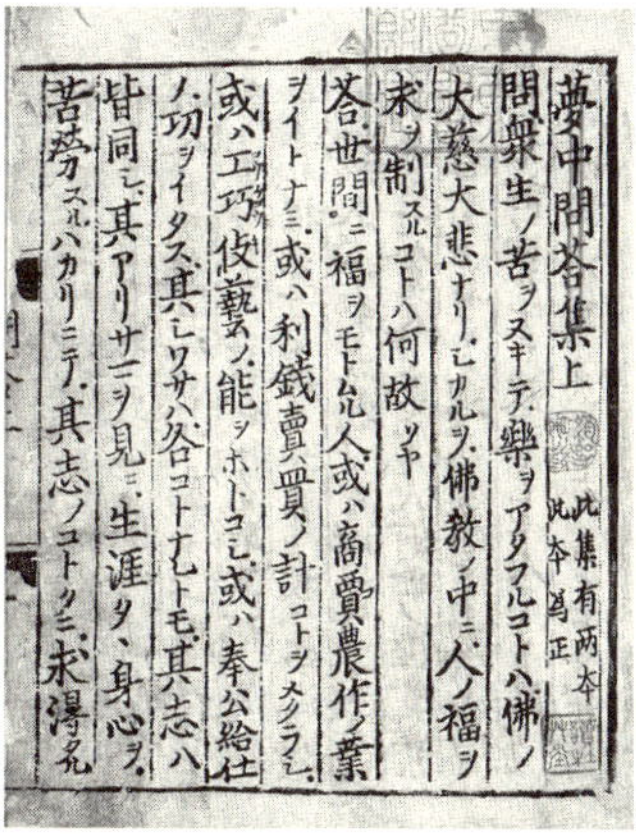
夢中問答集上　此集有両本　此本為正
問衆生ノ苦ヲヌキテ楽ヲアタフルコトハ佛ノ大慈大悲ナリ。シカルヲ佛教ノ中ニ人ノ福ヲ求ヲ制スルコトハ何故ゾヤ
答世間ニ福ヲモトムル人或ハ商賈農作ノ業ヲイトナミ或ハ利銭売買ノ計コトヲメグラシ或ハ工巧伎藝ノ能ヲホドコシ或ハ奉公給仕ノ功ヲイタス其ノワザハ各コトナレドモ其志ハ皆同シ其アリサマヲ見ニ生涯タダ身心ヲ苦労スルバカリニテ其志ノゴトクニ求得ル
11

◉夢窓疎石と『夢中問答集』 隠遁《いんとん》を志しながらも尊氏・直義の師となり、多くの弟子を育て、いくつもの寺院を創建し、庭園をつくった。朝廷にも重んじられ、七代の天皇や上皇から国師号《こくし》を授けられた。左は康永三年(一三四四)五山版で、片仮名交じり文で刊行された。問答の臨場感が再現されている。

という自負があっただろうし、政務を預かる立場になって修善《しゆぜん》と政治の関係を確認しておきたかったのだろう。これに対して、夢窓は、「元弘《げんこう》以来の御罪業《ございごう》と、その中の御善根とをたくらべ（比べれ）ば、何《いず》れをか多しとせむや。この間も御敵とて、亡ぼされたる人幾何《いくばく》ぞ。その跡に残り留りて、浪々《ろうろう》したる妻子眷属《けんぞく》の思ひは、いづくへかまかるべき。御敵のみにあらず。御方《おんかた》とて、合戦して死にたるも、皆御罪業となるべし。…今も連々に、目出《めで》たきことのあると聞こゆるは、御敵の多く亡びて、罪業の重なることなり」と答えた。

いったい何を勘違いしているのか。元弘以来、あなたがどれほどの罪業を重ねてきたと思うのか。いまなおめでたいこととして聞こえてくることは、敵が滅んだ、つまりまた罪業を重ねたということだけではないか。まさに火を吐くような言葉である。このように歯に衣《きぬ》着せぬ師のもとに通いつづけ、師によって「身の振廻廉直《ふるまいれんちょく》」（『梅松論《ばいしょうろん》』）と評された直義は、政治と社会に「げに〳〵しく（真摯《しんし》に）」向き合っていた当代の代表的な人物として評価できよう。

唐物嫌い

『徒然草《つれづれぐさ》』の作者として有名な兼好《けんこう》法師は、『太平記《たいへいき》』に思わぬところで登場する。高師直《こうのもろなお》が夜な夜な貴族の姫たちのもとに通ったことは先にみたが、それだけでなく、師直は美人の誉れ高かった出雲守護《いずもしゆご》佐々木《ささき》塩冶《えんや》判官《ほうがん》高貞《たかさだ》の妻に横恋慕した。師直はまったく相手にされなかったのだがあきらめきれず、手紙をもって再度言い寄るために、「兼好と云ける能書《のうしよ》の遁世《とんせい》者を呼寄《よせ》て」代筆させたのである。しかし、高貞の妻は開封すらせずに捨ててしまったので、師直は怒って「今日より其《その》兼好法師、是《これ》へよすべからず」と、兼好を出入り差し止めにしたという。とんだとばっちりである。

兼好が婆娑羅《ばさら》大名の代表のような師直に仕えたことがあるのは、どうやら事実として認めてよさそうであるが、兼好自身は、時に変化球を投げるものの、反婆娑羅タイプである。兼好は、『徒然草』一八四段で鎌倉時代を質素・倹約が行なわれたよき時代として懐かしんでいる。よく取り上げられるのが、北条時頼《ほうじょうときより》の母である松下禅尼《まつしたのぜんに》の話である。尼が明かり障子の破れた箇所だけを張り替えているのを見て、兄の安達義景《あだちよしかげ》がすべてを張り替えたほうが楽で、見た目にもよいと助言した。それに対して尼は、後日すっきりと張り替えるつもりだが、きょうは若い人に見ならわせるためにわざと必要最低限の補修をして見せているのだと答えた。この話を記して兼好は、「世を治むる道、倹約をもととす」「聖人の心にかよ」う、「まことに、たゞ人」ではないと激賞する。

母の教えもあってか、時頼は質素を当然のこととしていた。あるとき時頼を自邸に迎えた足利義氏《あしかがよしうじ》（尊氏《たかうじ》・直義《ただよし》の五代祖）の接待も「一献《いっこん》にうち鮑《あわび》、二献に海老《えび》、三献にかいもちひにてやみぬ」という簡素なものであった。その後時頼は、「毎年頂戴する足利の染物が待ち遠しい」と言い、義氏は

12

◉兼好の和歌短冊
「むさしのや雪ふりつもるみちにだに　まよひのはてはありとこそきけ」。兼好は二条派の歌人として知られていた。

準備していた染物を小袖に仕立てさせたという。『徒然草』二一六段であるが、この話は兼好の時代の過剰な接待や、常態化したがって形式化した贈答を批判したものである。本来贈り物は、相手が必要なときにする、心のこもったものであった。七二段では、「居たるあたりに調度多き。硯《すずり》に筆の多き。持仏堂に仏の多き。前栽《せんざい》に石・草木の多き。家の内に子孫の多き。人に逢ひて言葉の多き。願文《がんもん》に作善《さぜん》多く書き載せたる」を「賤《いや》しげなる物」として列記し、過剰を嫌っている。

二二一段では賀茂祭《かものまつり》の日の「放免《ほうめん》のつけ物《もの》」に関して、過差《かさ》がはなはだしくなってきた時期を示唆している。放免は釈放されたもと罪人で、検非違使《けびいし》庁の手先として使われた者のことである。検非違使に従って賀茂祭に参加したのであるが、建治《けんじ》・弘安《こうあん》年間（一二七五〜八八）ごろまで放免が身につける飾りはおとなしいものであった。ところが年々過差が進み、いまでは飾り物の重さでひとりで歩くことができずに左右から支えられ、鉾《ほこ》も持てずにあえぎ苦しむまでになっており、「いと見苦し」と兼好は書いている。一四世紀には放免自身が婆娑羅な見世物になったのであろう。

婆娑羅を謳歌《おうか》した茶会などでは、唐絵・花瓶・水瓶《すいびょう》・鑵子《かんす》・香合《こうごう》・盆などの唐物《からもの》を飾ることになっていたが、兼好は一二〇段で「唐の物は、薬の外は、なくとも事欠くまじ。書《ふみ》どもは、この国に多く広まりぬれば、書きも写してん。唐土舟《もろこしぶね》のたやすからぬ道に、無用の物どものみ取り積みて、所狭《せ》く渡しもて来る、いと愚かなり」と、薬以外の唐物を否定する。『徒然草』が茶に言及しないのは、兼好の唐物嫌いが原因だろうという指摘がある。

婆娑羅のちから

二つの近衛家

後醍醐《ごだいご》天皇は、そのめざしたところとは違ったものの、結果的に歴史を大きく動かした。吉田《よしだ》定《さだ》房《ふさ》は、現状を冷静に分析し、鎌倉幕府の命運はまだ尽きていないとみたが、その判断は間違っていたことになる。歴史の予見は難しく、時として軽率あるいは無謀と思われる行動が、現実を大きく変えてしまうことがある。ここでは近衛経忠《このえつねただ》とその子実玄《じつげん》にスポットを当てて、特異な行動をとったこの個性的な親子が、東国と南都に残したものをみてみよう。

永仁《えいにん》四年（一二九六）六月、関白《かんぱく》近衛家基《いえもと》は、一五歳の家平《いえひら》と一〇歳の経平《つねひら》の二人の息子を残して急逝した。家平は三二歳のときに関白となり、経平は関白の座がまわってくる直前の左大臣のとき

近衛家系図

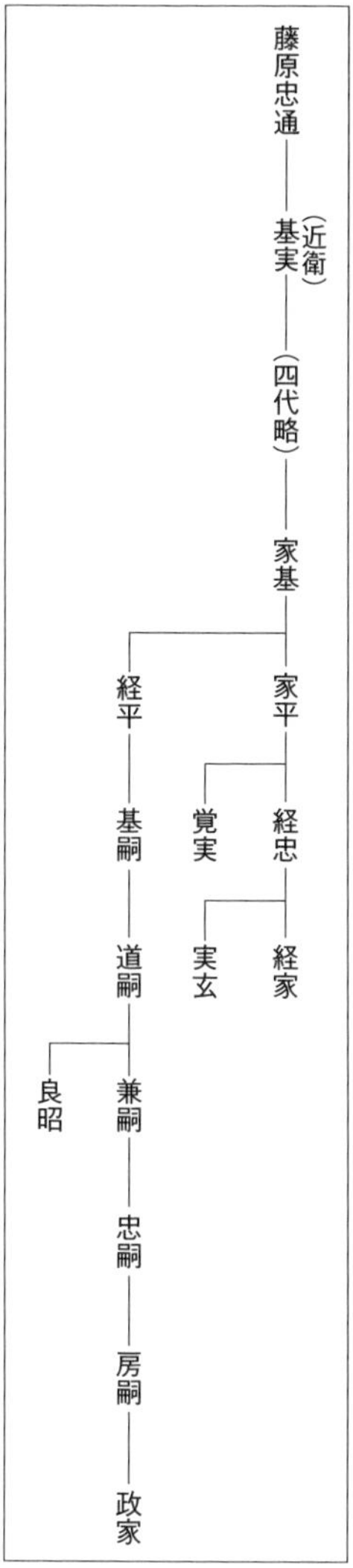

に三二歳で亡くなったが、朝廷での地位や昇進のスピードを見るかぎり、両者のあいだに顕著な差はない。家平の息子の経忠と経平の息子の近衛基嗣《もとつぐ》の官歴を比較しても、経忠が三歳年長でそのぶん昇進が早いことを除けば、両者はほとんど同じペースで官位を上昇させていった。つまり、廷臣としてみるかぎりでは、家平―経忠の家と経平―基嗣の家の二つの近衛家が並び立っていたように思われる。

しかし、じつはそうではないかもしれない。禅僧の虎関師錬《こかんしれん》の行状を記した『海蔵和尚紀年録《かいぞうおしようきねんろく》』によると、家基は死にあたって、二人の息子のうち弟の経平を家督とし、兄の家平に弟の後見を命じた。その理由は、経平は「公主《こうしゆ》（皇女）の子」であったのに対して、家平は「嬖妾《へいしよう》（お気に入りの妾）の子」だったからという。たしかに経平の母は亀山《かめやま》天皇の娘であるが、家平の母も関白鷹司兼平《たかつかさかねひら》の娘で、「嬖妾」という呼称は不審である。それはともかく、家平は父の命に背いて「自立」し、経平を廃してわが子の経忠を家督とした。経忠は基嗣を後醍醐に讒奏《ざんそう》したが、基嗣は虎関師錬の助言に従ってのちに北朝で重用されることになったという。

これによると、二つの近衛家のあいだには激しい葛藤《かっとう》があった。それは官歴に現われるようなものではなく、家督や所領の争奪などの形で存在したのかもしれない。記録には残らなかったが、そのような相克があったせいであろうか、後醍醐の挙兵後に経忠と基嗣の行動はきれいに分かれる。隠岐《おき》から帰京した後醍醐は建武《けんむ》三年（延元《えんげん》元年〔一三三六〕）の年末に吉野《よしの》に出奔するが、翌年の四月に経忠はそのあとを追うことになり、基嗣は京都で関白に就任する。

藤氏一揆

暦応《りゃくおう》四年（興国《こうこく》二年〔一三四一〕）頃、経忠《つねただ》は吉野《よしの》を出て京都に戻ったらしい。しかし、京都では歓迎されず、また近衛《このえ》家の家督や所領は基嗣《もとつぐ》のものとなっていたので、粗末な家を一軒と所領を二か所与えられただけであった。経忠は帰京したことを後悔し、わが身のためにとんでもないことを思いつく。それは、小田《おだ》氏、小山《おやま》氏、結城《ゆうき》氏など東国の藤原《ふじわら》姓の武士たちに藤《とう》氏《し》一揆《いっき》を結成させ、小山氏を坂東管領《ばんとうかんれい》とし、その上に経忠が立って天下をとるというのである。実際、経忠の使者は有力武士たちのもとを訪ねており、北畠親房《きたばたけちかふさ》の滞在する小田氏の城にもやってきて、そこからさらに小山氏のもとへ向かったという。親房ないしはその右筆《ゆうひつ》と思われる人物は、経忠の行動は表向きは吉野との連携・協力をうたいながら、実際は分派を立てる動きであり、京都の地に身を置きながら東国武士たちを糾合《きゅうごう》しようなどと思うのは「御物狂《ごぶつきょう》の至り」であると口をきわめて罵《ののし》っている。

藤氏一揆に関する以上の情報は、ほとんどすべて、親房ある

13

●大乗院庭園
奈良公園の南のはずれ、わずかに往時がしのばれる池が残る。かつて門跡はここで船遊びをし、奈良の人びとは池浚《いけさら》いに動員された。

いはその周辺の人物から東国の武士たちに対して注意を呼びかけた書状などから得られるものである。つまり藤氏一揆に反対する立場から発信されたものなので、その内容をすべて信じるわけにはいかないが、これが親房排除を目的とする動きであることは確かであろう。藤氏一揆である以上、経忠が藤原氏の氏長者《うじちょうじゃ》としてその上に立つというのは当然で、かつ源氏姓である親房には席がないことになるからである。親房にとっては、危険を冒して東国に下り、手強《てごわ》い東国武士を相手に必死に説得工作を続けているときに許しがたい策動で、後ろから味方に撃たれる思いであっただろう。

問題は、これがほんとうに経忠の単独行動なのかということである。もしそうならば、経忠という人間はまことに「軽率で山気《やまけ》の多い人物」ということになる。しかし、そうではなく経忠の行動が吉野の意向をふまえたものであれば、親房は東国の責任者という地位を解任されたことになるだろう。事実、そのような見方がある。このころ吉野は北朝方（幕府方）との講和に乗り出しており、主戦派の親房を東国に置いておくことが障害になってきたのではないかというのである。しかし、いまのところ、単独行動か、それとも吉野の意向か、どちらとも決しがたい。

藤氏一揆は結局実現しなかったが、その構想が東国に起こした波紋は小さくなかった。東国の国《こく》人《じん》たちは、南朝方が少なくとも東国経営において分裂してしまったことを目のあたりにしたのである。そのようなことが有利に作用するはずはない。やがて小田氏も小山氏も、また親房があれほど帰順を求めつづけた結城氏も、親房を見限った。

両門の確執

近衛経忠《このえつねただ》は東国の国人《こくじん》を組織しようとしただけではない。奈良でも暗躍していた。

鎌倉前期以降、興福寺《こうふくじ》の一乗院《いちじょういん》、大乗院《だいじょういん》の両門跡《もんぜき》がそれぞれ近衛家、九条《くじょう》家の出身者によって代々継承されるようになったことは「はじめに」で触れた。鎌倉時代末期から室町時代になると、両門跡以外においても、特定の家の出身者による継承が連続的にみられるようになる。これを貴族の側からみると、その院家《いんげ》に対する管領権《かんれいけん》を掌握したということになろう。具体例をあげれば、西園寺《さいおんじ》家は東北院《とうほくいん》の、徳大寺《とくだいじ》家は喜多院《きたいん》の、洞院《とういん》家は東門院《とうもんいん》の管領権をもつようになっており、やや遅れて広橋《ひろはし》家と修南院《しゅうなんいん》の関係などが形成される。

このうち喜多院の支配権をめぐって、一三世紀末から徳大寺家の関係者のあいだで大乗院を巻き込んで相論《そうろん》が行なわれていた。この争いが、一四世紀に入ってどのように展開したのか必ずしも明らかではないが、おそらく紛争の両当事者によって、一方が大乗院に、他方が一乗院に属して門跡の力を借りるという戦術が採用された。このような行為は、門跡と院家のあいだに一種の主従関係を結ぶことになり、門跡にとって寺内《じない》での影響力強化のために意味のあることであった。一乗院と大乗院は、興福寺の諸院家の従属化、系列化をめぐって競うようになり、喜多院をめぐる争いは遅くとも康永《こうえい》年間(一三四二〜四五)には両門跡の争いに拡大していた。そして観応《かんのう》二年(正平《しょうへい》六年〈一三五一〉)七月、両門跡はついに合戦にいたり、最初の激しい衝突のあと、小競り合いは翌年の七月まで継続した。南都ではこれを観応の確執という。

この間、一乗院の背後にいたのが経忠である。経忠は、弟で一乗院門跡であった覚実僧正《かくじつそうじょう》が合戦勃発《ぼっぱつ》の直前に亡くなると、間髪を入れずに息子の実玄《じつげん》を新門主として南都に送り込み、大乗院の孝《きょう》覚《かく》に対して一歩も譲らない姿勢を見せた。出家したばかりの実玄は一三歳で実権はなく、興福寺の別当《べっとう》でもあった孝覚大僧正と争ったのは、経忠および実玄を素早く迎え入れた有力門徒たちである。ちなみに、実玄の奈良下向《げこう》と門跡継承を知った近衛基嗣《もとつぐ》は、ただちに一乗院は「当家管領」であると光厳《こうごん》院に抗議したが、認められなかった。

一年にわたる確執は、一乗院、大乗院のいずれの側にも決定的な勝利をもたらさなかったが、孝覚はこのころとしては異常ともいえるほど長いあいだ別当の地位にとどまっており、おそらくそのぶん有利であった。一方経忠は、両門の和平直後の八月に賀名生《あのう》で没し、実玄は別当の孝覚を相手に苦しい戦いを強《し》いられることになった。

延文《えんぶん》二年（正平一二年〔一三五七〕）三月、基嗣の跡を継いで近衛家の当主となっていた道嗣《みちつぐ》は、成人した実玄が一乗院にいることが疎ましくなり、大乗院孝覚と謀《はか》って実玄の追放を計画、かわって自分の息子を南都に下向《げこう》させた。これによってふたたび両門間で合戦が起きたが、まもなく足利尊《あしかがたか》氏《うじ》が介入して同年の閏《うるう》七月に和睦《わぼく》が成立した。その内容は、実玄にとって不利なもので、道嗣の息子を一乗院門主とし、実玄は一乗院および「末寺・末山、所領、房舎」を道嗣の息子に譲り渡す、道嗣側は実玄を道嗣の息子の師と認め、房舎三か所と荘園一〇か所は一期《いちご》のあいだ（生きているあいだ）実玄のものとする、というものであった。いったんこの調停を受け入れたものの、実玄は一〇月になって和睦を破り、隠退していた簀川《すがわ》（東山内《ひがしさんない》）から興福寺に討ち入って大乗院など所々を焼いたという。幕府の意向に逆らった実玄は、この後一時零落《れいらく》を余儀なくされる。

ところが、一乗院門主となった道嗣の息子は、夭折《ようせつ》したらしい。そして実玄が門主に復帰する。貞治《じょうじ》五年（正平二一年〔一三六六〕）一二月、実玄は近衛家の本流となった道嗣とふたたび手を結ぶことにし、あらためて道嗣の別の息子（良昭《りょうしょう》）を弟子として受け入れる。このとき道嗣は、将来の一乗院管領権と引き換えに、実玄に山城国《やましろのくに》所在の七、八か所の荘園を譲渡した。

衆徒・国民の登場

こうして南都一乗院《いちじょういん》をめぐる近衛《このえ》流の内紛はなんとかおさまったが、今度は大乗院《だいじょういん》で内紛が生じた。孝覚《きょうかく》の跡は同じ九条《くじょう》家出身の教尊《きょうそん》が継いだが、一度「狂気」が理由で門主《もんしゅ》の地位を追われた教尊と、その跡を襲った教信《きょうしん》とのあいだで門跡《もんぜき》の争奪戦が始まったのである。教信は放逸にふける、偏頗《へんぱ》な成敗をするなど、何かと悪いうわさが絶えず、養親の九条経教《つねのり》も手を焼いていた。

経教の要請があったとはいえ、なんと実玄《じつげん》が教尊を支持してこの内紛に介入した。実玄は、心静かに仏道修行に励むというタイプの人物ではどうもなかったようだ。父親譲りの山気《やまけ》が多かったのかもしれない。応安《おうあん》四年（建徳《けんとく》二年〔一三七一〕）には、実玄と教信のあいだは一触即発の状態となった。両門跡が衝突すれば、観応《かんのう》以来三度目のことになる。たまりかねた興福寺《こうふくじ》の僧たちは、一揆《いっき》して実玄と教信の追放を企て、武家・公家に上申した。

先に南朝方の皇子や公家たちのなかには、まるで武士であるかのように武装して戦場に赴き、みずから戦う人たちがいたことをみたが、実玄と教信は僧侶、しかも高位にある門跡であるにもかかわらず、「弓矢を携え」、寺辺社頭《じへんしゃとう》に軍勢を集める、「濫行不善《らんぎょうふぜん》」などとして非難された。婆娑羅《ばさら》は、僧の世界にも深く浸透していたのであるが、神木《しんぼく》をしつらえて京都に強訴《ごうそ》をかける興福寺の強力な僧集団を敵にまわしては勝ちめはなく、実玄・教信は追放される。実玄は大和国《やまとのくに》西北部の平群《へぐり》郡に隠退して復活のチャンスをうかがった。

康暦《こうりやく》二年（天授《てんじゅ》六年〔一三八〇〕）一一月、実玄は平群郡の武士を組織して興福寺に討ち入り、幕府が当時悩まされていた神木の帰座を一乗院の一部の門徒を使って強行し、幕府の歓心を買うことに成功するが、帰寺できたのもつかのまで、一年半後にはふたたび奈良を追われた。

断続的ではあるが、観応以来三〇余年の長きにわたって両門跡間で行なわれた合戦は、大和に大きな変化をもたらした。大和の武士は、僧侶となった者は衆徒《しゅと》、俗体の者は国民《こくみん》として興

14

◉衆徒の僉議（せんぎ）　この場では自分が正しいと信じることを忌憚《きたん》なく述べなければならない。活発な議論のなかから集団としてとるべき途《みち》が発見される。（『法然上人絵伝《ほうねんしょうにんえでん》』）

福寺に把握されていた。彼らは、一乗院や大乗院などの荘園において、下司《げし》や公文《くもん》などの荘官職《しょうかんしき》をもち、在地の支配を行なっていた。前代においても時として門跡間に確執が生じることがあったが、その場合も門跡は弟子・同朋《どうぼう》を集めるにとどまり、荘園の下司・公文は少数の者が馳《は》せ参じる程度だった。

ところが三〇年あまりの確執は、国内の武士を根こそぎどちらかの陣営に動員することとなった。門跡は、荘園の下司・公文である武士たちを味方に取り込むために、彼らが従来から荘官としてもっていた権利・得分《とくぶん》に加えて、新たな給分をそれぞれの荘園で宛行《あておこ》なった。これによって、武士たちは興福寺や門跡の荘園支配を形骸化《けいがいか》させ、自分たちの力を伸張させるための大きな足場を築いたのであった。鎌倉時代末期の悪党たちは正面から権力と衝突してしまったが、衆徒・国民らは獅子《しし》身中《しんちゅう》の虫として成長を始める。

一五世紀後半の大乗院門跡である尋尊《じんそん》は、観応以来「寺門・門跡共《とも》に以《もっ》て滅亡おわんぬ。院領悉《ことごと》く以て衆徒・国民の知行《ちぎょう》に成るなり」と述べた。「滅亡」とまでいうのは誇張であるが、かつて保元《ほうげん》の乱《らん》が「武者の世」を招来したように、自制と矜持《きょうじ》を忘れた婆娑羅な門跡間抗争は、大和《やまと》の歴史の主役として衆徒・国民を舞台に引き上げたのである。

コラム2

一揆とは

一揆《いっき》といえば、虐《しいた》げられた農民の武装蜂起《ほうき》、反乱と思っている人が少なくない。しかし、それは一揆の一面的な理解でしかない。

一揆とは揆を一にする、一致するということである。武士でも僧でも百姓でも、解決困難な問題に直面したとき、中世の人びとは神仏の前などで議論をし、多数決で集団の意志を形成した。決定事項を遵守するという誓約を記した起請文《きしょうもん》を焼いて灰にし、神前に供えた水に混ぜて少しずつまわし飲みする、一味神水《いちみしんすい》という儀式もしばしばなされた。このような非日常的な手続きを経て一揆は成立する。

多数意見は多数という形で神によって示された真理（神慮）、一揆の意志は神意の体現と観念された。こうして多数意見にすぎなかったものが、真理として全員の意志となる。

神慮であるから恐れるものは何もなく、ともすれば一揆の行動は過激で容赦のないものとなる。必ずしも武装蜂起や反乱ではないにもかかわらず、一揆がそういうイメージでとらえられてしまうのは、ここに原因がある。

◉江戸時代の一揆の装束

江戸時代の百姓たちは、神が身につけるものとされた蓑《みの》と笠《かさ》を一揆のユニフォームとした。

第四章

中夏無為の代へ

1

九州の争乱

後醍醐の皇子たち

後醍醐《ごだいご》天皇は、中央集権をめざし、自分がすべての政策や決定にかかわることを志向した。しかし、一方では現実に対して柔軟に対応する面もあわせもっていた。後醍醐は、権限委譲の必要性や諸勢力の要求に直面し、地方をいくつかのブロックに分け、各地域に広域行政府をつくって日本を統治する方法を構想した。そして、その広域行政府の長として自分の皇子たちを配置する計画を立てる。すでに述べたことと少し重なるが、まとめてみておこう。

後醍醐には、第一章で活躍をみた護良《もりよし》のほかにも多くの皇子がいた。最初にあげなければならないのは義良《のりよし》であろう。元弘《げんこう》三年（一三三三）一〇月、後醍醐は北畠親房《きたばたけちかふさ》・顕家《あきいえ》親子をつけて義良を奥《おう》州《しゅう》に下向《げこう》させた。このとき義良はまだ六歳にすぎず、親王宣下《しんのうせんげ》もまだであり（翌建武《けんむ》元年）、奥州行政府の事実上のトップは北畠氏であった。顕家は奥州の軍勢を率いて二度上洛するが、義良はそのたびに連れまわされた。そして顕家が二度目の上洛で戦死後、暦応《りやくおう》元年（延元《えんげん》三年〈一三三八〉）に親房に奉じられて伊勢《いせ》から海路で関東に戻る途中、嵐に巻き込まれて知多半島の沖にある篠島《しのじま》に漂着、翌年に吉野《よしの》に戻って皇太子となり、のちに後村上《ごむらかみ》天皇となった。

◉猿楽・田楽
猿楽《さるがく》（左）は烏帽子《えぼし》に面、田楽《でんがく》（右）は綾藺笠《あやいがさ》に編木《ささら》と違いが強調されているが、両者は相互に影響を及ぼしあいながら能を生み出した。（『七十一番職人歌合絵巻《しちじゆういちばんしよくにんうたあわせえまき》』）
前ページ図版

成良《なりよし》は、元弘三年一二月、足利直義《あしかがただよし》に奉じられて鎌倉に入った。時に八歳で、これが鎌倉府の始まりともいえる。成良も名ばかりの長で、実権は直義が握っていた。中先代《なかせんだい》の乱《らん》にあたって、直義は成良を連れて三河《みかわ》まで撤退し、さらにそこから成良を京都に送り返した。尊氏《たかうじ》・直義が九州から京都へ取って返し、後醍醐が比叡山《ひえいざん》に立てこもったとき、後醍醐は両統迭立《りょうとうてつりつ》などを条件として提示した尊氏の説得に応じて和睦《わぼく》し下山するが、このとき成良は光明《こうみょう》天皇の皇太子とされた。もちろん、この約束はその後の後醍醐の吉野脱出によって反故《ほご》にされた。

後醍醐の下山に強硬に反対した新田義貞《にったよしさだ》は、皇位を継承した恒良《つねよし》を奉じて北陸に撤退する。やや場当たり的な対応とも思われるが、これも皇子を長とする地方行政府構想の一環とみることができよう。譲位のことは『太平記《たいへいき》』にしかみえないが、先述のように恒良の綸旨《りんじ》が残っているので、事実としてよい

◉後醍醐天皇の皇子たちの下向先
後醍醐は皇子たちを自分の分身として各地に派遣し、武士の糾合を図ったが、天皇の権威にそれほどの力はなかった。

だろう。義貞方の金ケ崎城《かねがさきじょう》が陥落した際に北朝方（幕府方）に捕らえられた恒良は、翌年京都で殺されたらしい。

また、東海地方の経営のために、苦労してふたたび遠江《とおとうみ》の井伊谷《いいのや》（静岡県浜松市《はままつ》）へ戻った宗良《むねよし》は、さしたる成果をおさめることなく一三八〇年代に信濃《しなの》で病死したようだ。

懐良の下向

このように、皇子を各地に配置して地方に南朝の拠点を築く後醍醐《ごだいご》天皇の構想はほとんど失敗したが、ある程度の成功をおさめた例が九州である。少し時代をさかのぼってみよう。

建武《けんむ》三年（延元《えんげん》元年〈一三三六〉）一〇月、後醍醐は足利尊氏《あしかがたかうじ》の和睦《わぼく》申し入れを容《い》れて比叡山《ひえいざん》を下山し、京都に戻ったが、『太平記《たいへいき》』にはこのとき「阿曾宮《あそのみや》（懐良《かねよし》）は山臥《やまぶし》の姿に成て吉野《よしの》の奥へ忍ばせ給ふ」とあって、懐良は吉野へ潜行したらしい。やがて後醍醐自身も吉野に脱出するが、二年後の暦応《りやくおう》元年（延元《えんげん》三年〈一三三八〉）九月、後醍醐は懐良を西国に向けて旅立たせた。このとき懐良親王は一〇歳に満たない少年で、五条頼元《ごじょうよりもと》以下一〇人あまりが供奉《ぐぶ》したという。

これは、かつて成良《なりよし》が足利直義《ただよし》に付き添われて鎌倉に、後醍醐の比叡山下山時に恒良《つねよし》が新田義貞《にったよしさだ》に奉じられて北陸に、そしてほぼ同時に義良《のりよし》が北畠親房《きたばたけちかふさ》に奉じられて奥州に、それぞれある程度の軍勢とともに下向《げこう》したことに比べて様子が異なっている。五条頼元は、建武新政府の文官《ぶんかん》や諸国国司《こくし》の経歴はあるが、南朝の重臣《じゅうしん》というわけではないし、有力な武将というわけでもない。懐良一行の目的地は肥後《ひご》で、肥後一宮の阿蘇社《あそしゃ》の神官で有力な武士でもあった阿蘇氏が全面的に頼りとされたのかもしれないが、後醍醐のもとにはもはや、懐良につけてやることのできる重臣も有力な武将も残っていなかった可能性が高い。後醍醐は、阿蘇惟《これ》時《とき》に宛《あ》てて九月一八日付の綸旨《りんじ》を発給し、懐良の征西大将軍《せいせいたいしょうぐん》任命と九州下向の予定を告げている。

懐良一行は、讃岐《さぬき》、伊予《いよ》を経て一気に肥後まで下向する予定だったと思われるが、北朝方の勢力が海上を制圧しており、懐良は伊予の忽那《くつな》諸島（愛媛県松山市）に約三年間の滞在を余儀なくされた。懐良を迎えて保護した同島の忽那氏は、海を活躍の舞台とした武士団、つまり海賊衆《かいぞくしゅう》の長である。

康永《こうえい》元年（興国《こうこく》三年〔一三四二〕）五月、忽那氏の尽力によって懐良はようやく九州の地を踏む。しかし、そこは肥後ではなく、南九州の薩摩《さつま》であった。薩摩守護《しゅご》である島津《しまづ》氏は北朝方であったが、同国の国人《こくじん》の多くは島津氏と対立して南朝方についていた。そのうちのひとりである谷山《たにやま》氏が懐良を受け入れた。

懐良は、谷山氏のもとに五年半にわたって滞在することにな

●懐良の大宰府への下向進路
懐良が前進するためには、抗争する現地勢力の一方を政治工作によって南朝方に取り込む必要があり、それは時間のかかることであった。

る。この間、内紛を抱えた阿蘇氏は懐良を受け入れる態勢が整わず、懐良は肥後の豪族である菊池《きくち》氏に対しても懸命の工作を行なったが、同氏も阿蘇氏と同様の争いが一族内にあって動きがとれない状態であった。

しかし、まもなく菊池氏のなかで武光《たけみつ》が惣領《そうりょう》権を確立し、貞和《じょうわ》二年（正平《しょうへい》元年〔一三四六〕）にその武光と懐良は連携に成功したらしい。翌年の五月末、熊野《くまの》・瀬戸内海の海賊衆を動員して島津氏を攻める一方で懐良は北上を開始し、肥後国葦北《あしきた》郡、宇土《うと》郡の宇土津《うとつ》、さらに益城《ましき》郡を経て菊池郡に入る。こうして貞和四年（正平三年）二月頃には菊池氏の館に落ち着いた。

九州の国々三分

ところがそれからまもない貞和《じょうわ》五年（正平《しょうへい》四年〔一三四九〕）九月、足利直義《あしかがただよし》失脚の余波を受けて足利直冬《ただふゆ》が同じ肥後《ひご》の河尻津《かわじりのつ》（熊本市）に下向《げこう》してきた。これが九州の情勢を大きく動かした。

尊氏《たかうじ》は、建武《けんむ》三年（延元《えんげん》元年〔一三三六〕）四月に直義とともに九州・博多から東上する際、九州の地を治めるために一色《いっしき》氏を九州管領《かんれい》として残した。地元の有力守護《しゅご》である少弐《しょうに》、大友《おおとも》、島津氏らは、よそ者が九州各国の守護より高い位置に立って指揮をするこの措置を歓迎しなかった。とくに少弐氏は代々大宰府《だざいふ》の事実上の長官として優位にあり、その地位を生かして海外貿易を掌握して大きな利益を得ていたが、その権益や肥前《ひぜん》守護職《しき》などをめぐって一色氏と競合し、折あらば同氏を追い落とそうとねらっていた。

直冬は、河尻津に到着するとすぐに国人《こくじん》たちの組織にかかった。

京都より仰せらるるの旨あるにより、下向せしむるところなり。早々に馳《は》せ参じ、事の子細を承り、その旨を存ぜらるべきの状件《くだん》のごとし。

（足利直冬）
（花押）

貞和五年九月十六日

志岐（隆弘）兵藤太郎殿

（『志岐《しき》文書《もんじょ》』）

宛名《あてな》の志岐氏は肥後国天草《あまくさ》地方の国人である。右に明らかなように、後ろ盾のない直冬は、「京都の命によって下ってきた、早く味方に参じるように」と、尊氏の権威を借りて国人たちに帰参を求めたのである。一方尊氏は、直冬の肥後下向《げこう》を知ると国人たちに連絡し、当初は直冬を九州から追い出して上洛させるように、次いで「一族・分国の軍勢を催して、時刻を廻《めぐ》らさず打」てと命じた。国人たちはさぞ面食らっただろうと思われるが、所領安堵《あんど》と恩賞付与をもって国人を誘う直冬の方法は有効で、しだいに彼のもとに参じる者が出てきた。

直冬を討てとの幕府の御教書《みぎょうしょ》を九州の武士たちが黙殺あるいは無視するのをみて、少弐氏は直冬を大宰府の自分の館に迎え入れた。これによって直冬のもとには続々と味方する者が参じ、『太平《たいへい》記《き》』によると、九州は「宮方（南朝方）、将軍方（尊氏方）、兵衛佐殿《ひょうえのすけどの》方（直冬方）とて国々三に分《わか》れ」

たという。こうして九州では、たとえば宮方は正平《しょうへい》、尊氏方は観応《かんのう》、直冬方は貞和《じょうわ》などと、三つの異なる年号が同時に使用されるめずらしい事態が出現した。

幕府方（北朝方）が二つに分裂した観応の擾乱《じょうらん》は、懐良《かねよし》親王に有利に作用した。一方の勢力が懐良方（南朝方）に帰服してきたからである。少弐氏が直冬と組んだので、一色氏（尊氏方）がまず懐良方（南朝方）に降《くだ》った。一色氏の帰服は一時的なもので、文和《ぶんな》元年（正平《しょうへい》七年〔一三五二〕）一一月、一色氏が大宰府の少弐氏と直冬を攻撃すると、直冬は長門《ながと》に逃亡し、窮した少弐氏は菊池《きくち》氏に助けを求めて懐良方（南朝方）へ参じた。これによって九州での対立の基本は、幕府方の一色氏（尊氏方）対南朝方の懐良・少弐氏という構図になったが、この間、菊池氏を中心とする懐良方の勢力はしだいにその力を伸ばし、北進への志向を強めていった。

文和二年（正平八年）二月、大宰府南方の筑前針摺《ちくぜんはりす》原《ばる》の戦いで懐良方は一色氏に勝ち、同四年（正平一〇年）一〇月には博多に入って一色氏を長門へ追いやった。一色氏がいなくなると

◉**礎石が残る大宰府跡**（福岡県太宰府市）
律令制が崩壊したあとも長く九州地方の政治の中心、外国との接点たる地位を失わなかった。九〇一年、左遷されてきた菅原道真《すがわらのみちざね》が「都府楼纔看瓦色」と詠んだことから、現地では「都府楼跡」と呼ばれている。

少弐氏は懐良についている必要がなくなり、両者はふたたび戦うことになるが、延文《えんぶん》四年（正平一四年〔一三五九〕）八月、筑後《ちくご》川の戦いで少弐氏は敗れる。そして康安《こうあん》元年（正平一六年〔一三六一〕）八月、懐良は博多に加えて大宰府を制圧し、征西府《せいせいふ》をこの地に移す。懐良が吉野《よしの》を出てから二三年の歳月がたっていた。これ以後の一〇年あまりが征西府の全盛期である。

征西府は、九州に対する権限をほぼ全面的に南朝から委任され、その地方統治機関として構想されたが、大宰府制圧以前は南朝の天皇からも九州に対して命令が発せられていた。しかし、制圧以後はほぼ懐良親王の令旨《りょうじ》のみが用いられるようになった。そうしてしだいに南朝の地方組織としての性格を薄めていき、吉野からの再三の援兵派遣要請に対してもついに応じなかったことにみられるように、自立的な存在となっていった。これは、征西府を実質的に支えた菊池氏らが、もともと反中央、独立志向的だったからであろう。

変わる荘園

惣村の成立

目を少し在地の世界に向けてみよう。中世のふつうの人びとは、何々荘と呼ばれる荘園、あるいは何々郷《ごう》などと呼ばれる公領《こうりょう》に住んでいた。荘園や公領は農村とは限らず、地域によって産業のあり方も異なり、個々の荘園・公領の規模も大小さまざまであった。これらの荘園・公領は皇族、貴族、寺社などにとってはひとつの財産であり、そこに住む人たちにとっては生活、生産の場であった。その内部に複数の村を含むことが多いが、ここでは荘園がそのままひとつの村である大和《やまと》の荘園をとりあげて、一四世紀の農村のあり方の一端をみてみよう。

奈良県大和郡山市《やまとこおりやま》発志院《はしいん》町に、かつて横田《よこた》荘という興福寺《こうふくじ》の大乗院《だいじょういん》の所領があった。近世には石高《こくだか》五六〇石あまりの発志院村となる小さな荘園である。鎌倉時代以降、ずっと正福寺《しょうふくじ》（現在は聖福寺《しょうふくじ》）と八王子社《はちおうじしゃ》が隣り合ってこの村の中心に位置する。横田荘民たちは毎年大乗院に年貢として一二二石あまりの米と、公事《くじ》として藁《わら》・菰《こも》・柴《しば》などの現物のほかに歳末銭《さいまつせん》、瓜代銭《うりだいせん》、草用途《くさようと》と称された銭《ぜに》約二五貫《かん》を納める決まりとなっていた。このほかに、大乗院から必要に応じて要求される人夫役《にんぷやく》にも荘民は従事した。

横田荘には荘園の管理を職務とする荘官《しょうかん》として下司《げし》、領主とのあいだを行き来する定使《じょうし》、荘民が交替でつとめた職事《しきじ》が置かれていたが、そのほかに荘民のなかから一〇人の者が選ばれて名主《みょうしゅ》に任命され、後述するように名単位で荘園領主への課役納入の責任を負った。一〇名《みょう》の名主たちは横田荘の有力百姓で、彼らが村の鎮守《ちんじゅ》である八王子社の祭祀《さいし》も行ない、事実上村を取りしきっていた。

　このように一部の有力者によって運営されていた村は、一四世紀には大きく変わる。嘉元《かげん》四年（一三〇六）、大乗院は横田荘の検《けん》注《ちゅう》（土地調査）を行なった。このときに作成された台帳のひとつには、下図に示したように、上は三町《ちょう》二反《たん》あまりの田畠をもつ「末弘《すえひろ》」から下は九〇歩《ぶ》の与三太郎《よぞうたろう》にいたるまで、五〇人近い数の百姓が登録されている。台帳に登録されたということは、名主以外の百姓たちの土地に対する権利も、荘

人数	百姓名	所有面積	役
		町．反．歩	
1	末　弘	3.2.102	名　主
2	一　郎	3.0.164	名　主
3	是　弘	2.9.264	名　主
4	源　七	1.7.180	名　主
5	正　春	1.4.300	名　主
6	□□次郎	1.4.168	
7	是　清	1.3.158	名　主
8	七　郎	1.2.270	名　主
9	辱　王	1.0.238	半名主
10	乙　王	1.	半名主
11	宗　八	9.180	半名主
12	弥藤次	7.230	
13	専　長	6.354	
14	礼　八	6.330	
15	春松丸	5.270	
16	又太郎	5.150	半名主
17	盛　然	5.080	
18	後藤三	4.330	
19	行　仏	4.110	
20	乙　石	4.080	半名主
⋮	⋮	⋮	
48	与三太郎	.090	
		計 29.2.078	

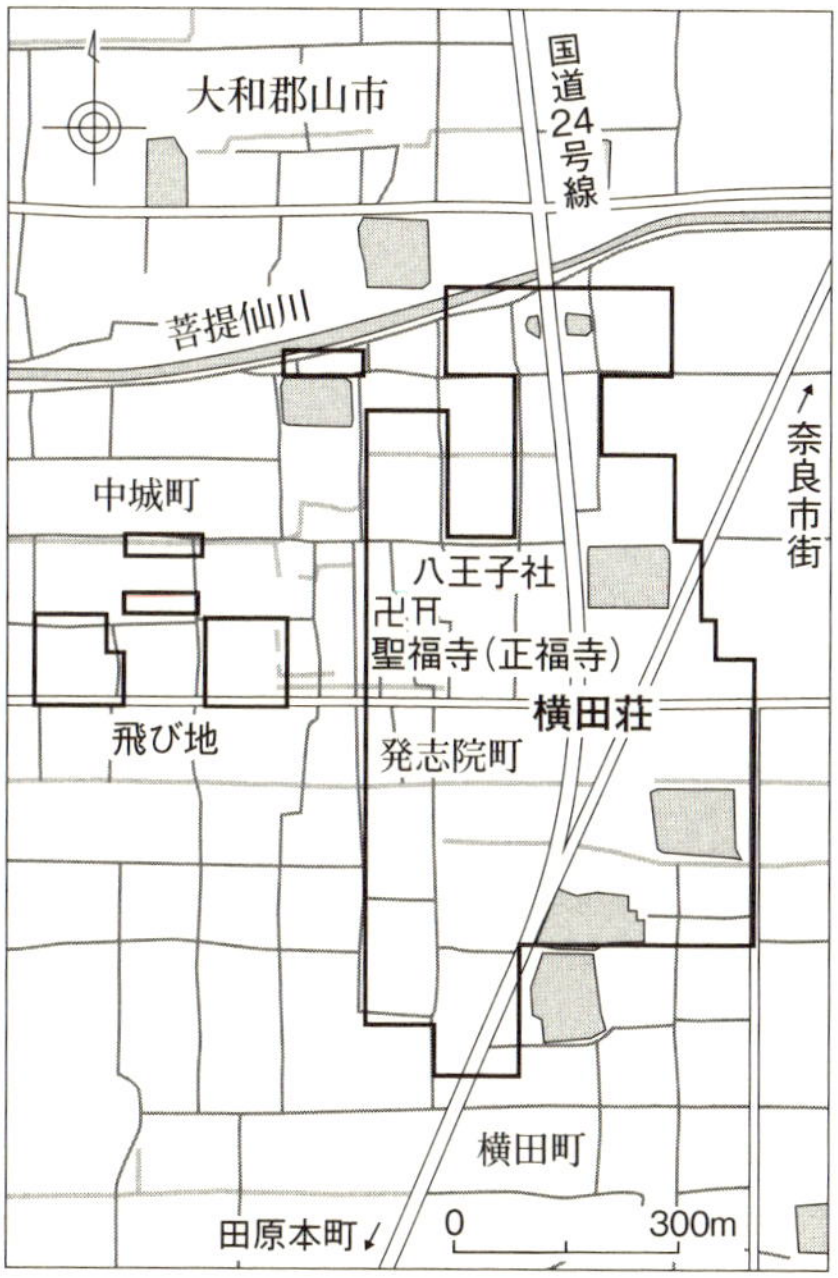

●横田荘の範囲と荘民ごとの所有面積の大きさ
横田荘で最大の土地持ちは末弘、最小は与三太郎であるが、これがそのまま彼らの社会階層を表わすわけではない。隣荘が本拠という者もいる。

園領主である大乗院によって認められたことを意味する。このような広範な百姓たちの権利の伸張をひとつの背景として、名主だけによって運営される村ではなく、一人前の百姓がすべて参加する惣村《そうそん》の成立がある。

惣村の存在が確認される例は、畿内よりもむしろその周辺が多いが、それらによると、惣村は以下のような特徴をもつ。ひとつは、村人たちの寄合《よりあい》で定められた村の掟《おきて》をもつことである。村の鎮守《ちんじゅ》などで開かれた寄合は満場一致を原則とし、時間をかけて村の意志形成が行なわれた。決められたことは百姓たちはもちろん、その家族をも拘束した。琵琶湖《びわこ》畔の惣村として有名な菅浦《すがうら》(滋賀県西浅井町《にしあざいちょう》)は、長期間にわたって隣荘の大浦荘《おおうら》(同)と村境の耕地の帰属をめぐって争ったが、係争地の田畠を村人が売ることを禁止し、違反した場合には村人としての資格を剝奪《はくだつ》するという「ところのおきふミ」を貞和《じょうわ》二年(正平《しょうへい》元年・一三四六)に定めている。

自立する村

二つめは、年貢・公事《くじ》の村請けである。横田《よこた》荘の例に戻ると、大乗院《だいじょういん》への年貢・公事などの納入は、一〇人の名主《みょうしゅ》が責任を負っていた。荘園領主である大乗院は、検注《けんちゅう》によって荘園の耕地と百姓の実態を調査し、課税対象となる土地と百姓を一〇個のグループ(これを名《みょう》という)に編成して徴税単位とした。名主は各グループ(名)のリーダー、徴税責任者として任命されたのである。村内における名主の特権的な地位は、何よりもこのような最末端の荘官としての立場によるだろう。そしていったん名が編成されると、荘園領主はもはや名主さえ掌握しておけばよかった。荘園・公領に広くみられたこのような仕組みを名体制《みょうたいせい》という。

しかし、名主の下にいた百姓たちの力が強くなるなどの理由で、一筆《ぴつ》一筆の耕地を個々の百姓とセットで把握しておく必要が生じてくると、荘園領主は一五九ページの表のように集計できる詳細な台帳を作成するようになった。どの田は誰のもので、その年貢高はいくらか、公事は何かということを、荘園領主がいちいち把握するようになった。また日照《ひで》り・洪水・台風などで耕地や作物に被害が出ると、荘園領主は現地に使者を派遣して状況を調査し、荘民の年貢・公事の減免要求に対応しなければならなかった。名体制は簡単にはなくならず、横田荘では嘉元《かげん》四年（一三〇六）の検注で七つの名と六つの半名《はんみょう》が編成されて一〇名制が存続したが、荘園領主は荘民の土地所有や経営の状態を掌握し、より直接的な支配を行なう必要に迫られた。

そして、それはたいへんに手間暇《てまひま》のかかる仕事であり、できれば省略してしまいたいものであった。こうして、煩雑ないく

2

●花田植え
もっとも大きな田で行なわれて、大田植えとも呼ばれた。また、にぎやかに囃子《はやし》を伴って、囃子田ともいわれた。（『大山寺縁起絵巻《だいせんじえんぎえまき》』）

つもの仕事から荘園領主を、そしてその直接的な支配から荘民を解放するものとして登場したのが、年貢・公事の村請けである。名主・百姓たちは、一荘あるいは一村の年貢・公事を領主とあらためて契約し、その定められた額を村として納入することを約束した。これによって名主・百姓らは検注の排除など荘園領主権限の大幅な縮小に、いいかえると村の自立に、成功したのである。これが惣村《そうそん》のもっとも重要な特徴であるが、村自身が村の領主になったということもでき、それ以降は個々の百姓の年貢未進《みしん》を村が立て替えて納めることになるので、村が村人に対して厳しく対峙《たいじ》する場面も出てくるようになる。

　三つめの特徴は、村有財産や、村独自の課役《かえき》賦課《ふか》である。ふたたび横田荘に戻すと、村請けが実現された場合、荘園領主の大乗院が公共的なものとして、年貢・公事の一部または全部の免除を認めていた用地、たとえば寺社（正福寺《しょうふくじ》、八王子社《はちおうじしゃ》）敷地、八王子社の神楽田《かぐらでん》や祭田《さいでん》、正福寺修理田、井料田《いりょうでん》、名主・百姓らが交替でつとめた職事《しきじ》の給田《きゅうでん》である職事田などは惣有財産となっただろう。このような耕地に加えて、山野河《さんやか》海《かい》が村の共用財産であったが、村が自立すると、隣村との紛争が生じた場合などには訴訟費用なども必要となり、そのために村の家ごとに、あるいは所有する田畠の面積に応じて臨時の入用《にゅうよう》を分担

3

◉水争い
「我田引水」は紛争のもと。同じ川から水を引く大和の諸荘では、取水時間を取り決める番水方式が多い。（『地蔵菩薩霊験記絵巻《じぞうぼさつれいげんきえまき》』）

賦課するためのシステムも備えられた。

四つめは、自力救済である。交戦権の保持・行使といったほうがわかりやすいかもしれない。中世の村は、みずからの権利が侵害されたと判断したとき、朝廷や幕府、あるいは荘園領主に訴えるのではなく、村人を動員して実力を行使して権利回復をめざすことがよくあった。暴力の応酬となるこのような紛争解決方法は、当時の社会では決して非難されるものではなく、社会的に認められたものであった。

村人たちは弓矢《ゆみや》の扱いにも習熟しており、守護《しゅご》の正規軍と対等に戦う高い戦闘能力をもっていたこともある。黒澤明《くろさわあきら》監督の『七人の侍』（一九五四年公開）は、定期的に村を襲う武装集団に対して無力な農民たちを登場させているが、時代が中世であればありえないことである。村は戦う力をもち、しばしば村同士は武力衝突した。自力救済がめずらしくなかった中世社会は、苛烈《かれつ》で血なまぐさいものだったといわなければならない。

守護役

荘民は、荘園領主への年貢・公事《くじ》を納め、時に人夫役《にんぶやく》などに出ればそれ以上の負担はないというわけではなかった。朝廷そしてのちには幕府が、一国平均役《いっこくへいきんやく》を定期、あるいは不定期に荘園・公領に賦課《ふか》した。たとえば、伊勢神宮《いせじんぐう》は、式年遷宮《しきねんせんぐう》といって二〇年に一度本殿を新造して神を遷《うつ》したが、この国家的行事の費用は諸国の荘園・公領に一律に賦課された。不定期な一国平均役としては、天皇が一代に一度行なう大嘗祭《だいじょうさい》や内裏《だいり》を造営するための費用などがあったが、一三世紀後半の元寇《げんこう》後には「神風《かみかぜ》」への報謝《ほうしゃ》として各地で寺社の修造《しゅうぞう》がさかんに行なわれ、その費用もまた一国平均役として幕府によって調達された。これらは反米《たんまい》（田一反あたりにかけられる米）や、のちには段銭《たんせん》、また家ごとにかけられる棟別銭《むなべちせん》などとして荘民の上に降りかかった。

それらに加えて半済《はんぜい》など、南北朝期には守護《しゅご》から多くの課役がかけられてきた。それらを総称して守護役《やく》という。半済は、年貢の半分を本来の荘園の持ち主である本所に納め、残り半分は武士が取得してかまわないという、戦時下の臨時措置であるが、その実態は守護による兵粮米《ひょうろうまい》徴収であった。半済にいたらない四分の一済や三分の一済などもままみられた。

さらに荘官や荘民らは戦闘員として、また直接戦闘には参加しないまでも戦闘支援員として、守護やその被《ひ》官人《かんじん》らによって徴発された。『太平記《たいへいき》』にしばしばみられる「野《の》伏《ぶし》」が在地のごくふつうの人びと、つまり荘園・公領の民だろうということはすでにみた。それ以外にも、人びとは兵粮運搬のための人

4

夫、城郭《じょうかく》や橋・道路などをつくるための誘夫《こしらえぶ》、種々の雑事に使役された陣夫《じんぶ》などとしても動員された。なかには「長夫《ながぶ》」として長期間にわたって従事させられた者もあった。このような徴用は、合戦以外、たとえば守護が菩提寺《ぼだいじ》を造営するようなときにもみられ、ある程度恒常化していたと思われる。さらに戦闘が終了して守護が在京するようになると、京都と守護の分国《ぶんこく》とのあいだを往復する京上夫《きょうじょうぶ》としての使役も多くみられるようになった。

　これらの守護役は荘民にとって楽なものではなかったが、その役務をつとめることによって守護から保護を受けることが期待できた。近隣の国人《こくじん》による荘園・公領の侵略や荘民の徴用などは、守護に訴え出ることで防ぐことができたのである。

　ところで、このような守護役は、荘民だけが負担したのではなかった。荘園領主もまたこれを分担した。平安・鎌倉時代以来の一国平均役は、一般に「領主半分、百姓半分」方式で負担された。これは荘園や公領の年貢を得ている領主が半分を、荘民が残りの半分を負担するということである。実際の徴収方法としては、現地の百姓が全額を一括して納め、年貢の納入時に領主負担分が控除されるというやり方で広く行なわれていた。荘園領主は、守護の軍役や造営役などをやむをえないものとして受け入れていたので、臨時の守護役もまたこの古くからの折半方式で負担した。

　守護役のこのような位置づけをみると、守護は荘園制に対して必ずしも破壊的だったわけではなく、それなりに折り合いをつけていたともいえる。

◉城を築く足軽
寺院や貴族の邸宅から剝《は》ぎ取ってきた角材や建具などで建物をつくる雑兵。守護などに動員された庶民であろうか。(『真如堂縁起《しんにょどうえんぎ》絵《え》巻《まき》』)

しかし、荘園領主にとっては当然のことながら、戦乱の継続と武士による兵粮《ひょうろう》の徴収などは、収入の激減を意味した。朝廷や寺社のさまざまな年中行事や仏神事は、荘園・公領から毎年納められる年貢・公事《くじ》のうえに成り立つものであったし、皇族や貴族、僧侶や神官らの生活もまたそうであった。ここでは彼らの困窮ぶりをみてみよう。

まず朝廷の困窮ぶりから。貞和《じょうわ》四年（正平《しょうへい》三年〈一三四八〉）は後伏見院《ごふしみいん》一三回忌の年であったが、朝廷には仏事を行なうだけの力がなかった。四月二日の夜、前左大臣の洞院公賢《とういんきんかた》は前大納言の日野《ひの》資明《すけあきら》から「この度《たび》御仏事無足のところ、武家御訪《おとぶらい》三万疋《びき》を進《まい》らす。これに依《よ》り、御八講《ごはっこう》を行なわる」と聞き、幕府からの「御訪」＝贈与によって八講《はっこう》（法華経《ほけきょう》八巻を講じ、その功徳《くどく》を称賛する法会《ほうえ》）がなんとか開催されることを知った。同年一一月には花園《はなぞの》法皇が亡くなるが、このとき公賢は、「近来の儀、毎事武家自専」と記している。朝廷行事の要領を武家が決定するにいたったのは、幕府が費用を負担しつづけた結果であろう。

前年の貞和三年（正平二年）一一月、公賢は光明《こうみょう》天皇から猶子（じつは弟）の実守《さねもり》と息子の実夏《さねなつ》に参仕させよ、という勅命を受けたが、公賢は自身の困窮によって実夏への援助は不可能だからその出仕も期待できないだろうと応じている。大納言の実夏は、翌四年の八月一四日に別勅《べっちょく》に従って行事の責任者である上卿《しょうけい》として八幡放生会《はちまんほうじょうえ》に赴くことになった。上卿は、本来は毛車《けぐるま》（糸毛の車。車体を色染めの撚糸《よりいと》で飾った牛車《ぎっしゃ》）に駕《が》して「前駆《せんく》ならびに布衣《ほい》の輩等《やから》」を召《め》し具《ぐ》すのが先例であったが、

「近日家僕《かぼく》等困窮、家中貧乏」という状態だったので、とてもそういうわけにはいかず、四方輿《しほうごし》に乗ってお供は八、九人で出かけることにした。しかし、上卿がそのような一行で白昼京都を出立すると「掲焉《けちえん》すべきの間（目立ってみっともないので）」、夜も明けきらないうちにこっそりと出発することになった。ところが当日、輿舁《こしか》きの力者《りきしゃ》たちが遅刻してやってきたため、一行は辰《たつ》の終わりの刻（午前九時頃）になってようやく出発することができた。

　前大納言の実守の困窮は、実夏以上だった。文和《ぶんな》二年（正平八年〔一三五三〕）二月二二日の夜、公賢のもとに実守の使いがやってきた。その口上はつぎのようなものであった。

「大炊御門《おおいのみかど》の屋敷を頂戴したので修理して住もうと思ったのですが、資金がありません。以前からもっておりました林田荘《はやしだ》は知行《ちぎょう》できなくなっており、その後賜《たま》わりました長岡荘《ながおか》は戦場となっていて雑掌《ざっしょう》（使者）が入ることもできません。葛村も、現地の雑掌がまったく年貢を沙汰《さた》いたしません。費用がなく手入れができないので、屋敷付属の車宿《くるまやどり》、念誦堂《ねんじゅどう》、対屋《たいのや》などは破損したままです。残った寝殿《しんでん》と檜皮棟門《ひわだむねもん》とを人手に渡して飢えを凌《しの》ごうとしましたところ、やめるように（公賢に）命じられました。しかし、近日の困窮はひどく、もはや一両日も余命がないほど切迫しています。私としても先祖相伝の屋敷が他人のものになるのは無念ですが、どうしようもありません。どうかこの屋敷をある寺に施入《せにゅう》して一命の存続を図ることをお許しください。さもなければ、どうか今月と来月の生活費を援助してください」

　相伝の屋敷が他人のものになることは「口惜しき事」だが、実守を「餓死」させるわけにもいかず、公賢は返答に窮した。「私だってろくな食事をしていない。女房や子供たちもかろうじて食いつないでいるにすぎない。こんな苦労は、あとからは想像もできまい」と心の中で愚痴《ぐち》をこぼしつつ、公賢は使者に明後日にふたたび来るように命じた。しかし、一日や二日で妙案が浮かぶわけもなく、結局公賢は屋敷の処分を認めざるをえなかった。「祖神および三宝《さんぽう》の加被《かひ》なきが如《ごと》し。宿業《しゅくごう》の致す所か。悲しむべし。悲しむべし」と公賢はその悲哀を日記に綴《つづ》った。

　公賢クラスの上級貴族でさえこのような状態であったから、中下級貴族の逼迫《ひっぱく》はいっそうひどかっただろう。彼らの多くは京都を出て地方の所領に向かった。文和元年（正平七年）一〇月一九日の夜に、郢曲《えいきょく》（謡《うた》い物）などの師範である綾小路中将敦有《あやのこうじちゅうじょうあつあり》は公賢のもとを訪れ、「万策尽き果てたので、近日美濃《みの》の所領に下向《げこう》します」と告げた。公賢は「諸人この式、不便《ふびん》の事か（みなこのようなありさまで、気の毒だ）」と感想を記している。貴族の地方下向は、のちの応仁《おうにん》の乱《らん》のときがよく知られているが、南北朝期にも広くみられたのである。

　寺社もまた困難に直面していた。東寺《とうじ》は、建武《けんむ》三年（延元《えんげん》元年〔一三三六〕）に足利尊氏《あしかがたかうじ》が九州に落ちる際、朝敵の汚名をのがれるための光厳院院宣《こうごんいんいんぜん》を斡旋《あっせん》した三宝院賢俊《さんぽういんけんしゅん》が一長者をつとめた真言宗東寺派の総本山であるが、幕府と関係が深いこの寺でさえ、荘園の維持には苦しんだ。ある調査によると、南北朝初期に東寺がもっていた荘園七一か所のうち、内乱期に東寺領としての実質が失われたものが三二荘園、年貢の一部は東寺に納入されているが危機に瀕《ひん》しているものが二五荘園、東寺領として一応確保されているものが一四荘園であった。寺院の所領は、すなわち仏の所領である。

したがって、寺領への侵略には武士たちも多少はためらいを感じたはずである。それでも東寺の所領数が二割にまで減ったとすれば、貴族の荘園がどの程度武士に押領《おうりょう》されたかは容易に想像されよう。高師直《こうのもろなお》・師泰《もろやす》兄弟がけしかけるまでもなく、武士たちはここぞとばかりに版図《はんと》を広げていた。

義詮の治世

尊氏から義詮へ

延文《えんぶん》三年（正平《しょうへい》一三年〔一三五八〕）一二月、足利義詮《あしかがよしあきら》は将軍に就任した。すでに尊氏《たかうじ》の生前から政務の実権を譲られて経験を積んでおり、二九歳という年齢からみても将軍自身にはこれといった問題はなかった。しかし、だからといって大名たちがおとなしく将軍に従ったわけでも、幕府の一員として協調に努めたわけでもない。何か事があれば実力で決着をつけようという風潮は依然として健在であった。そして大名間にそのような争いが起こると、一方の当事者が幕府に離反して南朝に帰順し、自己の立場の正当化や強化を図ることが相変わらず行なわれた。

足利一門の末流の仁木義長《にっきよしなが》は三河《みかわ》、伊賀《いが》、伊勢《いせ》の三か国の守護職《しゅごしき》をもち、幕府の有力者であった。しかし、義長は「余《あまり》に傍若無人なる振舞《ふるまい》」が多く、細川清氏《ほそかわきようじ》、土岐頼康《ときよりやす》、佐々木導誉《ささきどうよ》らをはじめとするほかの多くの大名と対立していた。延文五年（正平一五年）、諸大名らは南朝方の討伐《とうばつ》を装って天王寺《てんのうじ》（四天王寺）に集結する。その動きをいち早く察した義長は、義詮の身柄を確保して対抗しようしたが、義詮は脱出に成功する。それをみて義長方についていた武士たちも離散したので、義長は京都を逃れて伊勢に下向《げこう》し、翌康安《こうあん》元年（正平一六年〔一三六一〕）、南朝方に降《くだ》った。のち貞治《じょうじ》五年（正平二一年〔一三六六〕）頃には許されて幕府に帰参した。

次いで南朝方に走った大物は、細川清氏である。康安元年（正平一六年）九月、義詮が突然清氏を攻撃する姿勢を見せたので、清氏は分国《ぶんこく》の若狭《わかさ》に逃れた。もともと清氏は義詮に従順ではなく、両者の仲はそれほどよくなかったが、このときの黒幕は、清氏と何かにつけて対立することが多かった佐々木導誉だと思われる。若狭から斯波《しば》氏によって追われた清氏は、比叡山《ひえいざん》を経由して天王寺にいたり、南朝方に降る。

◉四天王寺（大阪市天王寺区）
聖徳太子の発願によって創建され、太子信仰の中心寺院であった。また、西門は極楽の東門と見なされて参詣者を集めた。たびたび罹災し、現在の伽藍《がらん》は戦後復興されたもの。
5

これに勢いを得た南朝方は一二月、清氏や楠木正儀《くすのきまさのり》（正行《まさつら》の弟）らを大将として久しぶりに京都を制圧する。のちにみるように、このとき導誉は屋敷を飾り立てて退去する。義詮は後光厳《ごこうごん》天皇を奉じて近江《おうみ》に逃れるが、南朝方が期待した諸国の南朝勢力が上洛してくることはほとんどなく、義詮は年末には京都を回復した。清氏は阿波《あわ》に逃れるが、まもなく義詮の命を受けた従兄弟《いとこ》の細川頼之《ほそかわよりゆき》に討たれた。

このように、繰り返される幕府の内紛によって南朝はその寿命を延ばしたが、同時に南朝方に降伏しても、困難な事態を切り開けるわけではないことも明らかになっていった。

有力な守護の動向を気にしつつも、義詮は将軍権力の確立へと幕政の舵《かじ》を切る。管領《かんれい》についてはのちに触れるので、ここでは「特別訴訟手続《とくべつそしょうてつづき》」と呼ばれるものについてみてみよう。これは所領に関する一種の簡易裁判で、問題がないと思われる証拠書類をもって義詮に押領《おうりょう》の被害を訴え出てくる者があれば、将軍の名でその言い分を認めてただちに押領人に押領地の返還を命じ、守護に実施させるものである。被告の押領人に異議があれば、押領人自身があらためて証文を提示して訴訟を提起する必要がある。

鎌倉時代から幕府の引付《ひきつけ》を中心に、訴訟は慎重に審理されてきた。当事者の主張はまず書面によって三回（三問三答という）応酬され、場合によっては口頭審理（対決）も行なわれた。そして判決原案が作成され、評定《ひょうじょう》にかけられて決定されてきた。このような従来からのやり方に比べて、「特別訴訟手続」は押領人をとりあえず退ける即決裁判という特徴をもつ。一般に押領人は武士、被害者は寺社本所という当時の状況を想起すれば、この制度が寺社本所保護の側面をもつことは明らかである。それと同時に、みずから裁断を下すことによって将軍の力が強化されたことは間違いない。

鎌倉の公方

足利義詮《あしかがよしあきら》は、将軍就任の九年前に鎌倉から上洛したが、入れ替わりに弟の基氏《もとうじ》が下向《げこう》した。当時は一〇歳でしかなかったが、この基氏をもって関東一〇か国（武蔵《むさし》・相模《さがみ》・伊豆《いず》・甲斐《かい》・上野《こうずけ》・下野《しもつけ》・安房《あわ》・上総《かずさ》・下総《しもうさ》・常陸《ひたち》。のち陸奥《むつ》と出羽《でわ》両国も）を統括した鎌倉公方《くぼう》の初代とするのが通例である。

基氏の補佐役として京都から上杉憲顕《うえすぎのりあき》と高師冬《こうのもろふゆ》の両人が東下したが、憲顕は直義《ただよし》派の人物で、高師直猶子《もろなお》の師冬とは対立的であり、初期の鎌倉府《かまくらふ》は政治的に不安定な状態にあった。観応《かんのう》の擾乱《じょうらん》の過程で師冬は憲顕に討たれ、その憲顕は、直義を殺害した尊氏《たかうじ》によって鎌倉を追われた。尊氏は約二年間、関東の経営にみずから従事したのち、あとを基氏に託し、その新しい執事《しつじ》として畠山国清《はたけやまくにきよ》を任命して上洛の途についた。そしてその途中、美濃《みの》の小島《おじま》で後光厳院《ごこうごんいん》に対面し、これを奉じて入京したことは第二章でみた。

直義派の武士が多く残る東国の統率は厄介《やっかい》な問題であった。国清は、義詮の要請を受けたとして南朝方との戦いのために関東の武士たちを率いて上洛した。そして、先にみた仁木義長《にっきよしなが》追放の謀議にも参加したが、本拠地を遠く離れての長陣に東国武士たちは耐えられず、国清の許しを得ずに三々五々《さんさんごご》、帰国してしまった。国清が東国に戻り、厳罰をもって武士たちに臨むと彼らは一揆《いっき》して対抗し、公方の基氏に国清の罷免を要求した。『太平記《たいへいき》』によれば、基氏は東国武士たちの行動を「下《げ》刻《こく》（剋）上《じょう》の至《いたり》」として不快感を抱きつつも、「此者《このもの》どもに背《そむか》れなば、東国は一日も無為《ぶい》（平穏）なるまじ」と考えて国清を追放したという。国清のあとには、貞治《じょうじ》二年（正平《しょうへい》一八年〈一三六三〉）三月、上杉憲顕が鎌倉に復帰した。こうして鎌倉公方―執事上杉氏という、以後長く続く鎌倉府の基本体制ができあがった。

　鎌倉府は、鎌倉幕府を機構の面でも人的な面でも継承した。政所《まんどころ》・問注所《もんちゅうじょ》などが置かれ、それぞれ前代からの吏僚《りりょう》である二《に》階堂《かいどう》氏や太田《おおた》氏などが長官である執事をつとめた。まさにミニ幕府であるが、関東の武士たちは独立志向が強く、その点を考慮して京都の幕府は間接的で緩やかな統治をめざしたのである。ただし、公方を補佐する執事、のちの関東管領《かんとうかんれい》は、公方ではなく京都の将軍が任命権を掌握した。そのために、京都の幕府の意向を背負う関東管領は、その後将軍への対抗心を強くもつようになる公方と対立する場面が多くなる。

　鎌倉府の経済的な面を簡単にみておくと、鎌倉幕府の直轄領や得宗《とくそう》（北条《ほうじょう》氏の家督）領で関東に所在するものは、鎌倉府の直轄領とされた。鎌倉には鶴岡八幡宮《つるがおかはちまんぐう》や、禅宗《ぜんしゅう》・律《りつ》宗・日蓮《にちれん》宗などの多く寺社が引き続き所在した。幕府が京都に移ったあと

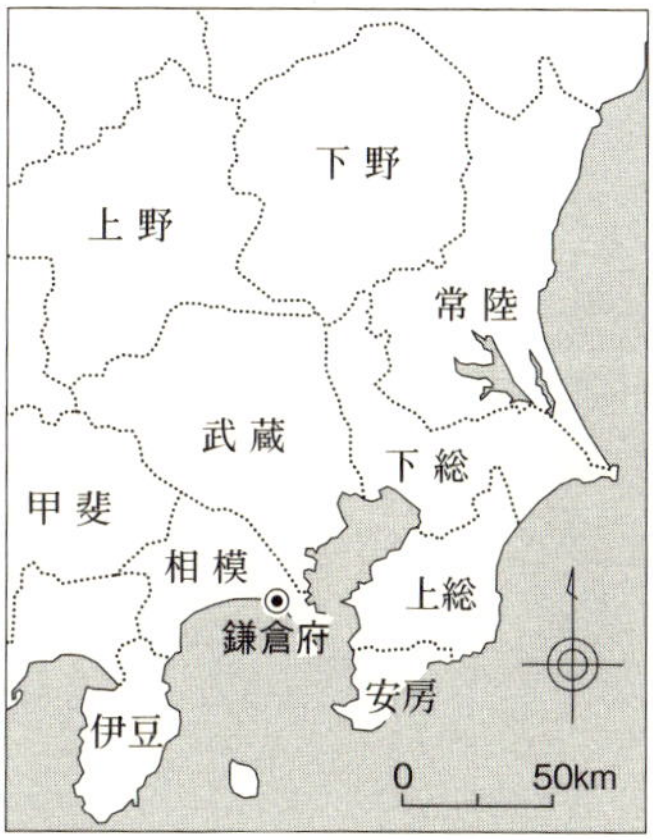

●鎌倉府と関東一〇か国
関東には千葉《ちば》・小山《おやま》・結城《ゆうき》・小田《おだ》・宇都宮《うつのみや》・佐竹《さたけ》・大掾《だいじょう》氏などの大名が蟠踞《ばんきょ》した。守護に任命されたものは、基本的に鎌倉に滞在した。

の鎌倉は、南の海岸部に及んだ区域を放棄し、北部の山間部や東部を中心に再編された。本拠を離れて在住する武士たちも依然として少なくなく、鎌倉府の直轄領や寺社領からの年貢も運び込まれたので、鎌倉は経済的にも東国の中心たる地位を保った。

大内・山名の帰服

足利直義《あしかがただよし》派の中心メンバーのひとりで北陸の雄である斯波高経《しばたかつね》は、尊氏《たかうじ》が亡くなる前々年の延文《えんぶん》元年（正平《しょうへい》一一年〔一三五六〕）に幕府に帰服した。斯波氏は、足利一門のなかでも名門で、場合によっては将軍家を脅かしかねない存在であった。義詮《よしあきら》は、この格の高い家を将軍家の絶対的な権威の確立のために利用することにし、細川清氏《ほそかわきようじ》のあとの執事《しつじ》への就任を要請した。執事は、もともと高《こう》氏や上杉《うえすぎ》氏など、明らかに家格が下の家がつとめた役職である。そのような地位に斯波氏の者が就任することに斯波氏の側では抵抗があったが、義詮のたっての要請を退けることができず、貞治《じょうじ》元年（正平一七年〔一三六二〕）七月に斯波義将《よしまさ》（ゆき）が就任した。ただし、義将は時に一三歳で、実質的には父の高経が背後から腕をふるった。名門の一族を執事として取り込むことによって将軍家の権威は上昇し、また幕府内における執事の地位や権限も強化された。やがて執事は、管領《かんれい》と呼ばれるようになって幕府職制の最高の地位となる。

大内《おおうち》氏は、朝鮮の百済王《くだらおう》の子孫と称し、源氏《げんじ》や平氏《へいし》を名のる武家が多いなか、多々良《たたら》を姓とするユニークな大名である。もと周防《すおう》の在庁官人《かんじん》、鎌倉幕府の御家人《ごけにん》で、『太平記《たいへいき》』によれば、建武《けんむ》三年

（延元《えんげん》元年（一三三六））に尊氏と直義が博多《はかた》から東上したときには海路で従っている。観応《かんのう》の擾乱《じょうらん》がきっかけで南朝方に走ったようだが、細川清氏が楠木正儀《くすのきまさのり》らと京都を占領した康安《こうあん》元年（正平一六年〔一三六一〕）には、合流を期待されながら上洛しなかった勢力のひとつとしてあげられている。

　貞治二年（正平一八年）の春、周防・長門《ながと》の二か国を掌握して中国地方に強大な勢力を築いていた大内弘世《ひろよ》が南朝を見限り、両国の守護職安堵《あんど》を条件として幕府に降《くだ》った。幕府にとって九州を早く平定することは、重要な課題であり、水面下で大内氏と取り引きがなされていたのである。

　そのあおりを食ったのが、それまで二心なく幕府に仕えてきた長門守護の厚東《こうとう》氏である。同氏は激怒して南朝方に降り、九州に渡って菊池《きくち》氏と連携し、大内氏を攻撃する準備に入った。弘世もすぐにあとを追って九州に入り、菊池氏と戦ったが敗北を喫する。菊池勢に包囲された弘世は降伏し、助命を嘆願して許され、帰国した。しかし、降伏はもちろんその場しのぎの詐術《さじゅつ》で、弘世はその後平然と上京し、幕府へ帰参の挨拶《あいさつ》を行なった。『太平記』によれば、「在京の間数万貫《がん》の銭貨《せんか》・新渡《しんと》の唐物《からもの》等、美を尽《つくし》て、奉行・頭人《とうにん》・評定衆《ひょうじょうしゅう》・傾城《けいせい》・田楽《でんがく》・猿楽《さるがく》・遁世《とんせい》者まで是《これ》を引《ひき》与」えたという。海外貿易などで蓄積した富の一部を京都でばらまき、弘世はたちまち人気者になった。大内氏の富裕ぶりと、幕府周辺にはびこっていた拝金思想がうかがえる話である。

　まもなく山名《やまな》時氏《ときうじ》も幕府に降伏した。山名氏は大内氏のように南朝方というわけではなく、直義派、次いで直冬《ただふゆ》党として第三の勢力に属していた。大内氏の場合と同様に、幕府は山名氏を降伏させるためにひそかに交渉を行ない、伯耆《ほうき》・因幡《いなば》・美作《みまさか》・丹後《たんご》・丹波《たんば》の五か国の守護職を安堵することを条件として、時氏は幕府に降った。先に北畠親房《きたばたけちかふさ》が東国の武士の「商人のような所存」を非難したことをみた。親房は、降参人の所領の半分、あるいは三分の一が安堵されるのが「古来の風儀」であると述べたが、これは「降参半分の法」と通称される中世の慣習である。ほんとうに降参であれば、山名氏に残されるのは二、三か国にすぎないはずである。所領のすべてが保証されたことは、降参でなく講和であったことを物語っているだろう。山名氏の破格の待遇にどうしても納得できない世人は、「多く所領を持《もた》んと思はゞ、只《ただ》御敵にこそ成《なる》べかりけれ」とささやきあったという。

こうして多少の無理をし世間の不評を買いつつ、義詮は観応の擾乱の後遺症を克服したのである。

斯波と細川

貞治の政変

足利直義《あしかがただよし》派(直冬《ただふゆ》党)が解消され、大名たちは幕府に帰服したが、それでもなお大名たちが将軍に従順になったわけでも、大名間の抗争がなくなったわけでもない。斯波《しば》氏は、将軍や幕府、また管《かん》領《れい》の権威確立のために積極的にいくつかの政策を推進したが、少々急ぎすぎたようで、斯波高経《たかつね》・義将《よしまさ（ゆき）》父子は貞治《じょうじ》五年（正平《しょうへい》二一年〔一三六六〕）に失脚する。

以下のような問題がきっかけになったと『太平記《たいへいき》』はいう。ひとつは、尊氏《たかうじ》・直義以来、毎年地頭《じとう》・御家人《ごけにん》の所領にかけられていた「武家役《ぶけやく》」を五〇分の一から二〇分の一に引き上げたことである。江戸時代の大名や旗本《はたもと》の所領が石高《こくだか》で表現されたように、このころには武士たちの所領は、その大きさが銭《ぜに》に換算されて貫高《かんだか》で表示される場合があった。幕府には武家役を賦《ふ》課《か》するために武士たちの所領を貫高表示した台帳があり、納められた役は将軍の生活費にあてられた。

守護《しゅご》クラスはともかく、弱小の武士たちにはかなりの負担となっていたが、それを二倍半に引き上げたので、強い反発を誘発したのである。高経としては、増収を基礎にして将軍生活をレベルアップし、もって将軍の権威向上を図ったのだろうが、「天下の先例に非《あら》ず」として諸人の怒りを買ってしまったのである。

6

●絵図に描かれた鴨川の四条大橋
祇園社《ぎおんしゃ》（八坂神社《やさかじんじゃ》）へ通じる橋であり、しばしば大水で流されたが、広く人びとに寄付を募る勧進によって費用が調達され、架け替えられた。（『一遍聖絵《いっぺんひじりえ》』）

二つは、赤松則祐《あかまつそくゆう》との軋轢《あつれき》である。義詮《よしあきら》が三条坊門万里小路《さんじょうぼうもんまでのこうじ》に邸宅を新築したとき、主だった大名たちは、それぞれ御所内の「一殿一閣《いちでんいっかく》」を割り当てられた。赤松の担当した工事は遅れてしまい、それを理由に高経は赤松から大荘園をひとつ没収したのである。

三つは、佐々木導誉《ささきどうよ》との対立である。導誉は五条橋《ごじょうばし》架橋の責任者であった。その費用として家ごとに賦課する棟別銭《むなべちせん》を京中から徴収しながら導誉の工事も滞った。この工事を高経が引き継ぎ、独力で、また民衆に臨時課役をかけることもなく完成させたので導誉の面目はまるつぶれになった。ちなみに、先にみた導誉の大原野《おおはらの》の婆娑羅《ばさら》な宴遊は、この「返礼」として行なわれたものである。高経が主催する会の当日にわざとぶつけ、見劣りがするその会を「かはゆ気なる遊」びだと馬鹿にしたのである。

これら二つの問題も、割りあてられた仕事の工期をきちんと大名たちに守らせて、ややもすれば緩みがちになる規律を引き締めるという意味で、将軍や幕府の威厳と支配にかかわる問題といえよう。この後高経は、二〇分の一武家役《ぶけやくぶ》無沙汰《さた》を理由に導誉から摂津《せっつ》守護職と同国の多田《ただ》荘を奪うが、多田荘を幕府の政所《まんどころ》の料所《りようしょ》（領地）としていることも、高経が幕府財政の基盤強化をめざしていたことを示すものであろう。

しかし、まもなく高経父子は諸人の讒訴《ざんそ》によって義詮《よしあきら》の支持を失い、越前《えちぜん》へと没落する。三顧《さんこ》の礼をもって迎えたはずの斯波氏を、義詮は信任しつづけることができなかったのである。『太平記《たいへいき》』が「人の申《もうす》に付安《つきやす》き人」というように、義詮は人の言に動かされやすいタイプの人物だったのかもしれない。

ただし、高経の失脚には別の見方もありうる。義詮の寺社本所領保護政策とぶつかるようになったから、という可能性が考えられるのである。『太平記』によれば、諸国の守護や大名で寺社本所領を押領《おうりょう》していない者などひとりとしておらず、高経は分国《ぶんこく》の越前で半済《はんぜい》を実施する一方で、興福寺《こうふくじ》領の河口荘《かわぐち》は「一円（すべて）に家中の料所」にした。これはしかし、相手が悪かった。興福寺は押領停止を訴え、貞治三年（正平一九年）一二月に春日社《かすがしゃ》の神木《しんぼく》を入洛させた。神木の在京中は朝廷の機能が麻痺《まひ》したので、その威力がボディ・ブローのようにしだいに効いて義詮は高経を追放せざるをえなくなったのかもしれない。つぎにみる応安《おうあん》の大法《たいほう》が義詮の遺志に基づくものであったとすれば、十分に考えられることである。

応安の大法

斯波《しば》父子追放後、足利義詮《あしかがよしあきら》は一年以上にわたって管領《かんれい》を置かずに政務にあたった。この親裁《しんさい》の時期に、「観応《かんのう》の擾乱《じょうらん》以来、寺社本所領が恩賞に宛《あ》てられたり、幕府の料所に成されたりした。そのうえ軍勢や甲乙人《こうおつにん》が不法に押領《おうりょう》したところも多い。特別の措置として返付するので、まず山城国《やましろのくに》分の返還を侍所《さむらいどころ》は執行せよ」という法令が出されていることも、義詮の姿勢を示している。

そのころ義詮は死期を悟ったのかもしれない。まもなく清氏《きようじ》亡きあと細川《ほそかわ》氏を率いた頼之《よりゆき》を、讃岐《さぬき》から京都に召し上げた。そして貞治《じょうじ》六年（正平《しょうへい》二二年〔一三六七〕）一一月、政務を一〇歳の義満《よしみつ》に譲り、頼之を管領に任じて翌月に亡くなった。全四〇巻に及ぶ『太平記《たいへいき》』は、頼之の執政によって「中夏無為《ちゅうかぶい》の代《よ》に成《な》」った、つまり世の中が治まり、平和が到来したとして、ここで終わっている。

政務を事実上託された頼之は翌応安《おうあん》元年（正平二三年〔一三六八〕）六月、今日「応安の半済令《はんぜいれい》」「応安《おうあん》の大法」などと呼ばれる、ややまとまった所領関連法を定める。その冒頭部は、

禁裏《きんり》、仙洞御料所《せんとうごりょうしょ》、寺社一円仏神領、殿下渡領《でんかわたりりょう》等、他に異なるの間、曾《かつ》て半済の儀あるべからず。固く武士の妨げを停止すべし。其の外の諸国本所領、暫《しばら》く半分を相《あ》い分け、下地を雑掌《ざっしょう》（本所の役人）に沙汰し付け、向後の知行を全《まっと》うせしむべし。

というもので、天皇・上皇の所領、寺社の一円領、摂関の渡領（摂関の地位に付属した所領）は、半済の対象からはずし、武士の支配を禁止する。その他の所領で半済の対象となっているも

7

●年貢の収納
収納係が升で計量しているところ。中世では、一升といってもその容量は地域などによってさまざまであった。（『山王霊験記《さんのうれいげんき》』）

のは、半分の土地を本所側の雑掌に渡して今後の知行を保証せよ、と武士たちに命じた。一般の本所領や一部の寺社領では、従来からの年貢半済が下地《したじ》（土地）の二分割に形を変えて継続が認められたが、天皇や上皇などの所領が半済の対象外とされたことは、戦時体制の縮小、平時への移行が始まったことを意味するだろう。これがこの法の第一の特徴である。

半済が、本来は武士が年貢の半分を取ることであったとすれば、引き続き半済が継続される諸国本所領に関して、下地の半分を雑掌に付けよと命じていることが注目されよう。この下地打ち渡し命令は、武士たちが実際には年貢の半分取得にとどまらず、土地の支配に及んでいたこと、しかも半分ではなく全下地に手を出していたことを物語っている。つまり、半済令をきっかけにして、じつは武士たちは土地を含めて荘園そのものの支配にいたっていたのである。年貢の半分でも本所側に納められていた荘園は、幸運なほうであっただろう。

荘園が武士たちによってほとんど全面的に押領されていたとすると、応安の半済令は、天皇・上皇の所領、寺社一円領、摂関渡領などの全面的返還命令、その他の本所領の半分返還令とも解釈できよう。事実、貴族たちはこの法令を、将軍の代替わりに伴う徳政令と受け取った。もちろん、幕府の命令を実際に執行するのは諸国の守護《しゅご》で、その守護が荘園侵略の張本人であったから、どの程度の効果があったのかやや心もとないが、荘園をもとの持ち主に返す徳政令としての性格が第二の特徴であろう。応安の大法は、平和の到来がまもないことを予告し、新しい為政者として足利義満《よしみつ》と管領の細川頼之が、義詮の遺志を継承して代始めに行なった徳政でもあった。

しかし、寺社本所領保護の立場に立った義詮の遺志は、長く引き継がれることはなかった。早くも翌年の一〇月に応安の大法を大きく修正する法が出される。というより、幕府はこのころより所領対策に興味と熱意を失っていき、以後関連する立法がみられなくなる。幕府の関心は、地方の荘園などから都市京都で展開する商業や流通などに向けられていき、幕府財政も京都に対する都市的な課税のうえに置かれるようになる。

康暦の政変

応安《おうあん》の大法が出された半年後に足利義満《あしかがよしみつ》は将軍となるが、管《かん》領《れい》・細川頼之《ほそかわよりゆき》の執政は以後一〇年間続く。その間の注目すべきことを三つほどみておこう。

尊氏《たかうじ》・直義《ただよし》が夢窓疎石《むそうそせき》に傾倒し、五山《ござん》制度がつくられたことにみられるように、禅宗《ぜんしゅう》は着々と社会に対する影響力を強めつつあったが、頼之はいわゆる旧仏教に対して妥協的で、禅宗には強硬であった。尊氏・直義は、後醍醐《ごだいご》天皇の鎮魂のために天龍寺《てんりゅうじ》を建て、この禅院の供養に後光《ごこう》厳《ごん》上皇の御幸《ごこう》を仰ぐことにしたが、比叡山《ひえいざん》が強硬に反対したためにとりやめになった。

8

◉**南禅寺**（京都市左京区）
一三世紀末の創建。後醍醐天皇のときに五山の第一位、足利義満のときには相国寺《しょうこくじ》が五山に加えられたので、「五山之上」となった。

義詮《よしあきら》の晩年には、比叡山と南都興福寺《こうふくじ》を味方にした園城寺《おんじょうじ》と南禅寺《なんぜんじ》の間で紛争が起きた。南禅寺の楼門《ろうもん》建設のために設置された関所を、園城寺の稚児《ちご》が関銭《せきせん》を払わずに通ろうとして殺されたことに端を発したものである。この紛争はいったんおさまったものの、義詮の死後に再燃し、結局頼之が問題の楼門を礎石にいたるまで取り壊して事態を収拾した。この措置によって、以後頼之は禅宗界と厳しく対立したが、視点を変えれば、旧仏教勢力に対して、禅宗の力はまだその程度のものだったともいえよう。

二つめは、対南朝問題である。父正成《まさしげ》、兄正行《まさつら》が亡くなったあと南朝方の中心であった楠木《くすのき》一門を率いていたのは正儀《まさのり》である。正儀は、『太平記《たいへいき》』ではあまりよくいわれていない。「楠《くすのき》は父にも似ず兄にも替《かわ》りて、心少し延《のび》たる者（のんびりしている）」「何の程にか親に替り、兄に是《これ》まで劣るらんと、誹《そし》らぬ人も無《なか》りけり」などとさんざんである。その一方で、康安《こうあん》元年（正平《しょうへい》一六年〈一三六一〉）九月の摂津《せっつ》中津川《なかつがわ》の戦いで捕虜となった者を斬らず、川に流された者は引き上げ、「赤裸《あかはだか》なる者には小袖《こそで》を著《き》せ、手負《ておい》たる者には薬を与へて、京へぞ返遣《かえしつかわ》」した正儀を「父祖の仁慧《じんけい》をつぎ、情ある者なり」と評価もしている。正儀は早くから細川頼之と連絡をとって幕府との和平を模索していたが、主戦派との主導権争いに敗れて南朝に居場所をなくし、応安《おうあん》二年（正平二四年〈一三六九〉）正月、幕府に降《くだ》った。頼之は正儀を河内《かわち》と和泉《いずみ》の守護職をもって迎えたので、南朝はいままで自軍の主将であった正儀と直接対峙《たいじ》する羽目になった。

三つめは、今川了俊《いまがわりょうしゅん》の九州探題《たんだい》への起用である。先にみたように、九州は懐良《かねよし》親王が大宰府《だざいふ》に入り、征西府《せいせいふ》が九州の北部を制圧していた。当時の幕府・北朝は、倭寇《わこう》の禁圧を高麗《こうらい》から要請されても、「当時本朝の為躰《ていたらく》、鎮西《ちんぜい》九国悉《ことごと》く管領するに非《あら》ず。禁遏《きんあつ》の限りに非ず」と、「本朝」は九州をすみずみまで支配しているわけではなく、その能力はないと率直に認めている。一色氏《いつしき》以来、幕府の九州掌握の試みはことごとく失敗していたのである。応安三年（建徳《けんとく》元年）に九州探題に任命された了俊は足利の一門で、和歌や連歌《れんが》にも優れており、紀行文である『みちゆきぶり』を書きながらゆっくりと西に下った。翌四年の暮れになって了俊はようやく九州にいたり、大内義弘《おおうちよしひろ》（弘世《ひろよ》の嫡男）の援護を得て五年九月に大宰府を落として征西府を筑後《ちくご》の高良山《こうらさん》に追いやった。以後一三年にわたって了俊は九州の経営に専念することになる。

細川頼之の執政の陰にはつねに斯波《しば》派との反目があった。義満も成長とともに政務にかかわるようになり、頼之の立場はしだいに不安定なものになっていく。そして永和《えいわ》五年（三月に康暦《こうりやく》と改元、天授《てんじゅ》五年〔一三七九〕）二月、斯波義将《よしまさ》（ゆき）らが頼之排斥に動き出した。当初義満は義将ら反頼之派を抑えようとしたが、その勢力は義満の想像を超えて強大化しており、閏《うるう》四月、義満はついに頼之を罷免し、頼之は京都の自邸を焼いて四国に没落した。かわって義将が管領に就任した。これを康暦の政変というが、これによって逼塞《ひっそく》を余儀なくされていた禅宗界は活気づき、後援者をなくした楠木正儀がふたたび南朝方に帰服せざるをえなくなるなど、その波紋は小さくなかった。

義詮は斯波を切り捨てて細川に乗り換えたが、義満は細川を捨てて斯波を起用した。将軍は斯波と細川の両勢力をうまく操ったともいえるが、それは危険な綱渡りでもあっただろう。

第五章

日本国王

1

国内平定

地方遊覧

康暦《こうりゃく》の政変があらわにしたことは、簡単にいえば将軍の権力が弱く、守護《しゅご》らの力が強いということである。幕府の存在あるいは将軍の地位は、対立する守護、とくに斯波《しば》氏と細川《ほそかわ》氏のあやうい力の均衡を前提にして成り立っていたとさえいえるかもしれない。このような幕府・将軍の弱さを克服することが、二〇歳を過ぎたばかりの若い足利義満《あしかがよしみつ》に突きつけられた課題であった。

そのために義満がとったひとつの方法が、地方勢力の威圧と懐柔であった。まず至徳《しとく》二年（元中《げんちゅう》三年〈一三八五〉）八月には奈良に出かけた。大和《やまと》は、鎌倉時代から興福寺《こうふくじ》の力が強く、政治的にはやっかいなところであった。義満の大和下向《げこう》については、のちにやや詳しくみよう。嘉慶《かけい》二年（元中五年〈一三八八〉）の春には紀伊《きい》の高野山《こうやさん》や粉河寺《こかわでら》へ行き、同年の八月には駿河《するが》に下って富士山を見物した。この駿河行きには、それより東を治めていて幕府に対抗心をもつ鎌倉公方《かまくらくぼう》足利氏満《うじみつ》を威嚇《いかく》する意味があった。

翌年の康応《こうおう》元年（元中六年）三月、今度は西に出かける。公家や幕府の重臣を伴い、兵庫津《ひょうごのつ》より船一〇〇艘《そう》あまりで瀬戸内海を西下し、讃岐《さぬき》で細川頼之《ほそかわよりゆき》に迎えられた。安芸《あき》では厳島社《いつくしましゃ》に参詣《さんけい》し、

◉鹿苑寺金閣
足利義満の公邸としての役割を果たした。中国・明《みん》からの使者の歓迎や皇帝からの国書の受領も行なわれた。
前ページ図版

周防《すおう》の竈戸《かまど》関《せき》（山口県上関《かみのせき》町）では大内義弘《おおうちよしひろ》の接待を受けた。さらに九州に渡ろうとしたが悪天候のために断念して折り返した。帰途は備後《びんご》の山名《やまな》時熙《ときひろ》や伊予《いよ》の河野《こうの》氏などを謁見して帰京している。この二〇日あまりの旅の目的は、強大化しつつある大内氏、その大内氏と結んで九州地方に独自の地歩を築きはじめた今川了俊《いまがわりょうしゅん》などの牽制《けんせい》にあった。九月には高野山に再度登っている。

明徳《めいとく》元年（元中七年〔一三九〇〕）九月には越前《えちぜん》の気比社《けひしゃ》に参詣した。越前は管領《かんれい》の斯波《しば》義将《よしまさ（ゆき）》が守護職《しき》をもつ国であった。義将は康暦の政変で細川頼之を追い落としてから管領の座にあったが、その勢力に陰りがみえはじめていた。義満は、前年に西下した折に細川頼之と和解しており、このタイミングでの気比社参詣は義将を牽制し、頼之をふたたび登用するための準備の一環と考えられよう。

2

◉厳島神社
平清盛《たいらのきよもり》により、社殿の多くが海上に設けられた。廻廊で結ばれた舞台では舞踊が演じられ、時の権力者たちを迎えたのであろう。

土岐氏の乱・明徳の乱

権力強化のために足利義満《あしかがよしみつ》がとったもうひとつの方法は、有力な守護《しゅご》の力を削《そ》ぐことであった。最初のターゲットにされたのが、土岐《とき》氏である。土岐氏は、光厳《こうごん》上皇に矢を射て斬首された頼遠《よりとお》のあとを、甥《おい》の頼康《よりやす》が継いで美濃《みの》守護となっていた。頼康は、観応《かんのう》の擾乱《じょうらん》を巧みに乗り切り、幕府の侍所頭人《さむらいどころとうにん》となり、さらには伊勢《いせ》と尾張《おわり》の守護の地位も手に入れ、山名《やまな》時氏《ときうじ》や佐々木《ささき》導誉《どうよ》らが亡くなったこともあって大きな力をもつようになっていった。

この頼康が七〇歳で亡くなると、義満は動いた。頼康の三か国守護職は養子の康行《やすゆき》がいったん継承したが、義満が介入して尾張守護職を取り上げて頼康の実子の満貞《みつさだ》に与えた。満貞が尾張に入国しようとすると、康行の従兄弟《いとこ》で娘婿《むすめむこ》でもある詮直《あきなお》がこれを阻止しようとし、土岐氏は一族が分裂して内紛状態となった。義満は満貞を支持して軍勢を送り、明徳《めいとく》元年（元中《げんちゅう》七年〔一三九〇〕）年、康行を敗走させた。康行の美濃と伊勢の守護職は剝奪《はくだつ》され、美濃の守護職は頼康の弟の頼忠《よりただ》に引き継がれ、伊勢守護には仁木《につき》満長《みつなが》が任命された。康行はまもなく許されて伊勢守護職を回復するが、土岐氏を統率する地位を失い、三か国の守護職はばらばらにされてしまったのである。さらにまもなく尾張も満貞から取り上げられて斯波《しば》氏に与えられた。満貞は義満が介入する口実を設けるために利用されたにすぎない（土岐氏の乱）。

土岐氏の没落には、嫡家《ちゃくけ》と庶家《しょけ》の対立が義満に利用された面もあるが、山名氏の場合も同様であ

山名家系図

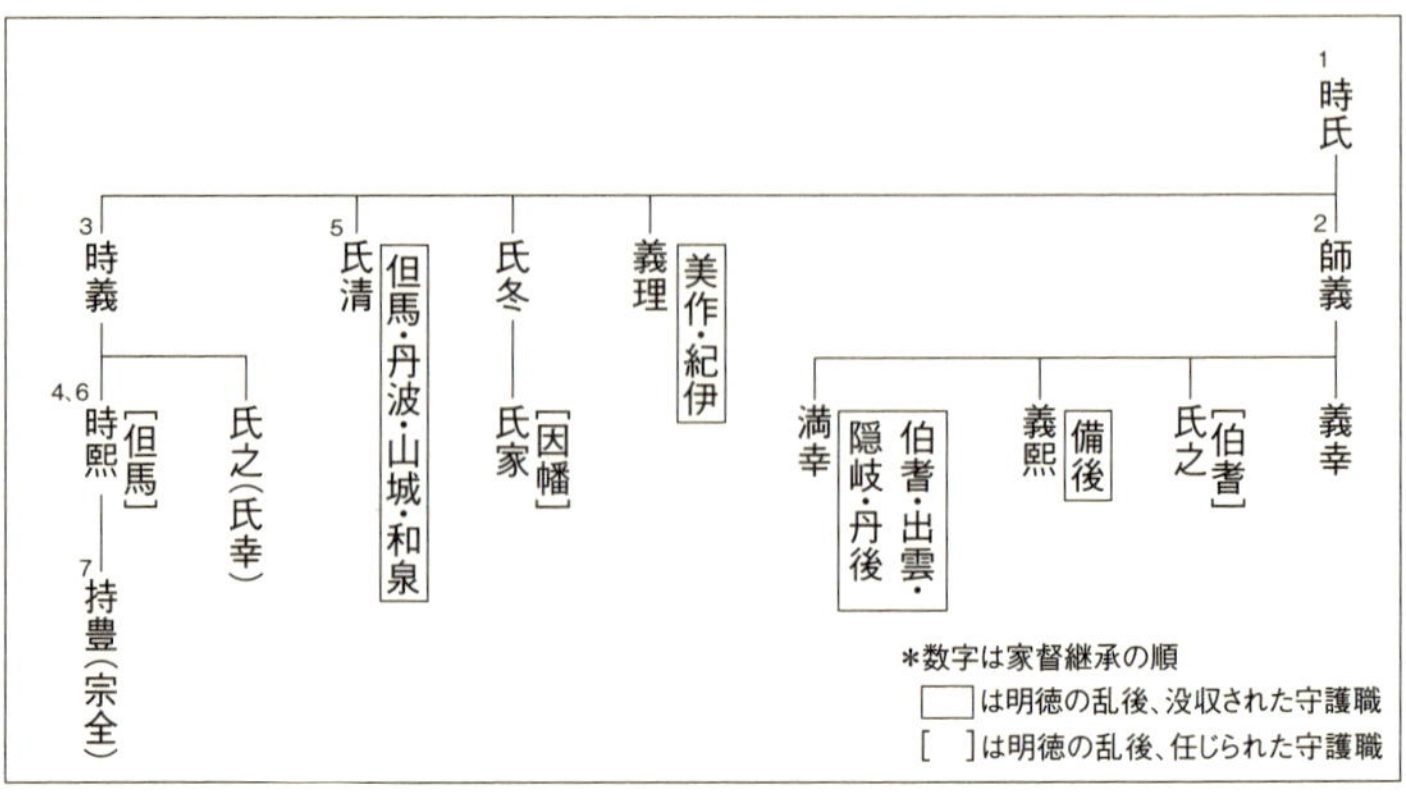

る。前章でみたように、足利直義《ただよし》派だった山名氏が幕府に帰順したとき、山名時氏《ときうじ》は丹波《たんば》・丹後《たんご》・因幡《いなば》・伯耆《ほうき》・美作《みまさか》の五か国の守護職を安堵《あんど》された。時氏の死後、これらの国々は時氏の子供たちに分けられ、やがて山名一族はさらに但馬《たじま》・和泉《いずみ》・紀伊《きい》・出雲《いずも》・隠岐《おき》・備後《びんご》の守護を獲得する。あわせて一一か国を握るにいたったのであるが、日本は六六か国から構成されているので、山名氏は「六分一衆《ろくぶのいちしゅう》」と呼ばれたという。

康応《こうおう》元年（元中六年〔一三八九〕）、山名氏嫡流の時義《ときよし》が亡くなった。義満は、一族内の対立に乗じて、庶流の氏清《うじきよ》と満幸《みつゆき》に命じて時義の息子の時熙《ときひろ》と氏之《うじゆき》（氏幸）を攻めさせた。もちろん、守護職は没収された。ところが義満は、上皇の所領を押領《おうりょう》したという罪で満幸を京都から追放し、一転して時熙と氏之支持にまわった。どうやら義満に利用されたにすぎないと悟った満幸は、山名一族を糾《きゅう》合《ごう》して義満と雌雄《しゆう》を決しようと考えたが、時すで遅く、一族は分裂を克服できなかった。氏清・満幸らは幕府軍と京都の内野《うちの》で戦い、敗れた。その結果、山名一族の手もとに守護職が残った国は、わずかに但馬・伯耆・因幡の三か国だけとなってしまった。これを明徳《めいとく》の乱《らん》という。

南北朝合一

土岐《とき》氏や山名《やまな》氏の勢力削減に成功し、のちに述べるように北朝にわずかに残された権限も接収しつつあった足利義満《あしかがよしみつ》は、明徳《めいとく》三年（元中《げんちゅう》九年〔一三九二〕）閏《うるう》一〇月、南北両朝の合一にこぎつける。義満は、交渉の窓口となった大内義弘《おおうちよしひろ》を通して、南朝方につぎの三条件を示した。

一、三種の神器《じんぎ》を「御譲国《ごじょうこく》の儀《ぎ》」によって後亀山《ごかめやま》から後小松《ごこまつ》に渡す。
二、今後は後亀山流と後小松流の両統《りょうとう》が交互に皇位につく。
三、諸国国衙《こくが》領は後亀山流の、長講堂《ちょうこうどう》領は後小松流の進止《しんし》とする。

一の「御譲国の儀」を執ることは、後亀山が天皇だったことを北朝が承認することになる。二は、要するに両統迭立《てつりつ》原則で、鎌倉時代の皇位継承方式が復活・維持されることを意味する。三は、武士によって地方支配の実権が握られている当時、国衙領にどれほどの意味があったのかという疑問もあるが、それは長講堂領（後白河院《ごしらかわいん》の持仏堂《じぶつどう》である長講堂の荘園群で、代々持明院統《じみょういんとう》が継承していた）とても大同小異であろうから、とりたてて南朝方に不利な条件というわけでもない。したがって、ここに提示された三条件は、南朝方に大幅に歩み寄ったものであった。

このような和平条件を北朝方は知らなかった、義満の独断で行なわれたのではないかという説があるが、その可能性が高いと思われる。そして義満には、最初から約束を守るつもりはなかったのだろう。少なくとも、北朝方に三条件の履行を迫った形跡はみられない。後亀山がどうしてこのような甘い話に乗ったのか、不思議としかいいようがないが、重臣たちを失って正常な判断力を失っていたのかもしれない。

後亀山は、一〇月二八日に吉野《よしの》を出て閏《うるう》一〇月二日に嵯峨《さが》の大覚寺《だいかくじ》に入る。天皇の正式な移動である行幸の形式が用いられ

◉貿易都市・堺のにぎわい
ここに描かれたのは一七世紀の住吉大社祭礼の様子。堺は、一四世紀にはすでに大内氏の貿易拠点として繁栄しており、一五世紀になると会《え》合衆《ごうしゅう》による自治も始まる。（『住吉祭礼図屏風《すみよしさいれいずびょうぶ》』）

たが、供奉《ぐぶ》した貴族や武士の数はごくわずかで、まことにわびしい帰京であった。三種の神器は三日後に後小松天皇のもとに移され、「御譲国の儀式」という約束は早くも反故《ほご》にされた。後亀山は、両統迭立の約束に一縷《いちる》の望みを託すほかなかった。

南朝が北朝に吸収されて七年後の応永《おうえい》六年（一三九九）、大内義弘が義満に討たれた。応永の乱である。大内氏は、周防《すおう》・長門《ながと》・石見《いわみ》・豊前《ぶぜん》の四か国に加え、明徳の乱後には和泉《いずみ》・紀伊《きい》の両国を得て強大化した。とくに貿易港である和泉の堺《さかい》を押さえて瀬戸内海航路の東西の端を掌握したことが、大きかった。建国まもない朝鮮王朝（李朝《りちょう》）とも独自の外交ルートをつくろうとしており、このような動向を義満は警戒したのである。

和泉・紀伊両国の守護職没収という挑発に乗せられて義弘は反旗を翻した。義満に不満を抱く今川了俊《いまがわりょうしゅん》、鎌倉公方《くぼう》の足利満《みつ》兼《かね》、山名氏清《うじきよ》の子の時清《ときよ》らを誘ったが失敗し、堺で戦死した。義弘の弟弘茂《ひろもち》は幕府方につき、周防・長門二か国の守護職を安《あん》堵《ど》された。この乱によって、幕府がみずから支配しようとする西の端までの平定が、ひとまず果たされた。

3

南都下向

先に足利義満《あしかがよしみつ》の諸国遊覧について簡単にみたが、そのうちの南都下向《なんとげこう》を少し詳しくてみておこう。義満は前後八回、奈良に赴く。明徳《めいとく》五年（一三九四）の場合、大納言《だいなごん》の万里小路嗣房《までのこうじつぐふさ》、広橋仲光《ひろはしなかみつ》、日野資教《ひのすけのり》、中納言の中山親雅《なかやまちかまさ》、参議の烏丸重光《からすましげみつ》の五人の公卿《くぎょう》、ほかに殿上人《てんじょうびと》が一一人、諸大夫《しょだいぶ》が二人、青侍《あおざむらい》（武士）が二人付き従い、三月一二日の朝六時頃に京都を発《た》った。午後三時前後に一行は奈良に着き、義満は興福寺《こうふくじ》の最大の院家《いんげ》である一乗院《いちじょういん》に入った。

その夜は、一乗院で延年《えんねん》が催された。延年とは寺院の法会《ほうえ》のあとに僧侶や稚児《ちご》によって行なわれたさまざまな芸能のことであるが、素人の演芸大会というわけではなく、高度で洗練された芸が華やかに演じられ、また美しく装った稚児が人びとを魅了する場であった。翌一三日は同じく一乗院で猿楽《さるがく》が上演されたが、演者は「観世三郎《かんぜさぶろう》」つまり、父の観阿弥《かんあみ》とともに能楽《のうがく》を大成した世阿弥《ぜあみ》であった。一四日の日中に義満は春日社《かすがしゃ》と東大寺《とうだいじ》参詣《さんけい》を遂げて、夜に興福寺の常楽会《じょうらくえ》（涅槃会《ねはんえ》）に臨んだ。一五、一六両日も

義満の南都下向

期間		用務
至徳2年（1385）	8月28日～9月1日	春日社参拝
明徳2年（1391）	9月15日～20日	春日若宮祭見物
明徳5年（1394）	3月12日～18日	興福寺常楽会見物
応永2年（1395）	4月17日～21日 9月14日～20日	春日社参拝 東大寺にて受戒
応永4年（1397）	10月2日～4日	春日社参拝
応永6年（1399）	3月9日～14日	興福寺供養列席
応永12年（1405）	3月22日～26日	春日社参拝

◉興福寺薪猿楽
暗くなってから篝火《かがりび》がともされ、火の明かりの下《もと》で行なわれるのでこの名前がある。旧暦の二月に大和四座が参勤して演じた。現在の薪能は五月。（『若宮御祭礼絵巻《わかみやごさいれいえまき》』）

常楽会に列席。一七日にふたたび東大寺に行き、「東大寺の宝蔵《ほうぞう》を開」き、興福寺に戻って大乗院《だいじょういん》で酒を「大飲」したという。こうして翌一八日に帰洛した。

それより注目されるのは、南都での義満のふるまいである。一五日、義満は夜が明けるか明けないうちに常楽会の桟敷に出た。まさかそんなに早くから義満が出かけるとは思っていなかった広橋仲光たちは驚きあわてて義満の桟敷に駆け付けたが、万里小路嗣房を通じて遅参者たちは「参上すべからず」と言い渡されてしまう。それでも仲光がおそるおそる推参《すいさん》したところ、先夜着用していた「練貫御狩衣《ねりぬきおんかりぎぬ》」を着てくることを条件に許された。そこで仲光は着替えてきて、義満の桟敷に戻った。日野資教、中山親雅以下にはこの日、ついに許しが出なかった。

この一件は、仲光たちの朝寝坊が原因というわけではないだろう。義満はわざと意表をついて早朝に行動を起こし、そして遅参を理由にして供の者たち

4

を突鼻《とつび》（勘当《かんどう》）したのである。それはおそらく、常楽会参会の僧俗に広く自分の力を誇示するためである。仲光が着替えてきた「練貫御狩衣」は「御狂言《ごきょうげん》の子細《しさい》」があったからだと、仲光の息子の兼宣《かねのぶ》は日記に記し、さらにその「色目《いろめ》」を注記している。詳しくはわからないが、先になんらかの理由で義満は仲光の衣服をからかうようなことがあった、そして「あれをまた着てきたら、許してやろう」などと言ったのではなかろうか。人びとの注視するなか、義満は大納言を右往左往させてその力を見せつけたのである。

義満が「東大寺の宝蔵」を開いたのも、同様の目的からであろう。この宝蔵とは正倉院《しょうそういん》のことと思われるが、そうならばそれは開閉に天皇の許可が必要な勅封《ちょくふう》の倉《くら》である。後年、奈良にやってきた織田《おだ》信長《のぶなが》は、正倉院を開けて名香木の蘭奢待《らんじゃたい》を切り取り、天下にその権力を誇示したが、その政治的デモンストレーションの原形はここにあるのだろう。

それだけでなく、義満は気前のよさも見せつけた。春日社には一万四二〇〇疋《ぴき》の銭《ぜに》と剣一振りや袍《ほう》（束帯《そくたい》や衣冠《いかん》の際に重ね着のいちばん外側に着る衣服）一具などを寄進した。一万四二〇〇疋は、一疋（一〇文）を一〇〇〇円として換算すると、一四二〇万円である。興福寺や東大寺な

5

◉蘭奢待
八世紀、聖武《しょうむ》天皇のときに遣唐使が持ち帰った香木。薫物《たきもの》に使う。「蘭奢待」の字の中には「東大寺」の三文字が隠されている。

どにも手土産はあったと思われるが、明徳五年の史料はないので、同二年の例によってみてみよう。このときには、興福寺一寺から義満に対して一〇〇〇貫《かん》の献上があったが、義満はそれをそのまま春日社の社殿造営に寄付した。それとは別に、一乗院から五〇〇貫の、大乗院から三〇〇貫の進上があったが、帰京後に義満はこれらに二〇〇貫を足して一〇〇〇貫とし、興福寺の塔婆《とうば》造営の費用として寄進した。東大寺からの三〇〇貫や同寺の東南院《とうなんいん》からの進上銭は、すべてそのまま東大寺の七重の塔婆建設のために寄付した。この年の場合、義満自身の持ち出しはそう多くないが、応永《おうえい》六年（一三九九）の興福寺金堂供養《こんどうくよう》には四五〇〇貫をぽんと出して金離れのいいところを見せている。折にふれて気前のよさを示すのは、威信と栄誉を獲得するために必要なことであった。

なお、将軍の力を直接的に強化するものとして、直轄軍の増強が考えられる。明徳《めいとく》の乱《らん》のとき、義満の「御馬廻《おうままわ》」り三〇〇〇騎が活躍したという。これが事実ならば、相当強大な直轄軍を室町将軍はすでに備えていたことになるが、以後も義教《よしのり》のころまで、必要に応じて畠山《はたけやま》氏や大内《おおうち》氏といった守護《しゅご》の軍勢が幕府軍のかわりとして行動していることからみて、義満の直轄軍はまだそれほど安定したものではなかっただろう。

花の御所

義満の貴族化

永和《えいわ》四年（天授《てんじゅ》四年〔一三七八〕）三月、足利義満《あしかがよしみつ》は三条坊門《さんじょうぼうもん》殿《どの》から北小路室町《きたこうじむろまち》（京都市上京区室町通今出川《いまでがわ》北《きた》のあたり）に造営中の新邸へ移った。近衛道嗣《このえみちつぐ》はその日記『後深心院関白記《ごしんじんいんかんぱくき》』（『愚管記《ぐかんき》』とも）に「伝え聞く、大樹《たいじゅ》（将軍のこと）今日花亭《かてい》に移徙《いし》（転居）の儀ありと云々」と書いたが、この「花亭」がいわゆる花の御所、室町殿《むろまちどの》である。室町幕府の名称はここに由来する。室町殿は、のちにはここに住む将軍をも指すようになる。永徳《えいとく》元年（弘和《こうわ》元年〔一三八一〕）に完成したこの豪邸に、義満は後円融《ごえんゆう》天皇をはじめ公卿《くぎょう》や殿上人《てんじょうびと》を迎えて手厚くもてなし、尊氏《たかうじ》や義詮《よしあきら》が深入りしなかった公家の世界へ本格的に進出していく。尊氏も義詮も朝廷では権大納言《ごんだいなごん》まで官を進めたが、公卿とは名ばかりで、節会《せちえ》などの朝儀《ちょうぎ》には参加しなかった。それに対して義満は、節会の内弁《ないべん》（儀式の責任者）だけでも一九

6

●将軍の御所
将軍の居宅は御所と呼ばれた。この図は一三代義輝《よしてる》のもので、三代義満の花の御所の旧地に建てられた。（『洛中洛外図屏風《らくちゅうらくがいずびょうぶ》』上杉本《うえすぎぼん》）

回つとめている。内大臣になってからは花押《かおう》も公家様《よう》のものをつくり、尊氏や義詮のような武家様の花押はやがて用いなくなった。

義満が淳和院《じゅんないん》および奨学院《しょうがくいん》の別当《べっとう》に任じられたことも彼の貴族化を示すものである。藤原《ふじわら》氏、橘《たちばな》氏、菅原《すがわら》氏、源《げん》氏などの例が比較的よく知られているが、貴族には氏長者《うじのちょうじゃ》という制度があった。氏のなかでいちばん官位の高い人物が、長者としてその氏の寺社の管理やその祭祀《さいし》、氏人の官位・官職の推挙、大学別曹《べっそう》の維持・運営などを行なう制度である。藤原氏の氏長者は時の摂政《せっしょう》・関白《かんぱく》と重なり、氏を代表して興福寺《こうふくじ》や春日社《かすがしゃ》を統括し、氏院の勧学院《かんがくいん》を監督した。源氏の場合、院政期以来、村上源氏《むらかみげんじ》の一流が優勢となり、氏長者を出しつづけて氏院の淳和・奨学両院の別当《べっとう》も兼ねてきた。足利氏は清和源氏《せいわげんじ》であるが、尊氏や義詮はこのような古くさい貴族の制度に関心をもたなかった。しかし、義満には貴族の世界で活動していくうえで有用なものとみえたのである。

義満にはもともと祖父や父と違った側面があった。尊氏や義詮の母は、武士の娘であったが、義満の母・紀良子《きのよしこ》は、石清水八幡宮《いわしみずはちまんぐう》の検校《けんぎょう》の娘で、その家系をさかのぼっていくと承久の乱《じょうきゅうのらん》(一二二一年)で佐渡《さど》に流された順徳《じゅんとく》天皇に行きつく。母の姉妹の紀仲子《なかこ》は後円融《ごえんゆう》天皇を産んでいるので、義満と後円融は従兄弟《いとこ》同士である。母親の家系が義満の意識と行動に影響を及ぼしていた可能性はあるだろう。

貴族の家礼化

足利義詮《あしかがよしあきら》の晩年には始まっていたかもしれないが、義満《よしみつ》は貴族たちを家礼《けらい》として組織していった。

家礼とは、本来家の長に対してその家の構成員がとるべき礼《れい》（座を退く、蹲踞《そんきょ》するなど）のことであるが、のちには摂関家《せっかんけ》を主家と仰いだ中下級貴族が摂関家に対してとった礼、またその貴族を指すようになった。要するに従者のことであるが、一方的な奉公を要求される家人《けにん》のような強い従属性はなく、御恩に対して奉公する双務的な関係である。義満は、訴えに応じて武士の所領押領《しょりょうおうりょう》を停止したり、守護使不入《しゅごしふにゅう》や段銭徴収免除《たんせんちょうしゅうめんじょ》、また過所《かしょ》（関所《せきしょ》の通行許可書）の特権を貴族に認めたりして御恩を付与し、家礼として編成していった。義満の施す恩は、将軍として自分が直接命令できる範囲にとどまらず、朝廷の世界にも及んだ。義満の口添えで訴訟を有利に展開し、あるいは所職・所領・役職を獲得し、あるいは官位を昇進させた貴族は多い。

家礼となった貴族は、義満から、たとえばつぎのような安堵《あんど》を受けた。

御家門《ごかもん》ならびに家領等の事、一円御管領《ごかんれい》相違あるべからず候なり。敬白。

応永三
三月十六日　　　　御判（義満）

中院大納言殿（久我通宣）

（『久我家文書《こがけもんじょ》』）

家門とは、建物としての家だけでなく、家財や道具、さらに父祖から伝えられた家の日記や菩提《ぼだい》寺《じ》などを含んだ概念である。それに家の所領を加えたものが、義満によって家督として認められた者に安堵されるのである。ここでは久我通宣が家門安堵を受けているのであるが、日付は父親の具《とも》通《みち》が亡くなった当日である。本来このような権限は、上皇や天皇に属するものであるが、義満がとってかわったのである。

将軍の年忌《ねんき》などに等持寺《とうじじ》で行なわれた法華八講《ほっけはっこう》に着座（列席）した公卿は、室町殿家礼と見なすことができるが、貞治《じょうじ》六年（正平《しょうへい》二二年〔一三六七〕）四月に着座したのは中納言が四人、参議が一人、前参議が一人の計六人にすぎない。ところが、義満が独り立ちを始める康暦《こうりゃく》以後（一三七九年〜）になると、貴族の家礼化が進行する。明徳《めいとく》元年（元中《げんちゅう》七年〔一三九〇〕）四月の法華八講には、関白二条師嗣《かんぱくにじょうもろつぐ》、左大臣・右大臣・内大臣の三人、大納言一〇人、中納言一〇人、参議五人の計二九人が着座した。これは公卿のほぼ全員であった。すでに、永徳《えいとく》三年（弘和《こうわ》三年〔一三八三〕）正月には、近衛道嗣《このえみちつぐ》が「近日左相《さしょう》（義満）之礼、諸家の崇敬君臣の如《ごと》し」と、貴族たちが義満に対してとる礼は臣下の者が君に対するがごとくであると、その日記に記しているが、誇張ではなかった。応永《おうえい》五年（一三九八）には関白二条師嗣の息子で権《ごん》大納言の道忠《みちただ》が、義満から「満」の字を与えられて満基《みつもと》と改名し、同一一年には九条経教《くじょうつねのり》の子が元服《げんぷく》して満教《みつのり》と名のった。一四世紀の末ごろには、貴族全体が義満の家礼と化していた。

足利義満の花押

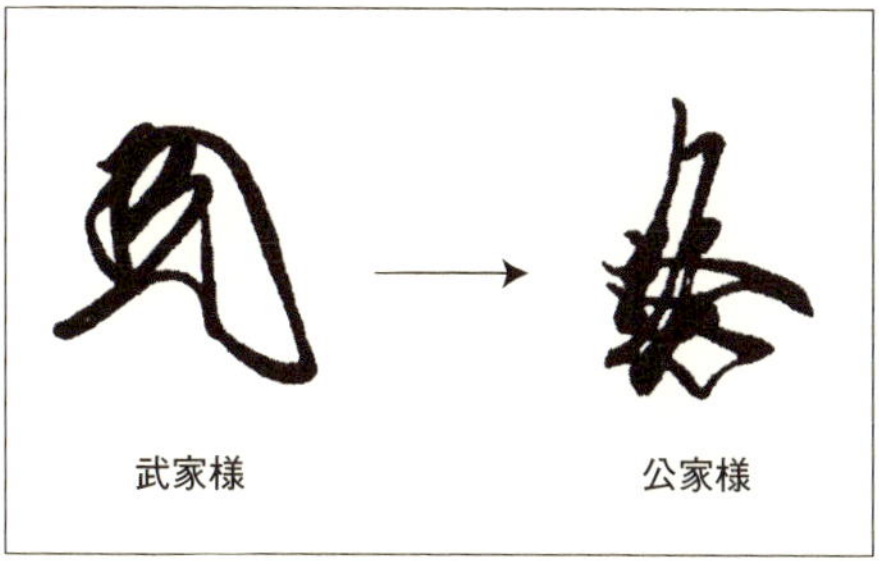

公武統一政権

そもそも足利尊氏《あしかがたかうじ》・直義《ただよし》が京都に幕府を置いたことは、公武一体化への第一歩であった。建武《けんむ》式《しき》目《もく》では「（北条《ほうじょう》）義時《よしとき》・泰時《やすとき》父子の行状」を「近代の師」とするとうたうと同時に、「遠くは延喜《えんぎ》・天《てん》暦《りゃく》」の聖代《せいだい》を模範とするとも述べている。しかし、尊氏・義詮《よしあきら》の二代は、武家として公家の世界にはあまり深入りしなかったし、北朝の行なう政務や裁判を否定したわけではない。一方、光厳《こうごん》院はまじめに院政に取り組んで北朝はそれなりに機能した。

しかし、公武のトップの意思や希望とは別に、北朝の弱体化は進行した。北朝の行なう裁判で負けた者が、武家に泣きついて再審を朝廷に要求してもらうようなことが、一四世紀の中ごろには「古今《ここん》の流礼《りゅうれい》」とされ、北朝の裁判権はしだいに独立性を失っていった。土地支配の面でも、北朝の力は後退する一方であった。上級貴族のもつ知行《ちぎょう》国、諸国の国衙《こくが》領や官司《かんし》の所領、貴族や寺社の家領《けりょう》や荘園は、武士の押領によってどんどん減少していった。前章でみた応安《おうあん》の半済令《はんぜいれい》（大法）が、貴族にとっては徳政令の意味をもったことは、武士の現地支配がいかに進行していたかを物語っているだろう。

支配領域を極小化しつつあった朝廷の最後の拠点は、お膝元《ひざもと》の京都で

7

◉伊勢神宮内宮正殿
式年遷宮のための費用は役夫工米《やくぶくまい》といい、諸国の大田文《おおたぶみ》に基づき、荘園、公領を問わず一国平均に賦課された。

あった。京都は、平安時代に新設された令外《りょうげ》の官《かん》である検非違使《けびいし》の支配下にあった。検非違使の別当《べっとう》（長官）は、現代でいえば東京都知事と警視総監を兼ねたような地位であるといわれるが、すでに鎌倉時代に検非違使は、警察権や刑事裁判権を幕府の侍所《さむらいどころ》に譲っていた。残されていた権限は民事裁判権と市内の行政権であったが、義満《よしみつ》の時代になってそれらの権限の接収も進み、明徳《めいとく》四年（一三九三）までには、それまで市中の商工業者に対して大きな力をふるっていた山門《さんもん》（比叡山《ひえいざん》）を抑え込み、土倉《どそう》・酒屋《さかや》に対する課税権を掌握した。

このように、幕府が朝廷の権能を接収して公武統一政権が実現されたといわれることに疑いを差し挟む余地はない。たしかに、幕府と北朝の力関係からいえば、そうとしか評価できないだろう。しかし、先にみたように、義満が公家としてふるまって積極的に朝廷の儀式や政務に参加していった様子を重視すると、奇妙なことに、将軍が公家になり、幕府が朝廷の一部局となる形で統一が成立したようにみえることも確かである。

鎌倉時代、朝廷には幕府との連絡・交渉の窓口となる関東申次《かんとうもうしつぎ》という役職があった。朝廷と幕府との連絡や交渉は、いわば外交であった。関東申次をつとめた西園寺《さいおんじ》氏は、室町幕府が成立したあとも引き続き武家《ぶけ》執奏《しっそう》として公武のあいだをとりもっていた。つまり、朝廷にとって幕府は依然として外にある存在だったのであるが、永徳《えいとく》元年（天授《てんじゅ》七年〔一三八一〕）五月をもって西園寺実俊《さねとし》は執奏の活動を停止する。これ以後、義満に対しては、ほかの公家と同様の連絡方法がとられるようになる。つまり、義満や幕府が内なる存在となったのである。

またつぎのようなことも指摘できる。鎌倉幕府は財政が逼迫《ひっぱく》した朝廷に、朝儀を遂行するための費用を「御訪《おとぶらい》」として献上した。「御訪」は、いわば厚意に基づく贈与である。義務ではないし、もちろん朝廷の下部機構として費用を調達し納入したわけでもない。ところが一四世紀の後半になって、朝儀や寺社造営のための費用は、幕府によって段銭《たんせん》として諸国に一国平均に賦課《ふか》・徴収されるようになった。これはふつう、幕府による段銭の賦課・免除権の掌握、朝廷権限の接収と見なされることであるが、見方を変えれば、朝儀や寺社造営のための費用の調達や責任を、幕府が負わされるようになったともいえよう。

後醍醐《ごだいご》天皇の建武《けんむ》政権は、幕府を倒して朝廷の機構に少なからぬ変更を加え、公家も武家も天皇のもとに再編成するものであった。それに対して義満の統一政権には、将軍の公家化、幕府の朝廷への接近という現象がみられる。しかしそれはむしろ、幕府の側が圧倒的に優位な立場を確保していたからこそ可能になったことであり、朝廷が幕府を引き寄せたわけでも吸収したわけでもない。義満は公家としてふるまい、朝儀や寺社造営を支えることにより、政権統一に対する朝廷・公家側の抵抗を弱めたのであろう。

王の祈り

公家の家礼《けらい》化や朝廷権限の接収と並行して、足利義満《あしかがよしみつ》は祈禱《きとう》の面でも王者としての行動をとりはじめる。

前近代の社会では、多かれ少なかれ政治と宗教は相互にかかわっており、いわば政教未分離の状態がふつうなのである。日本では天皇が王として国家の安泰《あんたい》や国民の安寧《あんねい》などの祈りを行なってきた。たとえば、正月の八日から一四日にかけて宮中で行なわれた顕密《けんみつ》仏教の御斎会《ごさいえ》や後七日《ごしちにち》の御修法《みしほ》がそうである。御斎会は大極殿《だいごくでん》で行なわれる顕教《けんきょう》の法会で、八世紀後半に始まった。この行事には南都の僧が上洛して従事し、国家安寧を祈った。後七日の御修法は九世紀前半に始められた密教《みっきょう》の祈禱で、真言院《しんごんいん》を会場として東寺《とうじ》長者が主催し、玉体安穏《ぎょくたいあんのん》・国家鎮護が祈られた。両法会の最終日の一四日は、顕教と密教の僧たちが合流して天皇の御前で内論議《うちろんぎ》が行なわれた。これらに加えて、九世紀なかばから始まった大元帥法《たいげんのほう》も、治国や平和などを祈る国家的な祈禱であった。

天皇が主催したこれらの法会のうち、御斎会は一四世紀なかばまで、後七日の御修法は一五世紀なかばまで、大元帥法は一五世紀後半まで行なわれた。応仁《おうにん》・文明《ぶんめい》期のころ（一四六七〜八七）を境にして戦国時代になるという考えが有力であるが、天皇の国家的祈禱権は、戦国大名が各地に生まれて、いわば小

8

◉**護摩壇で祈禱する僧侶**
第一章で触れた関東調伏《ちょうぶく》を祈願する、文観《もんかん》と円《えん》観《かん》が描かれている。壇を複数設けて行なわれる「大法」もあった。（『太平記《たいへいき》絵《え》巻《まき》』）

国王が各地に林立するようになるころまで存続したのである。

そのような天皇の行なう祈禱に対して、応永《おうえい》七年（一四〇〇）以降、義満は北山殿《きたやまどの》で毎月七日間、密教の祈禱を行なうようになった。密教の祈禱には、臣下の者が勝手に行なってはならないとされていたものがある。たとえば、先の大元帥法は「公家（朝廷、天皇）に非《あら》ずば、修せざる法なり」（『古事談《こじだん》』）といわれた。鎌倉時代に西園寺《さいおんじ》公衡《きんひら》が厄年《やくどし》の災いを除くために普賢延命法《ふげんえんめいほう》を自邸で行なおうとしたとき、この法は大法《だいほう》であるから「臣下この法を修するの条、先例なし」と、真言宗を統率した仁和寺《にんなじ》御室《おむろ》からストップがかかっている。もっともこれを不服とする公衡は、臣下の者が普賢延命法や七仏薬師法《しちぶつやくしほう》などの大法を修した先例を一〇も集めているので、時の権臣《けんしん》が大法を執行することはままみられたようである。

義満は、そのような僭越《せんえつ》や逸脱を意識的、恒常的に行なったようである。家礼の広橋兼宣《ひろはしかねのぶ》によれば、それは「私事に非ず。朝家のために」であったという。祈禱に費やされた費用は莫大《ばくだい》で、動員された僧侶らも各寺の最高クラスの高僧たちであった。義満の祈禱が盛大であればあるほど、天皇が宮中で行なう法会や祈禱は色あせていった。

密教の祈禱と並行して、義満は陰陽師《おんようじ》に命じて陰陽道祭《おんようどうさい》も行なった。義満に登用された安倍有世《あべのありよ》は、自邸で三万六千神祭《さんまんろくせんじんさい》、天曹地府祭《てんそうちふさい》、泰山府君祭《たいざんふくんさい》を執り行ない、義満個人の除災や長命などとともに国家や社会の平和や繁栄を祈った。

皇位簒奪計画

摂関《せっかん》をも家礼《けらい》とし、王者として祈り、あとでみるように対外的には「日本国王」と名のった足利《あしかが》義満《よしみつ》は、皇位をねらっていたという見方が古くからある。私も、そう考えるのに十分な根拠があると思う。

応永《おうえい》元年（一三九四）の年末に太政大臣《だいじょうだいじん》になったころから、義満は諸卿《しょきょう》に対して上皇としての礼や対応を要求するようになる。関白一条経嗣《いちじょうつねつぐ》は、応永二年正月の義満太政大臣拝賀《はいが》のお供をするために室《むろ》町殿《まちどの》に向かったが、このとき経嗣は院に対するようにふるまった。じつはこれは義満のほうから求めたものではなく、経嗣の申し出を義満側が受け入れたのであるが、経嗣が義満の要求を察知してとった行動である。経嗣は、これ以後もこのような損な役まわりをつとめることになる。

応永一三年一二月二七日、後小松《ごこまつ》天皇の母親である通陽門院《つうようもんいん》（藤原厳子《ふじわらのいずこ》）が亡くなった。これによって後小松は一年間母親の喪《も》に服す諒闇《りょうあん》の儀となるはずであったが、一代に二度の諒闇は避けるべきだと義

9

◉僧体の足利義満　『難太平記《なんたいへいき》』によると大内義弘は今川了俊に、義満は「弱い者をちょっとした罪で罰し、強い者は上意に背いても許す。それは皆が知っている」と語ったという。

満は主張した。諒闇を避けるためには天皇の母が存命だという形を整えればよい。義満の意図は、天皇家には准母《じゅんぼ》として後小松の母親に擬すことができる女性はいない、自分の室の日野康子《ひのやすこ》を後小松天皇の准母にしようというところにあった。康子が天皇の母になれば、当然その夫である義満は天皇の父という立場になる。准母には「誰がいいだろうか」という義満の諮問に、経嗣は「南御所《みなみごしょ》(康子)に准三后宣下《じゅさんごうせんげ》をし、御准母とするのにどのような問題がございましょうか」と答えた。それに対して義満は、「たいへん恐れ多いことである。もう少し考えさせてくれ」と上機嫌で応じた。あまりの追従ぶりに自己嫌悪に陥った経嗣は、「ああ悲しいかな、悲しいかな」と日記に書き残している。翌応永一四年に康子は院号宣下《いんごう》を受けて北山院《きたやまいん》となった。天皇の夫人あるいは皇族以外で女院《にょいん》となったのは、あとにも先にも日野康子だけである。

みずからは法皇(応永二年出家)の格まで昇りつめ、夫人は女院となった義満のつぎの関心は、次男の義嗣《よしつぐ》であった。義嗣は先に三千院門跡《さんぜんいんもんぜき》に入室しており、比叡山延暦寺《ひえいざんえんりゃくじ》の僧侶となる予定であったが、それを義満は取り戻して康子のもとに置いて偏愛した。義満は、応永元年に将軍位を元服《げんぷく》した長男の義持《よしもち》に譲っていたが、義持とはあまり反《そ》りがあわなかった。しかし、義持にかえて義嗣を将軍にしようと考えたわけではなく、義持はそのまま武家の棟梁《とうりょう》としておき、義嗣を公家のトップにしようとしたと思われる。応永一五年の二月から四月にかけて、義満は異例の作法と異常な速さで義嗣を公家社会に押し出していく。

まず二月には童殿上《わらわてんじょう》を遂げさせる。童殿上とは公卿《くぎょう》などの子が元服前に昇殿を許されて天皇に仕えることで、平安時代後期の藤原忠実《ふじわらのただざね》の先例によった。次いで三月四日には元服前であるにもかかわらず従五位下に叙された。これは義満の例によった。八日から二八日にかけて、後小松天皇が北山殿《きたやまどの》に行幸した。これは方違《かたたが》えの儀という名目であったが、天皇が正月に父母のもとに参上する朝覲行幸《ちょうきんぎょうこう》としての性格をみることもできる。この行幸中に義嗣は童形《どうぎょう》のまま関白以下の諸卿の上に座を占め、後小松から親しく盃を賜わり、笏《しゃく》を用いた。そして二四日には正五位下左馬頭《さまのかみ》に、還幸《かんこう》の日の二八日には従四位下に昇進し、二九日には参内して左近中将《さこんのちゅうじょう》に任じられた。そして翌四月二五日、内裏で親王の儀に準じて元服を遂げ、従三位参議となった。従五位下からわずか二か月たらずで公卿となったのである。まことに尋常ならざる昇進ぶりである。

このようなことから、義満は義嗣を公家のトップに、そしてさらには天皇の位につけようと計画したのだという推測が出てくるのである。すでに鎌倉時代に、皇位は持明院統《じみょういんとう》と大覚寺統《だいかくじとう》のあいだを行き来し、その後北朝のなかでも後光厳流《ごこうごんりゅう》と崇光流《すこうりゅう》の対立があった。王など要《い》らぬと言い放った高師直《こうのもろなお》などは極端としても、天皇の地位や存在が絶体的で神聖不可侵である、万世一系でなければならないなどという観念は、当時共有されていなかったのではなかろうか。義満がひそかに皇位簒《さん》奪《だつ》の計画をあたためていた可能性は十分あると思われる。

しかし、義嗣の驚異的な昇進もそこまでだった。義嗣元服直後から体調のすぐれなかった義満は、応永一五年五月六日、あっけなく亡くなった。五一歳であった。

東アジアのなかで

「日本国王良懐」

一三六八年、大陸では朱元璋《しゆげんしよう》（洪武帝《こうぶてい》）が元《げん》を北へ追い、明《みん》を建国した。洪武帝は周辺諸国の長に使者を派遣して建国を告げ、答使《とうし》を要求した。日本へは一一月に使者を派遣したが、この使者は途中で賊に殺されてしまい、洪武帝の詔書《しようしよ》も失われた。

翌年の二月、あらためて楊載《ようさい》ら一行七人が日本へ送られた。このときの洪武帝の詔書の内容は、明の建国を通告し、倭寇《わこう》の禁圧および日本の国王が臣下として明の皇帝に従うことを表明する「表《ひよう》」の進上を要求する、などであった。要求に従わない場合は、日本に軍隊を送って「その王を縛る」との威嚇《いかく》も記されていた。

明の使者は、昔から大陸との窓口である大宰府《だざいふ》にやってきた。そこにいたのは、後醍醐《ごだいご》天皇の皇子・懐良《かねよし》親王である。懐良は、楊載ともうひとりを残してほかの五人を殺した。明の使者は、旅の途中はいうまでもなく、目的地においても危険にさらされていたのである。あらためて時代の殺伐《さつばつ》さを思い知らされる。楊載らはしばらく拘留されたあと釈放されて明に帰国した。

応安《おうあん》三年（建徳《けんとく》元年〔一三七〇〕）三月、洪武帝は三度目の使者として趙秩《ちようちつ》に楊載を添えて懐良のもとへ送ってきた。懐良は、その名を聞いて、趙秩を文永《ぶんえい》の役《えき》に元《げん》の使者であった趙良弼《ちようりようひつ》の子孫ではないかと疑い、これを斬ろうとした。しかし、趙秩の文字どおり懸命の説得を容《い》れ、臣下として「表」をしたため、僧祖来《そらい》にこれを託して明へ派遣した。趙秩、祖来らは翌年の一〇月に明の都の南《ナン》京《キン》に到着した。

洪武帝は祖来のもたらした表を受け入れ、懐良を日本国王と認めた。これ以後、懐良は「日本国王良懐」として明の史料に何度か登場する。なぜ「懐良」が「良懐」とひっくり返って伝わったのかは不明である。明側は、京都に持明院統《じみょういんとう》の天皇がいること、懐良は九州地方を掌握する反持明院統の親王にすぎないことなどを知っていたはずであるが、あえて彼を日本国王と認定したのである。倭寇を取り締まる力をもつ者であれば、日本国王と認める用意があったのであろう。こうして懐良は、明皇帝臣下の「日本国王」として、場合によっては明から軍事的な援助も期待できる存在になったのである。

応安五年（文中《ぶんちゅう》元年）五月、懐良を日本国王に封《ほう》じる冊封使《さくほうし》が博多にやってきた。ところがちょうどこのとき、このあたりは征西府《せいせいふ》を攻撃するために集結した今川了俊《いまがわりょうしゅん》の軍勢で埋まっていた。仲猷祖闡《ちゅうゆうそせん》、無逸克勤《むいつこくごん》の二人を中心とする明使の一行は、

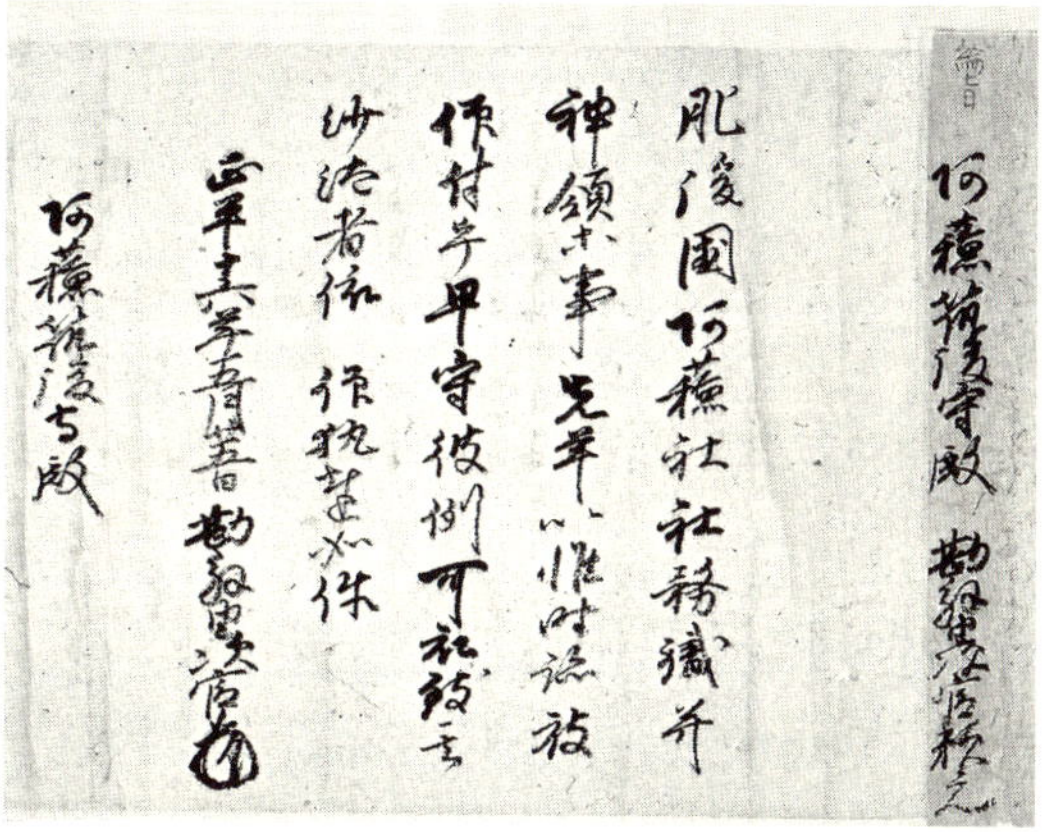

10

◉懐良親王令旨
大宰府《だざいふ》に入る直前の懐良の令旨。阿蘇惟澄《あそこれずみ》に阿蘇社の社務職《しゃむしき》と神領《じんりょう》などを安堵《あんど》した。親王の仰せを奉している「勘解由次官《かげゆのすけ》」は、吉野から懐良に供奉《ぐぶ》してきた五条頼元《ごじょうよりもと》。

了俊の軍勢に捕まってしまう。九州の情勢変化を見てとった使者は、懐良に宛《あ》てられた洪武帝の詔書を隠し、急遽《きゅうきょ》交渉相手を北朝方に変更した。

しかし了俊は、使者らが北朝の天皇に伝達すべき明皇帝の詔書を持っていないことに疑問をもち、博多の聖福寺《しょうふくじ》に拘留する。これは一年にも及んだ。翌応安六年（文中二年）、ようやく幕府から上洛許可が出て、使者らは六月末に京都に入った。幕政をとる細川頼之《ほそかわよりゆき》らは対外関係に慎重で、やはり詔書がないことに疑問をもっていたが、一六歳になって頼之から自立する気運を見せはじめていた足利義満《あしかがよしみつ》の意向が通ったと思われ、答使派遣が決定した。

幕府は最初の遣明使《けんみんし》を、八月末に明使に同行させて派遣する。これに倭寇に拉致《らち》された明や高麗《こうらい》の民一五〇名、また明への渡航を希望していた僧侶七一名を同行させた。明人、高麗人の護送は、倭寇を取り締まる能力があることを明にアピールしたものである。

しかし洪武帝は、義満を「国臣」として交渉相手とは認めなかった。義満に対しては、皇帝の詔

11

◉**遣明船**

大型の船ならば、一五〇人程度が乗船した。和船の造船技術は、この時代に飛躍的に発展した。（『真如堂縁起《しんにょどうえんぎ》絵巻《えまき》』）

書ではなく、中書省《ちゅうしょしょう》からその「傲慢無礼《ごうまんぶれい》」を非難する文書が出された。皇帝は懐良が大宰府から追われたという報告を受けたが、依然として懐良を「日本国王」として認めつづけたのである。明と通交できるのは、「日本国王」に冊封された懐良だけであった。

琉球王国

使者祖来《そらい》を伴い、懐良《かねよし》親王が洪武帝《こうぶてい》に奉った上表《じょうひょう》を明《みん》に持ち帰った趙秩《ちょうちつ》一行のなかに、楊載《ようさい》の姿はなかった。このとき楊載は、琉球《りゅうきゅう》に向かっている。

琉球の歴史は、日本本土とは異なる経過をたどった。本土でいう平安時代まで、琉球は先史時代と呼ばれる、ゆったりとした時代を過ごした。一一世紀から一二世紀になると、本格的な農耕が行なわれるようになり、貧富の差や階級が生じ、グスクが各地につくられるようになる。グスクは、本土の山城《やまじろ》の土塁や堀切《ほりきり》、あるいはのちの戦国時代の城壁のような囲いをもった施設のことで、一種の聖域《せいいき》、住居、あるいは城塞《じょうさい》と考えられている。各地で頭角を現わしてきた按司《あじ》（領主）が、グスクを中心としてその地方を治めた。一三世紀には大型のグスクも出現して、有力な按司のもとへ周辺の勢力は統合されていった。

一四世紀中ごろには、琉球は大きく三つの地域勢力に分かれていた。今帰仁《なきじん》グスクを中心とする山北《さんほく》（北山《ほくざん》とも）、浦添《うらぞえ》グスクに拠《よ》った中山《ちゅうざん》、それに島尻大里《しまじりおおざと》グスクの山南《さんなん》（南山《なんざん》とも）である。三山《さんざん》には大陸から大量の陶磁器などが運ばれてきており、中国の商人である華僑《かきょう》が、琉球をアジアの広域的な交易ネットワークのなかに導きつつあった。

楊載は九州で琉球のことを聞き、趙秩と別れて琉球をめざした。楊載は三山のうち最大の勢力を誇った中山に到着し、そこでおそらく根まわしをして、福建《ふっけん》経由で南京《ナンキン》に帰り、洪武帝に琉球のことを報告した。福建のはるか東の海上に新しい国が成立しつつあることを知った洪武帝は、みずからが頂点に立つ東アジア世界のなかに琉球諸島を組み込むことを望み、楊載に再度琉球に赴いて進《しん》貢《こう》を求めることを命じた。先の日本への任務とあわせると、楊載にとっては三度目の渡海であった。

一三七二年、楊載はふたたび中山にやってきた。今度は入貢を促す正式な使者としてである。すでに準備はできていたので、中山王察度《さっと》はただちに明に使者を派遣した。洪武帝は察度からの表《ひょう》と方物《ほうぶつ》を受け入れ、明の暦である大統暦《だいとうれき》と絹織物である「織金文綺《しききんもんき》沙羅《さら》」を下賜《かし》し、察度を「琉球国中山王」として冊封《さくほう》した。

察度はしかし、「琉球国王」として冊封されたわけではない。察度につづいて、一三八〇年には山南王が、一三八三年には山北王が冊封されて、三山の王がすべて明によって認められることになった。琉球には統一国家がない、いいかえれば、三つの国がある、それぞれの首長を各小国家の王として認める、こういう冊封もありえたわけである。

三山の王たちは、明から優遇されて積極的に入貢を繰り返した。洪武年間（一三六八～九八）に中山王は三二回、山南王が一三回、山北王が一二回の入貢を重ねた。中山王は一年に一度以上の、山北王と山南王も三年に一度以上の進貢である。これは、明皇帝からの下賜品や入貢に伴って行なわれる交易が莫大《ばくだい》な利益をもたらしたからである。

しかし、進貢の実績は、王たちの地位まで保証してはくれなかった。一四〇六年、山南王配下の佐敷《さしき》按司《あじ》の尚思紹《しょうししょう》・巴志《はし》父子が中山王の武寧《ぶねい》（察度の息子）を攻めてこれを滅ぼし、思紹が中山王となった。思紹はみずからを武寧の跡継ぎと称して明に上申し、冊封を受けた。明の冊封を受けた中山王にとってかわったと公言することは、さすがにはばかられたのだろうが、明はすんなりこれを認めた。思紹は中山の拠点を浦添《うらぞえ》から首里《しゅり》へ遷《うつ》し、ここに第一尚氏王朝が始まった。

思紹はさらに一四一六年に山北を攻めて滅亡させ、これを併合した。その後、息子の尚巴志が第二代の王となった。尚巴志は、一四二九年、山南を攻めて併合し、ここにひとりの王によって統合された琉球王国が成立し、首里城が多数のグスクの頂点に立つことになった。このあと、琉球は、東アジアの中継貿易地として興味深い歴史をたどることになるが、その国際社会への登場は明の成立や政策と深くかかわっており、日本の南北朝の動きとも無関係ではなかったのである。

◉今帰仁グスク（沖縄県今帰仁村） 山北王城。沖縄諸島に広く分布するグスク（城）の規模はさまざまであるが、これは巨大グスクのひとつ。一四世紀なかばには、正殿《せいでん》が掘立柱《ほったてばしら》から基壇礎石をもつものに発展した。

祖阿・肥富

細川頼之《ほそかわよりゆき》らの反対を押し切って明《みん》との通交を試みて失敗した足利義満《あしかがよしみつ》は、康暦《こうりやく》二年（天授《てんじゅ》六年〔一三八〇〕）九月にも「日本《にほん》征夷将軍源義満《せいいしょうぐんみなもとのよしみつ》」と名のり、僧侶二人を使者として明に送り、方物《ほうぶつ》を献上した。しかし洪武帝《こうぶてい》は、上表《じょうひょう》がないのでこれを退けた。義満はこの後約二〇年間、国内経営に専念することになる。その間に、すでにみたように、土岐《とき》氏の乱《らん》、明徳《めいとく》の乱、南北朝の合一《ごういつ》、応永《おうえい》の乱などがあり、義満は准三后《じゅさんごう》、太政大臣《だいじょうだいじん》、さらに出家して法皇の格・待遇を得るようになっていた。

ところで、義満が明に二度目の接近を試みた少し前に、九州の懐良《かねよし》親王はどうやら明国内の陰謀事件に関係したらしい。明の中書左丞相《ちゅうしょさじょうしょう》（首相相当）が、元《げん》の残党勢力や日本の勢力を巻き込んだ陰謀を企て、それに呼応していたのである。明でそのことが数年後に露見し、一三八六年、明は日本と断交した。懐良はその三年前にすでに筑後《ちくご》で没していた。

応永《おうえい》八年（一四〇一）五月、義満は二〇年ぶりに使節を明に送って通交を試みた。正使は義満側近の同朋衆《どうぼうしゅう》のひとりと思われる祖阿《そあ》、副使は博多商人と推測される肥富《こいずみ》であった。つぎに掲げるのが、

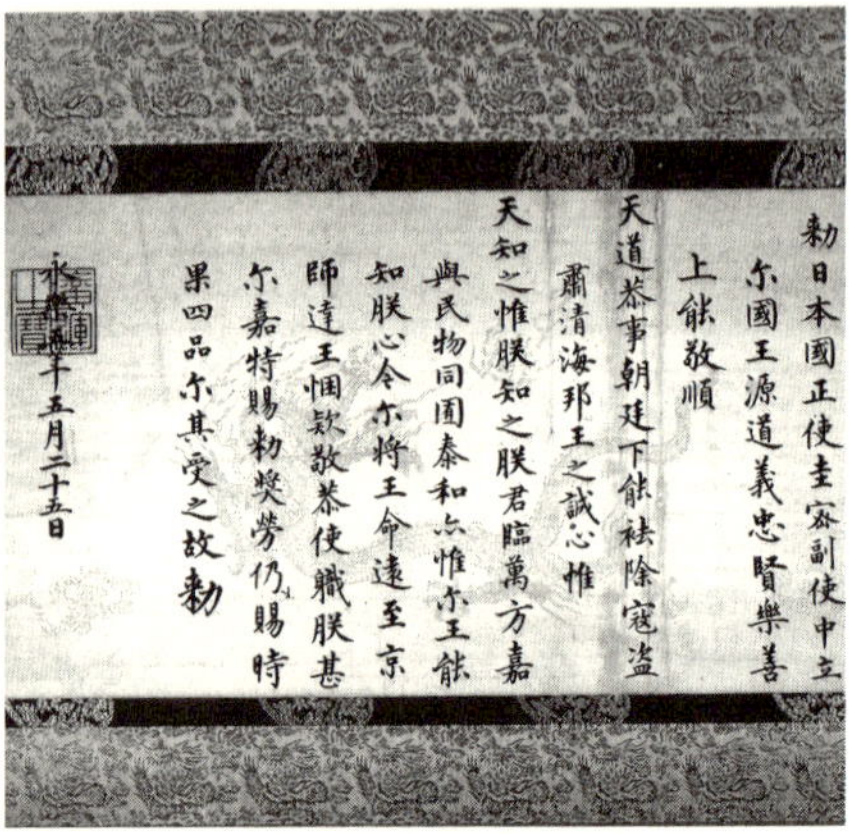
勅日本國正使圭密副使中立
尓國王源道義忠賢樂善
上能敬順
天道恭事朝廷下能袪除寇盜
肅清海邦王之誠心惟
天知之惟朕知之朕君臨萬方嘉
與民物同囿泰和亦惟尓王能
知朕心令尓將王命遠至京
師達王悃款敬恭使職朕甚
尓嘉特賜勅奬勞仍賜時
果四品尓其受之故勅
永樂五年五月二十五日

12

◉明皇帝・成祖（洪武帝）の勅書
「天道」を敬い、「（明の）朝廷」に仕え、「寇盗（倭寇）」の取り締まりに功績のあった「国王源道義」の正・副使である圭密《けいみつ》と中立《ちゅうりつ》に、時果（季節の果物）を四品下賜したとある。永楽五年は一四〇七年。

彼らが携えていった義満の書簡である。

日本准三后道義《どうぎ》、書を大明皇帝陛下に上《たてまつ》る。日本国は開闢《かいびゃく》以来、聘問《へいもん》（訪問すること。外交）を上邦に通ぜざるはなし。道義幸いに国鈞《こくきん》（国政）を秉《と》り、海内《かいだい》（国内）に虞《おそれ》なし。特に往古の規法に遵《したが》いて、肥富をして祖阿に相副《あいそ》え、好《よし》みを通じ、方物（土産）を献ぜしむ。金千両・馬十匹・薄様《うすよう》（和紙）千帖・扇百本・屛風《びょうぶ》三双・鎧《よろい》一領・筒丸《どうまる》（鎧の一種）一領・剣十腰・刀一柄・硯筥《すずりばこ》一合・文台《ぶんだい》一箇。海島に漂寄《ひょうき》せる者幾許人《いくばくにん》を捜し尋ねてこれを還《かえ》す。道義誠惶誠恐頓首頓首謹言《どうぎせいこうせいきょうとんしゅとんしゅきんげん》。

応永八年五月十三日

（『康富記《やすとみき》』応永八年五月十三日条）

これを受け入れて、時の明皇帝である建文帝《けんぶんてい》はただちに義満を冊封《さくほう》した。建文帝は一四〇二年二月六日付の詔書のなかで、義満を「日本国王源道義」と呼び、海を越えて使者を派遣してきたこと、倭寇《わこう》によって拉致《らち》された者を護送したこと、および方物の献上を多《た》とし、大統暦《だいとうれき》と錦綺《きんき》の下賜を告げ、倭寇の禁圧などを要求した。義満はこの詔書を同年九月五日、北山殿《きたやまどの》でことさらにうやうやしく威儀を整えて受け取った。そして今度は「日本国王臣源」と名のって上表をしたため、明に帰国する使者に同行させて禅僧《ぜんそう》を派遣した。

ただし、このとき明の情勢は混沌《こんとん》としていた。建文帝はその叔父《おじ》に帝位を脅かされていたのである。それで義満は使者の禅僧に、建文帝宛《あて》とその叔父宛の二通の国書を持たせた。使者が明にいたったとき、危惧《きぐ》されたとおり建文帝はすでになく、その叔父が永楽帝《えいらくてい》として即位していた。義満の使者は、新帝を祝う使いとしてそつなくふるまい、義満は永楽帝によって「日本国王」として認められた。こうして日本も明を中心とする東アジアの国際秩序のなかに、その席を得たのである。

倭寇と朝鮮半島

朝鮮半島の高麗《こうらい》も明《みん》によって冊封《さくほう》されたが、高麗を悩ませていたのが倭寇《わこう》である。倭寇は一四世紀なかばに起こったとされており、一五世紀初頭までの前期倭寇と一六世紀の後期倭寇とに分けて考えられている。ここで問題となるのはもちろん前期倭寇である。

倭寇といえば、すぐに思い出すのが東京大学史料編纂所《しりようへんさんじよ》が所蔵する『倭寇図巻《わこうずかん》』である。ここに描かれた倭寇は後期倭寇で、中国沿岸部での活動が描かれているが、図像史料の印象は強烈で、私はこの図巻から倭寇全般のイメージを勝手につくりあげていた。ここには、小さな船にみすぼらしい格好の男たちがあふれんばかりに描かれていて、彼らは兜《かぶと》をかぶり鎧《よろい》をつけ、きちんと武装した一隊と長柄《ながえ》の鑓《やり》で戦っている。おそらく船は、男たちの戦いをきわだたせるために実際より小さく描かれたのだろうが、この絵から私が描いた倭寇は、機動的な小船に乗って朝鮮半島や中国沿岸の村に数艘《そう》で着け、足軽《あしがる》のように疾駆《しつく》して家や倉を襲い、陸上側の組織的な反撃が始まる前にさっと戻っていく、ゲリラ的な海賊であった。しかし倭寇の襲撃は、その程度のものではなかったようだ。

一三七七年は倭寇の活動がピークに達した年であった。『高麗史《こうらいし》』によると、倭寇の活動は東北部を除くほぼ朝鮮半島の全域に及んでいる。さらに、その行動は沿岸部に限定されず、半島の内陸部でもみられる。規模は、数艘にとどまらず、五〇艘、一三〇艘、二〇〇余艘ということもあった。五月に倭寇が陽動作戦をとって首都開城《ケソン》をうかがったことにみられるように、その戦いは組織的であり、また身軽に疾駆する「足軽」のイメージでのみとらえられるものではなく、騎馬のこともあった。馬は駄馬（荷馬）としても必要だっただろう。このような倭寇の活動によって朝鮮半島は戦乱状態に陥れられ、社会全体が危機に瀕《ひん》していたとみることができる。

これらの倭寇の根拠地としては、対馬《つしま》、壱岐《いき》、五島《ごとう》、済州島《チェジュド》などがあげられる。かつて倭寇は倭の海賊、つまり日本人といわれていたが、むしろ日本人は少ないという史料さえある。

臣聞く、前朝（高麗）の季《すえ》、倭寇興行し、民聊生《りょうしょう》せず（生きる頼りがない）。然《しか》るに其の間倭人《わじん》は一、二に過ぎずして、本国の民、仮に倭服《わふく》を着して、党を成し乱を作《な》すと。

（『朝鮮世宗実録』二十八年十月壬戌条）

倭寇の勢力範囲

倭人は一、二割にすぎず、高麗の民が大半だという。これは高麗の滅亡から半世紀後の記述で、一、二割という数字はそれほど信頼できるものではないが、倭寇をそのまま日本人とできないことは確かであろう。

では倭寇は、日本人・高麗人・中国人などの混成部隊としてとらえるべきかといえば、どうもそれも正確ではないようだ。近年は、九州と朝鮮半島と中国大陸とのあいだに「国境をまたぐ地域」があって、三か国のいずれにも自由に行き来する、特定の国への帰属意識のない人びとが倭人と呼ばれて存在したと考えられている。倭人は倭語《わご》を共通語とし、倭服を身にまとい、倭人としての一体感をもっていた。このような倭人の一部が海賊行為に走ったとき、倭寇と呼ばれて恐れられたのである。

一四世紀末から一五世紀前半にかけて、倭寇の活動は下火になった。高麗軍の反撃効果もあったが、かわって建国された朝鮮王朝（李朝）の政策が大きな意味をもった。朝鮮の太祖・李成桂《イソンゲ》は、高麗軍の将軍として倭寇討伐に従事するなか、力だけでは抑え込むことはできないと考え、即位すると懐柔策をとった。倭寇を通交者や交易者として迎え、投降した者は優遇して国内居住も許可し、官職を授与することもあった。効果は絶大だったが、そのコストが国家と民衆の上に重くのしかかった。

13

◉倭寇と明軍の戦闘
左が明軍、右が倭寇。矢に当たって海に落ちる者、海中に漂う者など、倭寇が劣勢である。ここにみられる倭寇はいずれも露頭で、月代《さかやき》を剃っている。（『倭寇図巻《わこうずかん》』）

唐物趣味

唐物

日本では、唐物《からもの》への憧れが古くから絶えることはなかった。大宰府《だざいふ》は長くその輸入の拠点として機能し、平氏《へいし》も鎌倉幕府も、唐物の招来《しょうらい》には熱心であった。貴族のなかにも西園寺《さいおんじ》氏のように唐船《からふね》を派遣する者がいた。元寇《げんこう》にもかかわらず、元《げん》とは民間ベースでの交流が盛んで、寺社の修造費を貿易によって捻出《ねんしゅつ》することを目的とする寺社造営料唐船《じしゃぞうえいりょうとうせん》も一四世紀前半には盛んになった。一九七六年に韓国全羅南道新安郡《チョルラナムドシナングン》沖の海底から見つかったいわゆる新安沈船《しんあんちんせん》は、東福寺《とうふくじ》造営料船だったと考えられるが、二八トンにも及ぶ大量の銅銭《どうせん》と、青磁《せいじ》・白磁《はくじ》などの陶磁器をはじめとする多くの唐物を積んでいた。康永《こうえい》元年（興国《こうこく》三年〔一三四二〕）には天龍寺《てんりゅうじ》造営の費用をまかなうために、天龍寺造営料唐船が仕立てられている。こうして鎌倉時代の後期から南北朝期にかけて唐物が熱狂的に歓迎されたことについては、すでに何度か触れてきた。

唐物は中国大陸からのものに限らず、朝鮮半島や琉球《りゅうきゅう》からの輸入品をもいい、銅銭・絵画（唐《から》絵《え》）・書籍・絹織物・香料・薬種・工芸品・陶磁器・金属器などがおもなものである。珍奇なものとしては象・鸚鵡《おうむ》・孔雀《くじゃく》などの生きた動物がある。銅銭についていえば、中世の日本が独自の貨幣をつくらずに宋《そう》や明《みん》など、おもに中国のものを流通させていたことはよく知られているだろう。ときどき建設工事現場などから甕《かめ》にびっしりと詰め込まれて大量に出土することがあり、新安沈船の例とあわせて、いかに大量の銭が輸入されていたかをうかがうことができる。

　唐物はさまざまな機会やルートによって日本にもたらされたが、足利義満《あしかがよしみつ》が明の冊封《さくほう》を受けると、将軍はより直接的に唐物を入手するようになった。この日明間の貿易は、進貢貿易・公貿易・私貿易からなる。進貢貿易は、形のうえでは「日本国王」たる足利将軍と明の皇帝とのあいだの贈答である。将軍は臣として皇帝に馬・太刀《たち》・硫黄《いおう》・屏風《びょうぶ》・扇《おうぎ》・鑓《やり》などを貢ぎ物として献上し、それに対して皇帝からは献上品の何倍、何十倍ものお返し（回賜品《かいしひん》）が白金《しろがね》（銀）・銅銭・絹織物などの形で行なわれた。つまり、これは実質的にはきわめて割のいい貿易だったのである。

　遣明船には皇帝への献上品のほかにも、二種類の貨物が搭載された。ひとつは附搭物《ふとうもつ》といわれ、幕府・遣明船経営者（大名や寺社など）・商人の貨物である。これらの貨物は北京《ペキン》に送られて値段が定められ、明政府によって買い上げられた。この公貿

洪武通宝
（明・1368年）

永楽通宝
（明・1408年）

宣徳通宝
（明・1433年）

14

15

◉函館市・志海苔館跡出土の甕と代表的な明銭（右）銭の穴に紐《ひも》を通し、ひとつながりの銭緡《ぜにさし》の状態で発見されることがある。ひと緡で銭九七枚前後、これで一〇〇文とした。

易によってやはり銅銭、それに絹や布が輸入された。もうひとつは商人たちが私的に持ち込んだものを含む残りの貨物である。遣明船の玄関である寧波《ニンポー》、北京、北京から寧波への帰路で売買が行なわれ、日本には生糸・絹織物・糸錦・布・薬種・砂糖・陶磁器・書籍・書画・銅器・漆器などがもたらされた。

南九州の島津《しまづ》氏や瀬戸内海を押さえた大内《おおうち》氏などは独自の海外ルートをもっていたが、彼らが上京した折には、手土産として将軍や幕閣などに唐物を進上した。大内弘世《ひろよ》のばらまきに諸人が狂喜したことは先にみたとおりである。

会所・同朋衆

これらの唐物《からもの》は、皇族・貴族・武士・僧侶などのあいだで高級な贈答品や下賜品《かしひん》として重宝され、おもに室内とくに会所《かいしょ》に好んで飾られる道具、調度品として用いられた。会所は文字どおり人と人とが会う場所、寄合《よりあい》の場で、平安時代中期ごろから史料上に散見されるが、足利義満《あしかがよしみつ》のころから武家屋敷の重要な一部となる。室町殿《むろまちどの》には表向き（公式）の場として、寝殿《しんでん》・透渡殿《すきわたどの》・中門廊《ちゅうもんろう》などがあり、内々《ないない》の奥向きの場として小御所《こごしょ》・泉殿《いずみどの》・観音殿《かんのんでん》に加えて会所がつくられた。この時期を代表する芸能である連歌《れんが》・和歌《わか》・猿楽《さるがく》・松囃子《まつばやし》・茶・立花《りっか》などの会は、会所において開かれた。

そして会所と唐物といえば、ふたたび佐々木《ささき》導誉《どうよ》に登場してもらわなければならない。康安《こうあん》元年（正平《しょうへい》一六年〔一三六一〕）一二月、南朝方の四度目の入京に際し、導誉は自邸を飾り立て、敵将を客として迎える準備をして京都を退却する。この有名な場面は、『太平記《たいへいき》』につぎのようにある。

「我宿所へは定《さだめ》てさもとある大将を入替《いれかわら》んずらん」とて、尋常に取りした、めて、六間《むま》の会所には大文《だいもん》の畳を敷双《しきなら》べ、本尊・脇絵・花瓶・香炉・鑵子《かんす》・盆に至《いたる》まで、一様に皆置調へて、書《しょ》院《いん》(居間・書斎)には(王)羲之《ぎし》が草書の偈《げ》・韓愈《かんゆ》が文集、眠蔵《めんぞう》(寝所)には、沈《じん》の枕に鈍《どん》子《す》の宿直物《とのいもの》(夜具)を取副《とりそえ》て置く。十二間《ま》の遠侍《とおざむらい》(控え室)には、鳥・兎《うさぎ》・雉《きじ》・白鳥、三竿《さお》に懸《かけ》双《なら》べ、三石《こく》入許《ばかり》なる大筒に酒を湛《たた》へ、遁世者《とんせいしゃ》二人留置《とめおき》て、「誰にても此《この》宿所へ来らん人に一献《いっこん》を進めよ。」と、巨細《こさい》を申置にけり。

導誉の会所は書院や眠蔵とつながったひとつの部屋にすぎず、まだ独立した建物にはなっていないが、そこに唐物と思われる本尊(釈迦《しゃか》や観音《かんのん》などの画像)や脇絵《わきえ》(普賢《ふげん》や文殊《もんじゅ》などの画像)以下を飾り立てて、客を迎えるための室礼《しつらい》とした。ちなみに、まもなく侵入してきた楠木正儀《くすのきまさのり》は導誉のふるまいに感心し、導誉邸を「焼き払ってしまえ」といきりたつ細川清氏《ほそかわきようじ》を抑え、庭の木一本、客殿の畳一畳をも損なうことがなかった。そのうえ正儀は、遠侍に導誉の残したものより上質の酒肴《しゅこう》を入れ、眠蔵には秘蔵《ひぞう》の鎧《よろい》と太刀《たち》一振《ひとふ》りを加え、郎等《ろうどう》を二人置いて導誉邸を退去したという。

室町将軍の会所もまた唐物によって荘厳《しょうごん》された空間であった。応永《おうえい》一五年(一四〇八)三月に後小《ごこ》松《まつ》天皇の行幸《ぎょうこう》を仰いだとき、義満は北山殿《きたやまどの》の一五間《ま》の「奥御会所《おくのごかいしょ》」に付属する「西東二所」の座敷に「からゑ（唐絵）、花びん、かうろ（香炉）、びやうぶ（屏風）など」「から国」においてさえも「ありがたき物どもを」ここぞとばかりに並べて誇示し、献上した。北山殿の会所は二階建てで、上層を利用する習慣は、鎌倉時代に中国から持ち込まれたものだった。つまり、建物自体が異国風だった。時代はやや下るが、義持《よしもち》や義教《よしのり》もまた会所を造営した。永享《えいきょう》二年（一四三〇）四月に三条坊門殿《さんじょうぼうもんどの》を訪れた後小松上皇は、「新造御会所」で「荘厳の置物等一々叡覧《えいらん》」したが、これに供奉《ぐぶ》した三宝院満済《さんぼういんまんさい》は「真実短詞を以《もっ》て演《の》べ尽くし難し」と感嘆している。翌年の二月、義教に招かれた伏見宮貞成《ふしみのみやさだふさ》親王は、「およそ会所（奥端両所）以下荘厳の置物・宝物等目を驚かす。山水の殊勝《しゅしょう》、言語の覃《およ》ぶ所に非《あら》ず。極楽世界の荘厳もかくの如《ごと》きか」と記した。これらの「置物・宝物」などが唐物であったとは明記されていないが、その過半がそうであったと考えて間違いない。

このような唐物を管理し、飾り付けたのが同朋衆《どうぼうしゅう》と呼ばれた人びとである。導誉は自邸に遁世者二名を残し置いたが、おそらくこれも同朋衆であろう。彼らは本来時宗《じしゅう》を奉じた時衆《じしゅう》で、能阿弥《のうあみ》とか芸阿弥《げいあみ》のように阿弥号を称した。彼らこそが唐物の

16

◉杭全神社《くまたじんじゃ》連歌会所（大阪市平野区）
一八世紀初頭に再建されたものだが、現存するめずらしい例。現在はここで毎月一回、ホームページ上ではつねに連歌会が開催されている。

目利《めき》きで、彼らによって鑑定・評価された物は名品・高級品として流通した。会所への出品は、その物に同朋衆が「お墨付《すみつ》き」を与えたことを意味したのである。義満以降の将軍は、同朋衆とともに唐物蒐集《しゆうしゆう》にいそしんだが、その一部がのちに東山御物《ひがしやまごもつ》と呼ばれた中国美術品の膨大なコレクションを形成した。

禅の世界

多くの禅僧が鎌倉時代から中国に憧れて渡海し、また少なからぬ数の中国僧たちが渡来した。中国風の伽藍《がらん》をもつ禅宗の寺院内では、儀式や行事の場ではもちろんのこと日常的にも中国語が飛び交い、僧侶たちは漢語・漢文・漢詩に通じることが要請された。室町時代には武家が外交を担うが、そのもとで実務に従事したのが五山《ござん》の禅僧たちである。彼らは外交文書の作成・保管から外国使節《がいこくしせつ》との応対や接待まで行なったが、五山文学といわれる漢文学の担い手であった彼らの語学力や文章力が、そのとき生きたのである。使節と日本の禅僧たちは、しばしば漢詩の贈答によっても交流を深めている。禅宗寺院や禅僧は、大陸や朝鮮半島との回路としての機能を果たしていた。

五山が中国の模倣であることはよく知られているが、禅宗には十方住持制《じつぽうじゆうじせい》といわれる制度があり、これも中国から輸入されたものである。この制度は、住持を広く一般から募るもので、時には宗派を超えて選任された。日本の顕密《けんみつ》寺院では、住持の後継者は寺内から、多くの場合住持の弟子のなかから指名されることが多い。そしてその弟子は、じつは血縁関係にあることが少なくない。要するに、寺院もまた貴族制的なのであるが、禅宗では一般公募という官僚制的な人事が行なわれたのである。これは中国の影響を受けたものである。

余談であるが、日本の中世史料を読むことは、私の仕事の重要な一部となっている。私が手にする史料のほとんどはいわゆる変体漢文《へんたいかんぶん》といわれる日本風の漢文で、本巻では平仮名交じりの読み下し文に書き直して紹介しているが、基本的に漢字だけからなる。ときどき下から上に返って読む必要があるが、それほど難しいものではない。学生諸君を見ていると、半年から一年程度で慣れて、大意はほぼ読みとれるようになる。私は変体漢文はほとんど苦にならないが、禅僧の書き残したものは別である。禅僧の日記や漢詩などには、ふだん見かけない漢字が頻出し、どのような順番で読むのかわからないことが多く、難解である。苦もなく読む研究者もいるが、私はできるだけ避けて歩いていることを白状しなければならない。禅僧たちが書いた文章は、中国の本物の漢文、あるいはそれに近いものなのであろう。残された史料からも、禅が中世社会のなかでひとつの別世界であったことが、私には容易に実感できる。

中国風は仏像にも及んだ。禅宗寺院では、一般に釈迦《しやか》三尊像《さんぞんぞう》が本尊とされたが、将軍家の後援を得た院派《いんぱ》と呼ばれる仏師集団が唐様《からよう》の仏像を

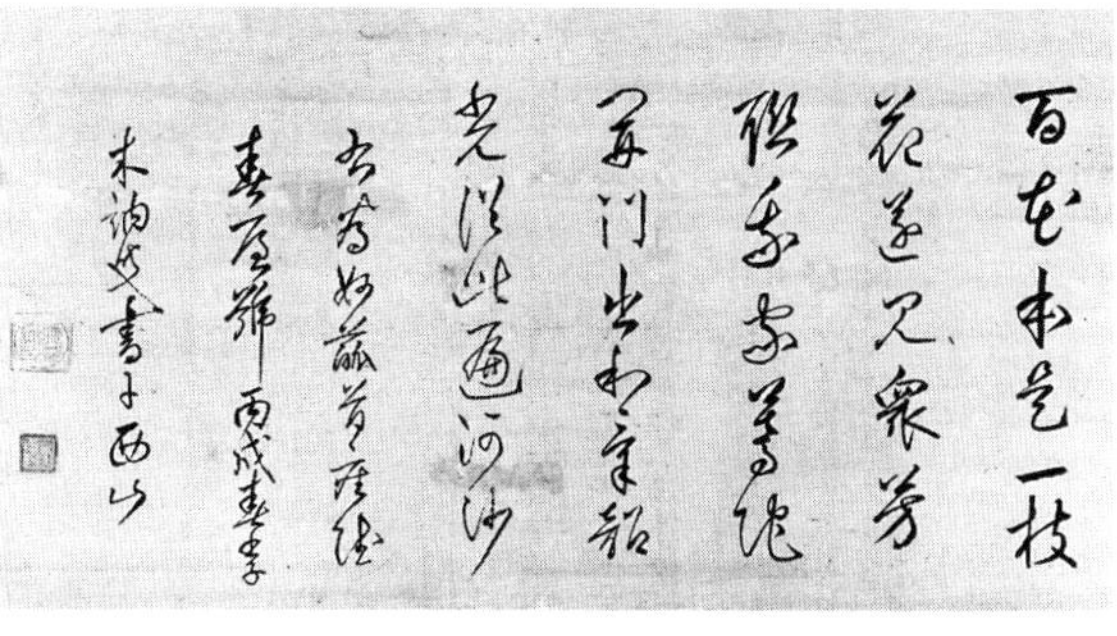
17

●夢窓疎石の偈頌
春屋妙葩《しゅんおくみょうは》に与えた偈頌《げじゅ》（詩の形で仏の教えを説いたもの）。春屋の号を読み込み、門弟として迎えた喜びを表わしたもの。

各地でつくり、この様式が南北朝期の中心的な様式となった。京都では足利尊氏《あしかがたかうじ》らが後醍醐《ごだいご》天皇の鎮魂《ちんこん》のために建てた天龍寺《てんりゅうじ》の釈迦三尊像や、地方では、観応《かんのう》三年（一三五二）の銘をもつ静岡県浜松市の方広寺《ほうこうじ》釈迦三尊像などが典型的な唐様である。あくが強くてややなじみにくいが、このころの唐物趣味の現われのひとつである。

禅宗の国際性は、国交のなかった元《げん》との活発な民間の通交によって支えられていた。元は漢民族の王朝に比べて貿易統制が緩く、人の往来や国内での行動にも寛大だった。そして皮肉にも、国交が開かれた明《みん》とのあいだでは、明側の厳しい対応により民間交流が抑圧され、行き来する僧がみられなくなり、禅宗は日本化していく。中国語が飛び交い、唐物が珍重され、中国風の極彩色の装飾などに彩られ、「にぎやかな音」さえ好まれた世界は後退する。十方住持制も、「徒弟院《つちえん》」といわれる内部昇格制のようなやり方に、しだいにとってかわられていった。

18

◉唐様の釈迦三尊像（方広寺《ほうこうじ》）
院派の仏師である院吉《いんきつ》、院広《いんこう》、院遵《いんそん》三人の作。このころの禅宗寺院では、釈迦《しやか》三尊像《さんぞんぞう》が本尊として広く造立《ぞうりゅう》された。（静岡県浜松市）

第六章

合議と専制

1

京と鎌倉

三条坊門殿

足利義満《あしかがよしみつ》が亡くなったあと、その後継者は義嗣《よしつぐ》という可能性もあったが、義持《よしもち》が斯波《しば》義将《よしまさ（ゆき）》らの支持を得て順当に将軍としての地位を固めた。義持は、義満とはことごとく反対の路線をとったとされたこともあったが、最近の研究では父の施策に反発した面と、継承した面の両面があったとみられている。反発面からみていこう。

義持は義満の後継者として一度は北山殿《きたやまどの》に入るが、まもなく祖父義詮《よしあきら》のいた三条坊門殿《さんじょうぼうもんどの》に移る。これはたんに将軍の居所《きょしょ》移転にとどまらず、幕臣の移住も誘い、ミニ遷都ともいえる動きを引き起こした。もちろん義持のねらいは、義満時代の空気の一新であった。

次いで義持は、朝廷から義満に授与の申し出があった太上法皇号《だいじょうほうおうごう》を辞退した。義満夫人の康子《やすこ》が後小松《ごこまつ》天皇の准母《じゅんぼ》となっていたから、夫の義満への法皇号追贈はそれなりに筋道の立つ話であったが、先例なしと反対する斯波義将らの意向に義持は従った。したがって、義満は結局正式には法皇とならなかったのであるが、禅宗の世界では少々違った受け取り方がされた。相国寺《しょうこくじ》の過去帳に義満は「鹿苑院《ろくおんいん》太上天皇」と記され、臨川寺《りんせんじ》の位牌《いはい》には「鹿苑院太上法皇」と刻まれている。さらに

●街道をゆく人びと
馬が突然暴れだし、道ゆく人びとがあわてている。当時の街道や、交通のあり方をうかがわせるひとこま。（『慕帰絵《ぼきえ》』） 前ページ図版

近世のものであるが、鹿苑寺の義満木像には「鹿苑天皇」とある。義満の法皇化をいちばん望んでいたのは、禅宗の僧たちだったのかもしれない。

三つめに、対明《たいみん》断交があげられる。応永《おうえい》一八年（一四一一）九月、義持は明から来日した使者の上洛を許さず、これを兵庫津《ひょうごのつ》から追い返した。貴族や武士のあいだでは、卑屈ともいえるほど丁重な態度で明皇帝の詔書を受け取ったことをはじめとして、義満の対明外交には批判がくすぶっていたが、それが義持の代になって一挙に噴出したともいえる。

つぎに、父の路線を継承し、あるいはさらに発展させた面をみてみよう。

義持は朝廷の官職は内大臣までであった。これは、太政大臣《だいじょうだいじん》さらには上皇格までのしあがった義満に反発し、一見朝廷の伝統を尊重した側面ともみえるが、そうではなさそうである。朝廷では任官や叙位など人事にかかわる勅命は口宣案《くぜんあん》という様式の文書で伝達されたが、義持が口宣案の袖《そで》（文書の右側の余白）にみずからの花押《かおう》を据えている例がみられる。一般に袖の花押（袖判《そではん》）は、その文書の実質的な発給者、あるいはそこに書かれたことを承認したり保証したりする者を示す。

足利将軍家系図Ⅱ

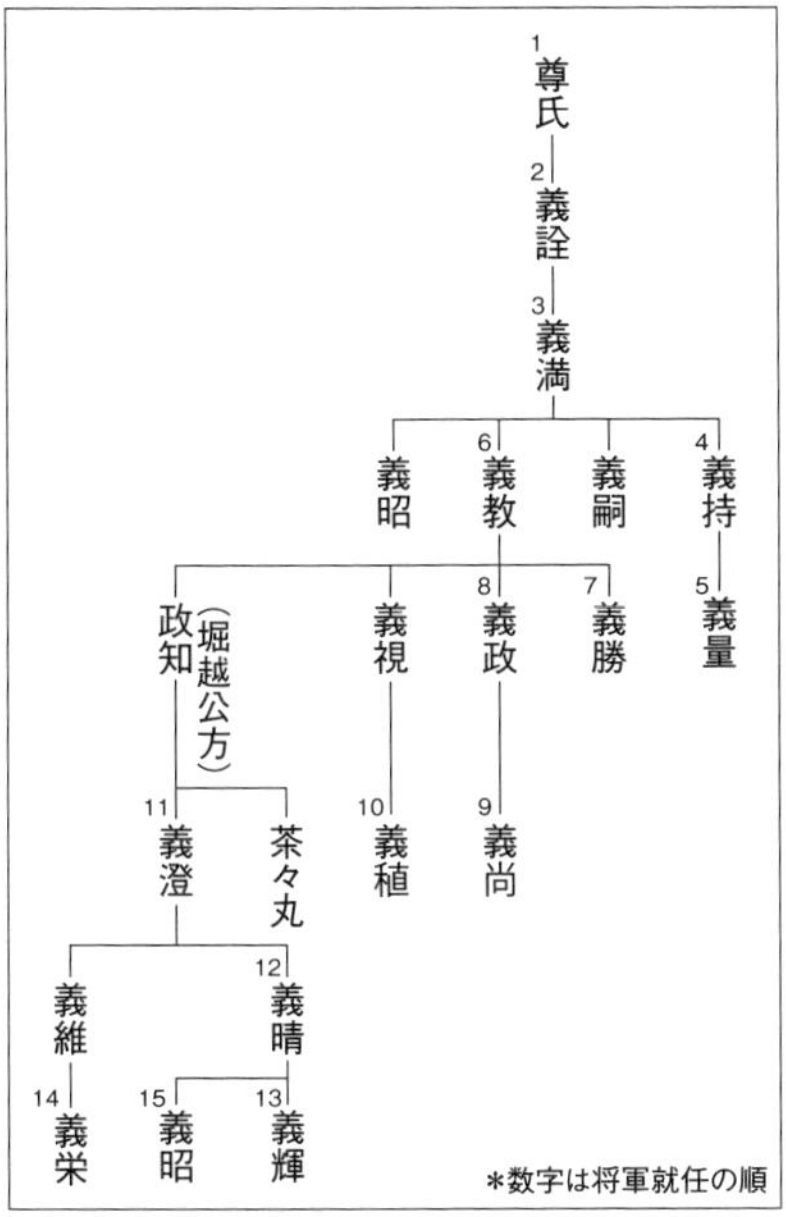

そうだとすると、義持は勅命に基づく朝廷の人事に対して最終的な権限をもっていたことになる。義満さえ、このようなことはしていない。義満は太政大臣や上皇格の地位につくことによって大きな権力を行使したが、義持には官位をきわめるというステップなど必要ではなかったのであろう。義満の尊大さは、継承・発展させられたのである。

次いでその花押についてみておこう。下図のように、尊氏《たかうじ》や義詮《よしあきら》らは武家様《ぶけよう》といわれる花押を用いた。義満も当初は祖父や父らと同様の武家タイプの花押を使用したが、やがてそれとはまったく異なる公家様《くげよう》の花押を併用するようになり、最終的には武家様を廃棄した。ここにも義満の公家への傾倒が示されているが、義持はこの面では父の忠実な継承者で、公家様の花押のみを終生用いたのである。のちに義教《よしのり》がふたたび武家様を復活させたのとは対照的である。

三つめに、中国好みがある。明とは断交したにもかかわらず、である。左ページの肖像を参照されたい。これは義持が二九歳のときに描かれた寿像《じゆぞう》（存命中に作成された肖像画）である。ここにみられる左右の頬《ほお》ひげは、中国や朝鮮ではごくふつうにみられるものだが、日本ではたいへんめずらしい。天皇・貴族・将軍などの肖像画はかなりの数が残されているが、神護寺《じんごじ》所蔵の伝源頼朝像《みなもとのよりともぞう》に代表されるように、彼らのひげは鼻の下と顎《あご》にきれいに整えられている。「義持の画像だけが日本

将軍の花押

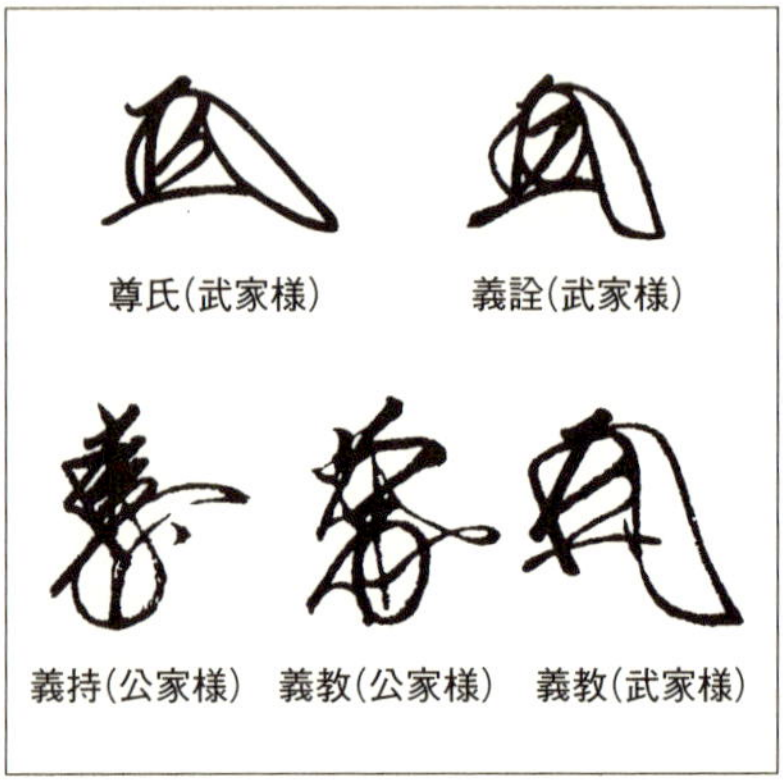

の気品ある肖像画の伝統」から逸脱しているのであるが、ここに「東アジアとの交流の接点」と「唐物《からもの》愛好の文化の極点」を見いだす見解がある。義満が始めた唐物蒐集《しゅうしゅう》に、義持もまた熱中していたのである。

また三条坊門殿の建物や池には、禅宗の思想に基づいて、たとえば会所《かいしょ》が嘉会《かかい》、持仏堂《じぶつどう》が安仁斎《あんじんさい》、泉殿《いずみどの》が養源《ようげん》などのような中国風の名前が付けられた。禅僧に好まれた水墨画の腕前は、義持は素人の域を超えていたという。さらに中国の禅僧に倣って黄色の衣を好んで着用し、世間では「御所《ごしょ》の黄衣《きごろも》」といわれていた。自分自身は大酒飲みだったにもかかわらず、風紀の乱れた五山《ござん》を中国風に統制することをめざして禁酒令を出したりもした。

2

◉足利義持
北野社《きたのしゃ》をはじめとして諸社への信仰が篤《あつ》かったが、石清水神人《じにん》を弾圧するなど、神仏の威光を利用する勢力には苛烈《かれつ》に対処した。

上杉禅秀の乱

康暦《こうりゃく》の政変のとき、鎌倉公方《かまくらくぼう》の足利氏満《あしかがうじみつ》は斯波《しば》氏と連携して、また応永《おうえい》の乱《らん》では同じく足利満兼《みつかね》が大内《おおうち》氏と呼応して将軍の位をねらった。しかし、康暦には関東管領《かんとうかんれい》の上杉憲春《うえすぎのりはる》が氏満の行動を諌《いさ》めて自害し、応永の乱後には同じく上杉憲定《のりさだ》が満兼の野望を抑えて京と鎌倉のあいだをとりもった。

このように、鎌倉公方が将軍の座をねらってそのときどきの反将軍勢力と結び、それを関東管領の上杉氏が懸命に引きとめようとする構図は、応永一六年（一四〇九）に四代目の鎌倉公方となった持《もち》氏《うじ》の代にも引き継がれた。京都の幕府に反発する武士たちは公方の持氏につき、京都扶持衆《きょうとふちしゅう》と呼ばれて幕府の意向に忠実な者は関東管領の上杉禅秀《ぜんしゅう》（氏憲《うじのり》）に従った。

京都には将軍義持《よしもち》の政治にひそかに反発する勢力が存在した。その輪郭は必ずしも明らかでないが、彼らは義持にかえて義嗣《よしつぐ》を将軍として担ぎ出す企てをもっていた。義嗣は、義満の死後も参議から中納言に、そしてさらに大納言へと順調に昇進していたが、とくに注目すべき動きはみられない。しかし、関東の持氏が、義嗣擁立を考えていた勢力と反義持という点で結びついてひそかに連携していた可能性は高いだろう。京と鎌倉のあいだには、義持—禅秀、反義持派（義嗣派）—持氏という対立する二つの結びつきがあった。

応永二二年、家人《けにん》の所領にかかわる持氏の成敗《せいばい》を不服とし、禅秀は関東管領を辞職した。そして

上杉家系図

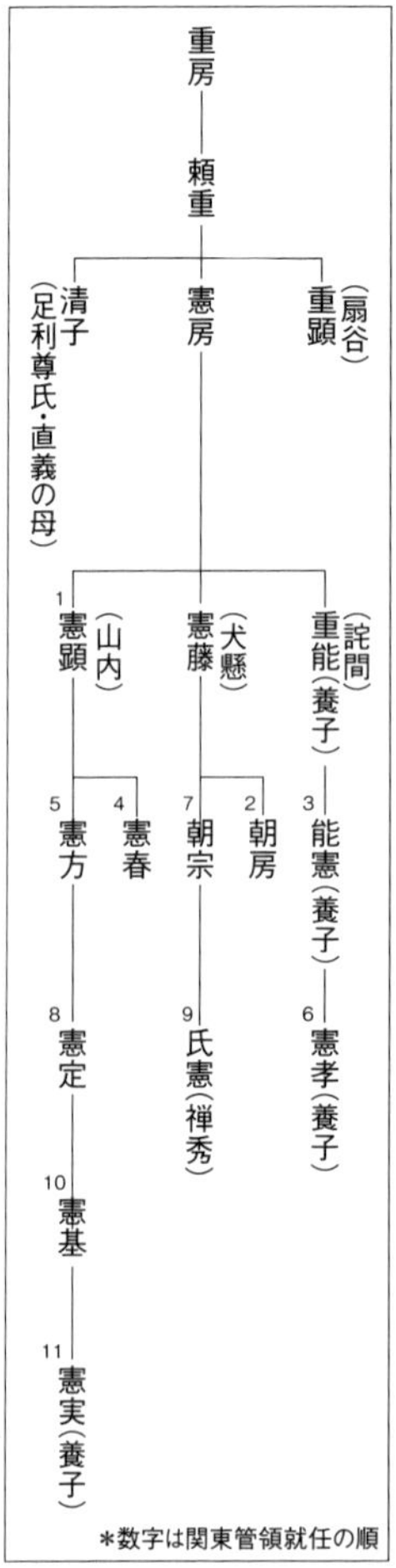

翌二三年の一〇月、持氏の叔父である足利満隆《みつたか》を新公方として奉じ、持氏邸を急襲して鎌倉を制圧した。持氏はかろうじて難を逃れ、箱根《はこね》を経て駿河《するが》に入り、京都の義持に救援を求めた。

義持はしばらくのあいだ、動かなかった。これまでの経緯からすれば、義持が禅秀の行動を追認して持氏を追放しても不思議ではなかった。しかし、乱勃発《ぼっぱつ》の知らせから一〇日あまりのち、義持は持氏支援・禅秀追討を決め、次いで関東の武士たちに反乱軍を攻撃するように命じた。応永二四年正月、禅秀軍は駿河から進撃した持氏軍に武蔵世谷原で敗れ、禅秀・満隆らは鎌倉に戻って自害した。

足利義嗣の「野心」

以上は上杉禅秀《うえすぎぜんしゅう》の乱《らん》として知られている事件であるが、これに連動した動きが京都であった。足利義持《あしかがよしもち》が持氏《もちうじ》支持の態度を明確にした直後、義嗣《よしつぐ》が逐電《ちくでん》し、高雄《たかお》の神護寺《じんごじ》で出家した。当初、義持は義嗣に「帰宅」を勧めた。世間ではすでに義嗣の「野心の企て」がしきりに取り沙汰《ざた》されていたにもかかわらず、穏便に処理しようとしたのであろうか。その後すぐに義嗣は仁和寺《にんなじ》に拘束された。義嗣の監視にあたった一色義範《いっしきよしのり》は、義持から「野心の者が義嗣を奪おうとしたら、（義嗣に）腹を切らせろ」との命を受けた。

事件の関係者の取り調べは、富樫満春《とがしみつはる》・満成《みつなり》らによって義嗣近習《きんじゅう》の山科教高《やましなのりたか》や日野持光《ひのもちみつ》などを対象に行なわれたが、管領《かんれい》の細川満元《ほそかわみつもと》は「教高らの白状によって大名の名前が四人も五人も出てきたらどうするのか。いまは禅秀討伐が大事だ。糾明《きゅうめい》は無益だ」との意見を述べ、畠山満家《はたけやまみついえ》は「義嗣の野心は明白だ。自分が行って腹を切らせよう」とまで言ったという。満元は義嗣の背後に大名たちの存在を予想し、満家は義嗣がよけいなことを口走ることを懸念したのである。

有力な大名らの反対にもかかわらず、富樫満成ら義持近習によって糾明は続けられた。そして、はたして管領の細川満元、斯波《しば》義教《よしのり》、赤松義則《あかまつよしのり》らの大名が「与力《よりき》」であるという白状が義嗣近習のひとりからなされた。こともあろうに管領が関係していたのである。彼が追及を無益と主張したのも、そういうことだったのかと納得できるだろう。

事件の真相究明は、大名らと将軍近習の政争という性格も見せはじめ、これ以上の混乱を避けるため、義持は応永《おうえい》二五年（一四一八）正月、義嗣を殺害させた。山科教高らも配所で殺された。

しかしさらに、満成らは関係者の追及を続ける。そして六月には畠山満家の弟満慶《みつのり》（満則《みつのり》）、山名《やまな》時熙《ときひろ》、土岐《とき》康政《やすまさ》らの名前があがった。幕府は強い緊張下に置かれることになったが、一一月にどんでん返しがあり、幕が引かれた。それは、満成の失脚である。満成自身が事件の張本人だという直訴が義持にあったという。高《こう》野《や》山《さん》に逃れた満成は、やがて義持の命を受けた畠山満家に殺された。

この満成が張本人だという密告は、どう

将軍家と鎌倉公方

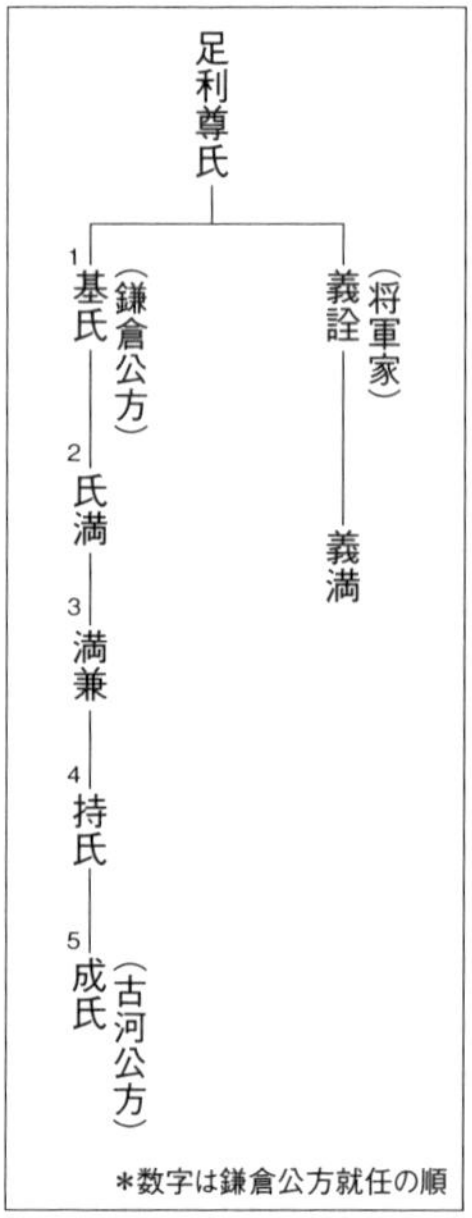

みてもでっちあげだろう。義持は、泥沼化した事件に幕を引くために、満成を犠牲にしたのである。名前のあがった大名らの多くは、程度の差はあっても、おそらく実際に義嗣の「野心」にかかわっていたのだろう。彼らは義持の政治に必ずしも満足していなかった。しかし、だからといって彼ら有力大名を排除して幕政が成り立つものでもない。どこかで折り合いをつけて共存していくしかない。義持はそう考え、事件の真相解明より政局の安定をめざしたのである。それで満成に罪を着せ、疑いのかけられている畠山満家自身に満成を討たせることで大名らと手打ちを行なったのである。

評定会議

足利義持《あしかがよしもち》期の政治の特色は、管領《かんれい》をはじめとする有力守護大名たちによる合議である。重臣会議、大名評定《たいめいひょうじょう》などと呼ばれるこの会議は、じつは「内々《ないない》の儀《ぎ》」で、幕府の制度上に公的な根拠をもつものではなく、またすべての重要案件がここにかけられたわけではないが、この会議で決められたことを将軍は勝手に変更できなかった。「黒衣《こくい》の宰相《さいしょう》」といわれる醍醐《だいご》寺《じ》三宝院《さんぽういん》の満済《まんさい》が、はじめてかかわった応永《おうえい》三〇年（一四二三）七月五日の会議についてみてみよう。

この時期の幕府が直面した主要な問題のひとつが、先にも触れたように、鎌倉公方《くぼう》の動向である。関東では上杉禅秀《うえすぎぜんしゅう》の乱《らん》をしのいだ鎌倉公方の足利持氏《あしかがもちうじ》と京都扶持衆《ふちしゅう》の大名たちが対立していたが、前年の応永二九年に持氏が京都扶持衆のひとりで佐《さ》竹《たけ》氏の庶流の常陸守護《ひたちしゅご》山入与義《やまいりともよし》を討ち、さらに真《ま》壁《かべ》氏、大掾《だいじょう》氏らを抑圧し、京と鎌倉のあいだには強い緊張が生じていた。この日、将軍義持は大名たちに「持氏は敵対行動を強化している。禅僧を関東に派遣しようと先に決定したが、派遣はもはや無益ではないか」「京都扶持衆を見捨てない。さらに支持していきたい」と、以上の二点を諮問した。管領畠山満家《はたけやまみついえ》邸に集まったのは、細川満元《ほそかわみつもと》、斯波《しば》義淳《よしあつ》、山名《やまな》時煕《ときひろ》、赤松義則《あかまつよしのり》、一色義範《いっしきよしのり》、今川範政《いまがわのりまさ》の七人。今川範政は関東との境である駿河《するが》守護としてとくに呼ばれたのである。満済と畠山満慶《みつのり》が、義持と会議のあいだのパイプ役をつとめた。

　大名たちは義持の意見に賛成し、義持は大名らの賛同に一応満足したが、一方では不満もつのらせていた。それは、「禅僧の派遣に関しては、以前に面々に尋ねた。どうしてそのときに無益だと言わなかったのか。今度も言い残していることがあるのではないか」ということであった。満済は、その点を確認するために再度管領邸に遣わされた。おそらく義持には、大名たちがつねに自分と同様に真剣に政務に取り組んでいるのかという疑念があったのだろう。このようないらだちが昂《こう》じてくると、独走や暴走につながることになるが、実際、義持はつねに大名たちから掣肘《せいちゅう》を加えられていたわけではなく、彼らから「もってのほか楚《そ》（粗）忽《こつ》の御成敗《ごせいばい》か」「一向無理《いっこうむり》の義」などと非難されるような独自の行動をとったこともある。

3

◉三宝院満済
摂関二条家《せっかんにじょうけ》庶流・今小路《いまこうじ》家の出身だが、足利義満の猶子（一種の養子）として三宝院に入り、義満の実子の義持とくに義教《よしのり》に重用された。

大名の会議は、義持の諮問を待って招集され開催されるのがふつうであるが、問題によっては大名たちのほうから動くこともあった。義持の後継者を誰にするかという会議がそうであった。

応永三五年の正月、尻にできた腫《は》れ物を義持は風呂の中で不用意に掻《か》きやぶり、それが原因であっけなく亡くなる。三年前に義持の嫡子で五代将軍の義量《よしかず》は没しており、あらたな将軍を立てないまま政務をみてきた義持が重体となったとき、大名たちは次期将軍が未定という重大な問題にぶつかった。このとき、管領畠山満家は満済を京都の法身院《ほっしんいん》に訪ね、そこに斯波義淳、山名時熙、それに畠山満慶を招集して義持に後継者の指名を求めることを会議として決定した。いつもとは逆に、大名たちのほうから義持に上申したのであるが、後継指名を拒否したこのときの義持の回答は、よく知られている。

「上としては定めらるべからざるなり。管領以下の面々寄り合い、あい計《はか》らうべし」「只兎《ただと》も角《かく》も面々あい計らい、然《しか》るべきように定め置くべし」（『満済准后《じゅごう》日記』）、「たとい仰せ置かるといえども、面々用《もち》い申さずば正体あるべからず」（『建内記《けんないき》』）。大名たちが支持しなくては何事も成り立たない、ここに義持の本音と、彼が行なってきた政治の特徴が出ているとみていいだろう。時に義持が独走することがないわけではなかったが、有力守護による合議が幕政の中心に位置したのである。

宋希璟のみた日本

応永の外寇

足利義持《あしかがよしもち》が明の使節の入洛を許さず、兵庫津《ひょうごのつ》から追い返した七年後の応永《おうえい》二五年（一四一八）、赦《しゃ》免《めん》された倭寇《わこう》数十人を送還して明から呂淵《ろえん》が来日した。一行は兵庫津までやってきたが、やはりその地に止められて、帰国するよう義持に命じられた。このとき、呂淵は明皇帝の永楽帝《えいらくてい》の言葉として、つぎのようなことを言ったという。「汝《なんじ》の父、および朝鮮国王は皆われに事《つか》えた。汝ひとりが事えない。予《よ》は将兵を派遣して、朝鮮とともに日本を攻撃するだろう。汝は城を高くし、池を深くして待て」と。義持はこれを聞いて激怒し、海賊に命じて帰国する呂淵を殺害しようとしたが、呂淵は順風に恵まれて無事に帰国した。

一方朝鮮は、太祖李成桂《イソンゲ》以来、倭寇を貿易相手として受け入れる懐柔策をとっていたが、そのコストにも悩まされていた。また倭人を優遇しても、倭寇の海賊行為を根絶することはできなかった。応永二五年、対馬守護《つしましゅご》の宗貞茂《そうさだしげ》が没して倭寇の活動

◉李成桂
高麗の武将として、南の倭寇、北の紅巾賊《こうきんぞく》など外敵討伐に活躍したが、元《げん》への従属を嫌ってクーデターを起こし、高麗王に担がれ、次いで朝鮮王朝を樹立、初代国王・太宗となった。

が活発になったのをきっかけに、朝鮮国王・太宗《テジョン》は対馬の倭寇根拠地をたたくことにした。翌二六年六月、まず朝鮮国内の倭人六〇〇人近くが拘束され、次いで二二七艘《そう》の船に分乗した一万七二八五人の軍勢が対馬を襲った。これが応永《おうえい》の外寇《がいこう》（朝鮮では己亥《きがい》東征《とうせい》）といわれる事件である。

応永の外寇は、尾ひれがついて京都に伝えられた。義持のもとには、筑前守護《ちくぜんしゅご》の少弐満貞《しょうにみつさだ》から八月七日に、つぎのような内容の注進状《ちゅうしんじょう》が届いた。

「蒙古《もうこ》の船、その先陣五〇〇余艘が対馬の津に押し寄せた。少弐の代官である宗《そう》右衛《え》門《もん》以下七〇〇余騎が馳《は》せ向かい、度々《たびたび》合戦した。六月二六日は終日戦いとなり、異国の者どもはことごとく打ち負け、その場でほとんどが討死《うちじ》に、あるいは召し取られた。異国の大将二人が生け捕られて種々白状した。それによると、五〇〇余艘はことごとく高麗《こうらい》国の者で、唐船《とうせん》二万艘余は、六月六日に日本の地に着く予定であった。しかし、その日大風が吹き、唐船はことごとく逃げ帰り、あるいは過半は海に没した」

話半分とはよくいったもので、対馬を襲った朝鮮の船の数が

4

◉対馬・浅茅湾（長崎県対馬市）
対馬は九州よりもやや朝鮮半島寄りに位置し、国境として、さまざまな緊張と苦難を強《し》いられた。入り組んだ海岸が続く浅茅湾《あそうわん》は、倭寇が潜むには絶好の天然の良港。

およそ倍になっている。しかもそれは先陣にすぎず、日本の地にいたることはなかったけれど、本隊は唐船二万艘余だったという。このほかにもさまざまな情報が入り乱れた。

義持は朝鮮の真意を探るために、博多・妙楽寺《みょうらくじ》の僧無涯亮倪《むがいりょうげい》と商人の平方吉久《ひらかたよしひさ》を使いとして派遣した。太宗のあとを襲っていた世宗《セジョン》は、大蔵経《だいぞうきょう》を求めてやってきたと来訪の表向きの目的を上奏《じょうそう》した無涯亮倪に、朝日両国の永久の通好を諭し、あわせて対馬征討《せいとう》の理由を告げた。そして、帰国する両人に回礼使《かいれいし》として宋希璟《ソンヒギョン》を同行させることにした。

宋希璟は文官の家の出で、これまでに二回、明へ外交使節として赴いた経験があった。このとき四五歳。一四二〇年閏《うるう》正月一五日に漢陽《ハニャン》（現在のソウル）を発《た》ち、四月二一日に京都にいたり、使節の使命を果たして六月二七日に京都を発って一〇月二五日に漢陽に戻った。希璟はこの旅行を、五言・七言の漢詩とその序文をもって記録した。それが今日『老松堂日本行録《ろうしょうどうにほんこうろく》』として伝わるものである。老松堂は希璟の号である。

この「朝鮮人の手になる最古の日本紀行」には、一五世紀の日本の「海賊・寺院・都市・性風俗・慣習・季節感・農耕・風景・航海・喫茶・絵画・文芸」などが登場し、日本側の史料ではうかがい知ることのできないことが多く描かれており、まことに貴重な史料である。希璟がみた当時の日本の社会の一部を少しのぞいてみよう。

海賊

宋希璟《ソンヒギヨン》が旅行中にもっとも恐れたのは海賊である。壱岐《いき》から博多に向かったとき、つぎのようなことがあった。希璟の船に、一艘の船が矢のような速さで向かってきた。よく見ると、その船に乗っている人間はみな甲《かぶと》をかぶっている。「海賊だ」と人びとは口々に叫び、希璟の船でも乗員が甲をかぶり、旗を張り、鼓《こ》を鳴らした。希璟自身も甲をかぶった。さらに近づいてきた船を見ると、なんとそれは先に行った無涯亮倪《むがいりようげい》が、希璟の迎えに寄こした船であった。人びとはほっとして喜んだ。迎えの船もまた海賊を恐れて武装していたのである。玄界灘《げんかいなだ》は海賊が頻繁に行き来する海域だったことがわかる。

瀬戸内海に入っても事情はあまり変わらなかった。強力な護衛なしではとても無事に航行できる見込みがなかったが、希璟一行は、「赤間関《あかまがせき》」(山口県下関市)で「王(足利義持《あしかがよしもち》)」の護送船が多数迎えにくるという報告を聞いて喜んだ。一行は赤間関を出航したものの風に恵まれず、日が没したので、その日は「短于羅浦」(豊前田浦《ぶぜんたうら》。福岡県北九州市門司《もじ》区)に戻って停泊した。しかし、そこは海賊の根拠地であったので、希璟たちは恐ろしい思いをした。夜中に小舟がやってきて、護送船を見て去るということがあり、船中の人びとは、あれは海賊だろうと考えた。また山の上で声がした。従事官(書状官)がその声を聞き、希璟の船室にやってきて、「あの山上で海賊にこたえる声がしました。恐ろしい」と言い、怯《おび》えた。希璟もまた海賊だろうと考えたので、その夜は衣を解かず、眠らなかった。夜半になっていい風が出てきたので、一行は出航した。翌日、従事官が希璟のもとに

宋希璟の旅程

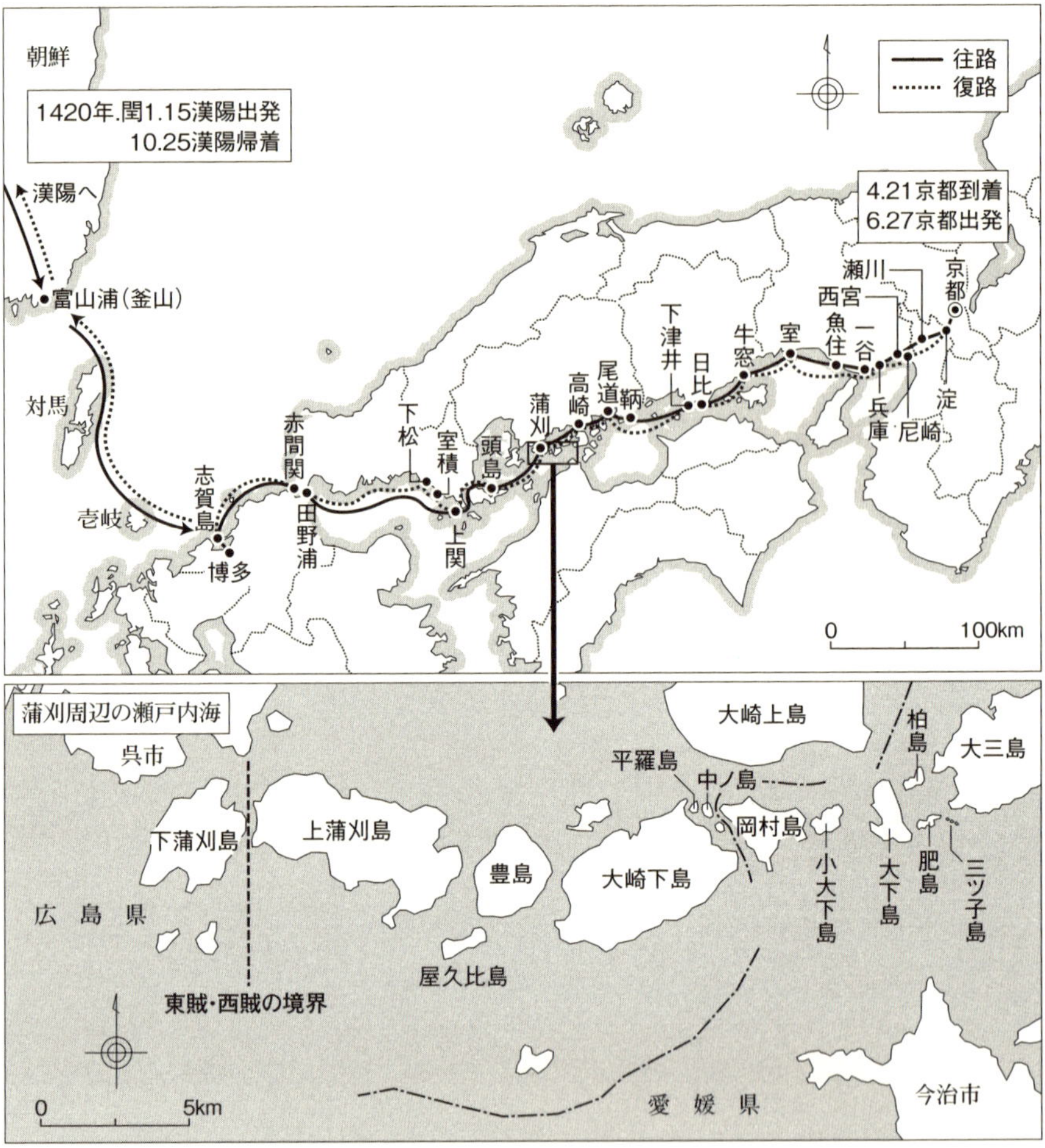

●宋希璟が日本を訪れた際の航路図
朝鮮半島の南端、現在の釜山《プサン》から対馬・壱岐を伝って博多へ入り、関門海峡を抜けて瀬戸内を通った。当時のこの海域は倭寇を含めた海賊が跋扈《ばっこ》しており、彼らに上乗り料を支払って通過するのが、もっとも安全な通航方法であった。とくに、上図のように、現在の広島県呉《くれ》市から愛媛県今治《いまばり》市にかけての海域は小さな島が密集しており、島のあいだの細い海峡の強い海流が流れるなかを通る際に、小まわりのきく海賊船にねらわれたら逃げることは難しかったろう。一方で、各地の港（津）からは、京都や堺など畿内の大消費地をめざして特産品が運び出され、瀬戸内は流通路として重要な位置を占めるようになっていた。瀬戸内を配下に収めることに、大名たちが躍起《やっき》になっていく。

やってきて、「いま山の上のあの声を聞くと、昨夜の声と同じですが、あれは人間の声ではありません。雉《きじ》の鳴き声ですね」と言った。希璟たちの緊張ぶりがよくわかる。

帰途にはさらに興味深い話が記された。「可忘家利」（蒲刈《かまかり》、広島県呉《くれ》市蒲刈町）でのことである。この地域には将軍の命令が届かず、護送船もなかったので、一行は恐怖のなか、海賊の家を間近に見ながら停泊した。ここは「東賊」と「西賊」のなわばりの境界領域で、東から来る船は、東の海賊をひとり乗せてくれば西の海賊がこの船を襲うことはなく、西より来る船は、西の海賊をひとり乗せてくれば東の海賊が襲うことはなかった。このような慣行を上乗《うわの》りという。実際に船の舳先《へさき》に、それとわかるように海賊をひとり乗せたのであろう。それで、同行の博多商人宗金《そうきん》が東の海賊をひとり雇ってきた。その上乗り料は銭《ぜに》七貫《かん》であった。現在の金額に換算すると、約七〇万円ということになる。このような上乗り料は、海賊にとって重要な収入であった。宗金に雇われた海賊はただちに西の海賊のもとに赴き、安全に通過できるように話をつけてきた。

その後、蒲刈の島民たちが、先を争って希璟の船の見物にやってきた。「男女老小」とあるので、大人も子供も、男も女も、また老人たちも見なれない異国の船を見てどっと押しかけてき

◉過所旗
能島《のじま》の海賊衆の頭領である村上武吉《むらかみたけよし》が厳島社《いつくしましゃ》の神官に与えた安全通行証。一六世紀末期のもの。上部の横軸に紐《ひも》をつけ、棹に取り付けて目印とした。

たのであろう。その屈託のなさと好奇心の強さがおもしろい。希璟は住民たちに乗船を許して静かに観察していたが、そのうちに「甚《はなは》だ奇異」なひとりの人物に気がついた。それは海賊の首魁《しゅかい》と思われる僧形《そうぎょう》の人物で、立ち居ふるまいと言語がほかの人と違っていた。希璟が話しかけると、この人物は喜んで応じた。彼は翌日の航路を教え、さらに自分の家に来るようにと希璟に勧めた。希璟はその招待に応じることを望んだが、同行の日本人の意見に従って自重した。

ここに描かれた海賊の首魁が朝鮮人だった可能性は高い。蒲刈島の人びとにとって朝鮮の船はめずらしかったようだが、朝鮮人の海賊は、異国の海を自由に行き来していたのであろう。なお、海賊は異国船がめずらしいから見学にやってきたのではなく、襲うに値する荷物を積んでいるかどうか、下見にきたのである。

王部落

応永《おうえい》二七年（一四二〇）四月三日、「王部落」すなわち京都に着いた宋希璟《ソンヒギョン》らがまず入ったのが、幕府（三条坊門殿《さんじょうぼうもんどの》）に隣接した等持寺《とうじじ》である。ここで一行を迎えたのは、幕府の外交担当者ではなく、魏天《ぎてん》という名の中国人であった。魏天は幼いときに捕らえられて日本に来た。その後朝鮮に渡り、文人の李子安《イチャアン》の家で奴隷となり、さらにのちに回礼使《かいれいし》に従って日本に戻った。明《みん》から来日した使者がたまたま魏天を見て江南《こうなん》に連れて帰ったが、魏天を引見した皇帝は彼を通訳として日本に送り返した。日本に戻った魏天は妻をめとり、二女をもうけ、将軍足利義満《あしかがよしみつ》にまみえて富裕になっていた。七〇歳を超えて朝鮮回礼使が来たことを聞いて喜び、酒をもって等持寺に出迎えたのである。希璟とは旧友のごとくに言葉が通じた。陳外郎《ちんういろう》（商人。平方吉久《ひらかたよしひさ》の父、渡来中国人の子）が同席して、ともに希璟をもてなした。

そこへ義持の使者がやってきて、陳外郎を通じて「大蔵経《だいぞうきよう》と礼物《れいもつ》を等持寺に入れて、使者はここを出て深修庵《しんしゆうあん》に行け」と命じた。希璟は無礼な扱いに怒りをおぼえた。日没を理由に、この日希璟は魏天の家に泊まった。

翌日、希璟は強い不満を抱きながらも、外郎に先導されて仁和寺《にんなじ》の隣の深修庵に移った。ここで希璟は外郎や等持寺の禅僧などに対して、明とともに日本を侵攻する意志など朝鮮国王はもっていないことを説いた。もちろんそれは義持に伝えられた。こうして、やがて義持は朝鮮に対する不信を解くにいたり、さらには希璟の健康を気遣うようにもなり、一行の待遇もあらためられた。

その過程でつぎのようなことがあった。五月になって、日本人がいっせいに魚を食べなくなったことに希璟は気づいた。その理由を尋ねたところ、この月が義満の一三回忌にあたるので、義持以下日本人はみな魚を控え、殺生《せつしよう》をしないのだということを知った。そこで希璟は、従事官や通事《つうじ》などを呼んで「吾《わ》が輩《はい》も魚を食せず」と宣言し実行した。そしてこのことは、希璟のもくろみどおり義持の耳に達した。三日後にやってきた無涯亮倪《むがいりようげい》は、義持が「感喜々々」したことを、三度も四度も繰り返し希璟に語った。希璟のセンスのよさと、義持は案外お人好しだったかもしれないことを示すエピソードである。

六月一六日の早朝、希璟は行列を仕立て、正装して嵯峨《さが》の宝幢寺《ほうどうじ》に向かった。沿道は、異国の使者の姿をひと目見ようとする群衆で埋められた。物見高いのは都の住人も蒲刈《かまかり》の島民も同じである。希璟は宝幢寺であとから来た義持にまみえ、遠路携えてきた国書を奉呈《ほうてい》して使命を果たした。義持は僧を介して、希璟に諸寺を遊覧することを勧めた。それに従って希璟は、天龍寺《てんりゅうじ》、臨川寺《りんせんじ》、西芳寺《さいほうじ》などを訪ねた。

王、少年を好む

応永《おうえい》二七年（一四二〇）六月二七日、朝鮮国王に宛《あ》てた義持の返書を持って宋希璟《ソンヒギョン》は深修庵《しんしゅうあん》を発《た》って淀川《よどがわ》を下り、帰国の途についた。尼崎《あまがさき》付近ではつぎのような話を聞いている。すなわち、「日本の農家は、初夏に大麦・小麦を刈り取って苗種をまき、秋に稲を刈り取って蕎麦《そば》をまき、初冬に蕎麦を刈り取って大麦・小麦をまく。水田に一年に三度まく。川を塞《ふさ》いで水を入れれば水田となり、川の水を流せば陸田（畠）となる」と。灌漑《かんがい》の発達とともに、これが室町時代の日本で三毛作が行なわれていたことを示す史料として有名なものであるが、どこまで一般化できるかはなお検討を要する。

逆風に行く手を阻まれた赤間関《あかまがせき》では、全念寺《ぜんねんじ》なる寺を観察し興味深いことを記録している。寺には僧と尼がいて、仏殿では僧が東、尼が西に座して常時念仏している。夜になると、経箱を中央に置いて仕切りとして休む。この寺の門前には「三甫羅」（三郎《さぶろう》）と呼ばれる朝鮮人が住んでいたが、希璟が三甫羅に、僧尼が間違いを犯すことはないかと問うた。それに対して三甫羅は笑って、「尼が子を孕《はら》むと父母の家に帰ります。産後に戻ってくると、仏前で三日間過ごしてからもとの席に戻ります」と答えた。希璟の観察では、各地の念仏寺《ねんぶつじ》、阿弥陀寺《あみだでら》と称する寺院はすべてこのような寺だという。これは日本の各地にある同名の寺に関する重要な証言である。

性風俗に関しては、京都にいたときにも伝聞、実見おりまぜてつぎのようなことを記録している。

日本には女が男の数の倍いる。それで遊女屋が多い。遊女は道行く人を強引に店に連れ込もうとする。銭さえ出せば、昼間からでも意に従う。村々は海や川に面して立地し、「江海の気」をはらんで女はみな美人である。二〇歳以下の男子で寺で学ぶ者は、眉毛《まゆげ》を剃って墨で描き、化粧をして斑衣《はんい》（柄のある着物）を着せられて女装させられている。

将軍が少年を好むので、日本人はそれに倣っている。

大名らの屋敷に将軍のお成りがあったときには、夫人が浴室で将軍の垢《あか》すりをする。これが「日本の子孫相伝の法」であると。

そのほか、希璟の前後に来日した使節の証言も含めると、彼らはほぼ一様に日本人の鉄漿《かね》（お歯黒）の習慣に驚き、斑衣の着用に違和感をおぼえている。彼らの国では歯は白いままで、成人は白衣を着た。その一方で、銭《ぜに》の流通や市《いち》での商品展示方法などを

6

◉田植えの様子
勤勉な人びとと豊かな農村を思わせるが、宋希璟は三毛作に言及する一方、遊び人や乞食が多く、農民は少ないとも記している。（『月次風俗図屛風《つきなみふうぞくずびょうぶ》』）

見習うべきこととしてあげている使節もいる。

さて、希璟一行は八月三日に博多にいたり、半月あまりここに滞在してから対馬《つしま》を経由して朝鮮に帰国した。最後に、当時すでに国際都市といわれる博多についてみておこう。

博多は商業と造船の町として環東シナ海世界では知られていたようだが、実際にはまだそれほど整備されておらず、発達した町でもなかったようである。希璟がはじめにこの町にやってきたとき、この地を管轄する九州探題渋川義俊《きゅうしゅうたんだいしぶかわよしとし》の代官である伊東氏《いとう》が、使節の通行のために道路の清掃を行ない、道路にあいた穴を埋めさせた。実際、近年の発掘によって、そこかしこがでこぼこで、中央に直径一メートル以上もの大穴がある中世の道が発見されている。また、伊東氏は夜ごとに跳梁《ちょうりょう》する盗賊から使節一行を守るために「里《り》巷《こう》の岐《き》路《ろ》」ごとに門をつくらせ、夜はこれを閉じさせた。おそらくこのとき博多につくられたものは、京都や奈良で釘貫《くぎぬき》といわれて、辻ごとに設けられ町人の管理した木戸のことと思われる。このような町としての基盤整備や町人の自治も発展途上にあった。

博多では外国人はめずらしくはなかっただろうが、国王の使節とその一行となると違ったようで、京都や蒲刈《かまかり》島と同様に、希璟一行を見ようと群衆が道にあふれ、宿舎の庭にも押しかけた。

7

◉中世都市・博多の「大通り」　両脇の側溝によって道が区画されているが、道の真ん中に大きな穴もある。前近代の道の特徴は、必ずしも平坦ではないこと。車ではなく、人馬の通行のためにつくられているからである。（福岡市博多区）

クジ引き将軍

クジはいかさまか

先にみたように、病の床に伏しつつも足利義持《あしかがよしもち》は後継者の指名を拒否した。義持のかたくなな態度に大名たちは困りはてたが、さりとて差し迫った将軍後継という重大問題をほうっておくわけにもいかず、「重ねて申し入れがたきといえども、枉《ま》げて重ねて申し入」れるように三宝院満済《さんぽういんまんさい》に依頼した。満済は義持に対して、大名たちは何度も申し入れるだろうと言い、ひとつの提案をした。それは、「さいわい（義持には）ご兄弟がおられますので、そのなかから将軍にふさわしい方をご指名ください。それが御意《ぎょい》にかなわないのであれば、四人のご兄弟のお名前を書いたクジをつくって八《はち》幡宮《まんぐう》の神前で引くというのはいかがでしょうか」と。満済の日記を見るかぎり、この提案は満済の発案に基づくもののように思われるが、管領《かんれい》の畠山満家《はたけやまみついえ》らと事前の相談があった可能性が高い。

義持はこの提案を受け入れて、条件をひとつつけた。それは、クジは義持の死後に行なうというものだった。その理由を義持は、「先年義量《よしかず》（五代将軍）が若死にしたあとで、宝篋院殿《ほうきょういん》（義詮《よしあきら》）以来当家に伝わる剣を八幡宮に奉納しようと考えた。そのとき、もし自分に子孫が生まれないのであれば奉納する、生まれるのであれば奉納しないというクジをつくって神前で引いたところ、奉納してはならないというクジを引いた。そしてその夜、男子が生まれる夢を見た。この夢をずっと頼みとして、猶子《ゆうし》などももらわなかったのだ。だから、今回のクジは自分が死んだあとで引くように」と説明した。少しわかりにくい論理だが、一度神が男子の誕生を告げた以上、自分は最後までそれを信じることにする、したがって生きているあいだに兄弟のなかから後継者が決まることがあってはならない、ということなのである。義持がいかに神仏に傾倒していたかがよくわかる。

大名たちは満済が持ち帰ったクジ引きという方法を受け入れたが、義持没後のあわただしいさなかにクジを引くことを避けて、内々に即日クジを引き、約束に従って開封を義持の死後に行なうことにした。そうして満済が青蓮院義円《しょうれんいんぎえん》、大覚寺僧正義昭《だいかくじそうじょうぎしょう》、相国寺永隆蔵主《しょうこくじえいりゅうぞうす》、梶井僧正義承《かじいそうじょうぎしょう》の四人の兄弟の名前をクジに書き、山名《やまな》時熙《ときひろ》がそのクジを厳封し、管領の畠山満家がそれを八幡宮に持参して神前で引き、帰京した。

義持は、翌日の応永《おうえい》三五年（一四二八）正月一八日の昼前にこときれた。遺体は禅僧による沐浴《もくよく》のあと床に安置されて諸人が焼香した。御所を退出した管領たちは一所に会合してクジを開いたところ、「青蓮院殿」という結果が出て、青蓮院義円が六代将軍となることが決まった。これが今日、「クジ引き将軍」などといわれる六代将軍義教《よしのり》である。

8

◉石清水八幡宮（京都府八幡市）
源氏の氏神。京都と八幡を往復するあいだ、満済や畠山満家らがクジに細工をしようと思えばできただろう。クジははたして公正に行なわれたのであろうか。

義教の意気込み

室町殿《むろまちどの》（将軍）となった足利義教《あしかがよしのり》は、兄義持《よしもち》に対する反発があり、父義満《よしみつ》への回帰を図った。なかでも重要なことは、対明《みん》関係の復活であろう。永享《えいきょう》四年（一四三二）八月、義教は表《ひょう》を持たせて明に使者を派遣した。義教は渡唐船を見送りに兵庫津《ひょうごのつ》に出かけている。同六年六月、明使が入洛して義教を「日本国王」に封《ほう》じた。義教は、義満が用いた三拝などの丁重な儀礼を簡素化して国書を受け取った。多くの面で義持の時代のやり方は捨てられ、義満の時代に復帰した。義教が義持に反発し、対抗心をもっていたことが最大の理由であるが、それだけでなく、跡継ぎのいなかった義持が、幕府にとってもよくない先例として意識され忌避《きひ》されたという側面もある。

反義持というだけではなく、義教は旺盛な統治者意識ももっていた。自分は神慮《しんりょ》によって選ばれたのだとの自負も一因であろう。還俗《げんぞく》してからしばらくのあいだ、義教の名前は義宣《よしのぶ》であった。宣の字には決断の意味があり、天下の政務を決断する将軍としてふさわしいものである。しかし、義宣は「世を忍ぶ」を連想させるとして、将軍宣下を受ける直前に義教にあらためられた。教の字は、「とくに上の人の御名字として相応のものなり。万国いよいよ御政教に応ずべきの兆しか」（『建内《けんない》記《き》』）といわれ、そこには将軍、あるいは政治を執る者としての強烈な意識が込められている。

同様の例がもうひとつ指摘されている。古くから天皇・皇族・貴族らは、位階《いかい》・官職の推薦権をもっていて、任官希望者らを年給申文《ねんきゅうもうしぶみ》といわれる文書によって朝廷に推挙していた。推薦者には希望者から任料《にんりょう》などが納められるので、一種の売位売官制度といえるが、貴族社会を運営・維持していく経済的に重要なシステムであった。正長《しょうちょう》二年（一四二九）三月二二日付の中文に、義教は「安宿禰国家《やすのすくねくにいえ》」という仮名《けみょう》を使っていることが注目される。古めかしい姓《かばね》である宿禰を省くと「安国家」、つまり「国家を安んず」という名前になるのである。ここにも義教の意気込みを感じることができよう。

さて、立派な政治を行ないたいと義教が思ったとき、彼の脳裏に浮かんだのは徳政である。そして徳政といえば、裁判の充実、迅速化が重要な柱のひとつであった。義教は、まだ義宣を名のっていた正長元年五月に、「諸人愁訴《しょじんしゅうそ》（苦しみや悲しみ）を含まざるように」との思いから、早くも評定衆《ひょうじょうしゅう》・引付《ひきつけ》の復活を計画している。結局この計画は実現しなかったようであるが、義教流の徳政は推進された。

それが御前沙汰《ごぜんさた》といわれるもので、従来管領《かんれい》主導のもとで行なわれてきた政務や訴訟の審理を、将軍の御前で行ない、将軍みずからが裁断を下す方式である。将軍は事務官僚である奉行人《ぶぎょうにん》を直接指揮し、判決案などにはそれを承認する旨の花押《かおう》を据えた。奉行人らは将軍の諮問に応じて答申を「意見」という形で上申することがあり、判決に影響を与えた。従来、御前沙汰は、管領をはじめとする大名の抑圧策とされてきたが、永享四年頃まで展開された義教の徳政の一環としてもとらえることができる。

9

◉等持院（京都市北区）
尊氏以降、足利将軍家の葬送が営まれた菩提寺《ぼだいじ》。将軍は毎年七月一五日に参詣《さんけい》した。三条坊門殿の隣にあった等持寺とは別の寺院。将軍の木像が多く安置されている。

奉行人のなかには、義教の側近として政治的な力をもつようになる者も出て、奉行人は直轄軍である奉公衆《ほうこうしゅう》とともに、将軍権力の重要な文柱となっていった。

理非から神裁へ

ところで足利義教《あしかがよしのり》は、どのような原則で、あるいは何に重点を置いて裁判を行なおうとしたのだろうか。ひとくちに裁判といっても、理非にそって裁許の公正をめざすもののほかに、多少の偏りは無視してもできるだけ双方が満足・納得するような折衷的な裁許、あるいは審理のスピードを重視する裁判などが考えられる。この視点からみると、義教のめざした方向はややとらえにくい。

永享《えいきょう》三年（一四三一）一〇月、義教は裁判にあたる奉行人たちに起請文《きしょうもん》を提出させた。義教の成敗が理に反するならば、思ったことを残さず言上する、たとえその場では気がつかず、あとで思いいたったとしても、機を失したなどと考えずに言上する、他人の担当案件であっても、義教の成敗が誤っていると知ったら、その奉行人に説明を要求する、以上のようなことを誓わせた。徹底して理非の重視を求めたのであるが、これは、鎌倉時代の「御成敗式目《ごせいばいしきもく》」の起請文を想起させ、義教が審理や裁許の厳正化をめざしていたと考えることができる。

しかし、その一方で、このころから原告・被告双方に湯起請《ゆぎしょう》を命じることも目立ってくるのである。湯起請とは、煮えたぎる熱湯の中から小石などを拾わせて、火傷《やけど》の有無あるいは程度によって、その人の主張や証言の信憑性《しんぴょうせい》を判断するものである。本当のことを言っていれば、神仏の加護があって大事にはいたらないはずだという前提に基づく、一種の神判《しんぱん》である。審理を尽くしてもなお人知では理非を判断できない場合に、クジや湯起請は最終手段として是認されていたが、義教は「理非を究《きわ》めず、真偽を糺《ただ》さず、左右《そう》なく」当事者に湯起請を命じた。

当初は身分の低い商人らに用いられたが、しだいに適用対象を広げていった。理非の重視から即決をめざす神裁へ、永享三年頃から義教の姿勢は大きくぶれはじめたのである。有無をいわさず即座に決着をつけようという姿勢は、専制、恐怖政治につながってゆく。

永享の乱

上杉禅秀《うえすぎぜんしゅう》の乱《らん》のあと、鎌倉公方《かまくらくぼう》の足利持氏《あしかがもちうじ》が京都扶持衆《きょうとふちしゅう》に対する圧迫を強めて京と鎌倉間が緊張したことは先にみた。しかし、その後、持氏は幕府に対してあからさまな敵対行為を見せなくなった。義量《よしかず》没後の義持《よしもち》には実子の後継者がいないので、持氏は義持の猶子《ゆうし》として将軍の地位につくことをねらっていたからである。もちろん、その望みは義教がクジで選ばれることによってついえ去った。

義教が後継に決定した約半年後、称光《しょうこう》天皇の死去に先立って南朝の後胤《こういん》の小倉宮聖承《おぐらのみやせいしょう》が京都を脱出した。つぎの帝位をねらった行動で、大名のなかに与党がいるとの風聞もあり、京都は緊張した。聖承は伊勢《いせ》の北畠満雅《きたばたけみつまさ》を頼って下向していた。そして関東の持氏と連携しているとの情報が流れた。南朝の新天皇のもとで持氏が将軍に就任する、そういう陰謀があってもおかしくないと人びとは考えていたのである。しかし、満雅はまもなく戦死し、聖承は帰京した。

たび重なる挫折《ざせつ》にもかかわらず、持氏は野心を捨てなかった。ことあるごとに持氏は幕府に敵対する行動をとり、京と鎌倉のあいだは何度も決裂・衝突寸前にまでいたったが、そのつど関東管領《かんとうかんれい》の上杉憲実《うえすぎのりざね》が必死に和平を工作し、なんとか事態をおさめてきた。

永享《えいきょう》一〇年（一四三八）六月、持氏の息子の賢王丸《けんおうまる》が鶴岡八幡宮《つるがおかはちまんぐう》で元服《げんぷく》して義久《よしひさ》と名のることになった。従来、鎌倉公方は元服に際して、京都の将軍からその名前の下の一字を上の字として頂戴することが慣例になっていた。持氏が義持の「持」をもらったように。いうまでもなく、これは臣《しん》従《じゅう》の証《あかし》である。この慣例を持氏は無視したのである。

八月、上杉憲実は鎌倉を出て上野《こうずけ》に下り、持氏はこれを討つために武蔵《むさし》に出陣した。義教は、憲実と持氏の決裂を予想して奥州《おうしゅう》の武士らに憲実への助力を命じていたが、幕府に帰順していた禅秀の遺児を大将とする軍を、次いで九月には斯波《しば》、一色《いっしき》氏の軍勢を派遣し、一〇月に鎌倉を攻略した。持氏・義久父子は出家して恭順《きょうじゅん》の意を表わし、憲実も粘り強く旧主親子のために助命を嘆願したが義教は許さなかった。翌年の二月、憲実はやむなく持氏を鎌倉の永安寺《ようあんじ》に攻め、これを自刃《じじん》に追い込んだ。次いで義久も自殺した。これが永享の乱である。

翌永享一二年三月、持氏遺児の安王丸《やすおうまる》・春王丸《はるおうまる》を擁して結城氏朝《ゆうきうじとも》が幕府に反旗を翻した。これは、永享の乱の余震といってしまうにはいささか大きな震動で、結城方には関東の名だたる武士が加わっていた。鎌倉公方は東国でそれなりの絆《きずな》を諸勢力とのあいだで築くにいたっており、主人を殺して事実上鎌倉の主となった上杉氏への反発も強くあった。また一族内が分裂していて、一方が幕府につくと、他方が結城方に参加せざるをえないという場合もあっただろう。結城城《ゆうきじょう》（茨城県結城市）に立てこもった反幕府軍は頑強に抵抗を続けたが、ついに嘉吉《かきつ》元年（一四四一）四月、食糧が尽きるなどして落城した。結城氏朝は戦死し、安王丸・春王丸は京都に送られる途中で殺された。これを結城合戦という。

万人恐怖

当初懸命に善政を行なおうとした足利義教《あしかがよしのり》だが、畠山満家《はたけやまみついえ》、斯波義淳《しばよしあつ》、三宝院満済《さんぽういんまんさい》、それに山名《やまな》時熙《ときひろ》ら宿老たちが亡くなるとブレーキがきかなくなって専制的になり、恐怖政治をしくようになったといわれてきた。しかし、時間的にみれば、そういうわけでもない。義満《よしみつ》も義持《よしもち》も、貴族や寺社に対して抑圧的、非妥協的で、義教はその路線を継承したにすぎないともいえる。ただし、やはり義教独自の酷薄《こくはく》さは感じられる。

まず義教の犠牲になったのは、公家や僧らである。つぎの事件は、義教の常軌を逸した側面を示すものとしてよく知られた一件である。裏松《うらまつ》（日野《ひの》）義資《よしすけ》は義教が還俗《げんぞく》したときに屋敷を提供し、またその妹重子《しげこ》は義教の側室となっていたが、所領問題で義教の勘気をこうむって謹慎を余儀なくされていた。永享《えいきょう》六年（一四三四）二月、重子が男子を産んだ。これがのちに七代将軍となる義勝《よしかつ》であるが、多くの人びとが、この慶事によって義教の勘気も解けるだろう、あるいは義教の気に障ることはよもやあるまいと思って義資邸にお祝いに駆け付けた。ところが、義教はあらかじめ義資邸に見張りをつけておき、数十人の訪問者を罰したのである。それらのなかには、御室《おむろ》（仁和寺《にんなじ》の住職・皇族）や摂関家《せっかんけ》の人びとも含まれていた。

それだけではなく、まもなく義教は盗賊のしわざに見せかけて義資を殺害した。そして、この件についてうわさをする者は同罪だとして箝口令《かんこうれい》を敷いた。前参議で近習《きんじゅう》の高倉永藤《たかくらながふじ》は、別の近習たちの前で不用意に「あれは義教のやったこと」と口走り、所領を没収されて硫黄島《いおうじま》に流された。

山門《さんもん》（比叡山《ひえいざん》）も容赦なく弾圧された。永享五年七月、比叡山の僧侶らは、山内で修造事業と高利貸し活動を行なっていた山徒《さんと》の不正と、賄賂《わいろ》を受け取っていた将軍近習と幕府奉行人を糾弾《きゅうだん》して強《ごう》訴《そ》をかけた。何度か和平へのきっかけはあったが、義教は山門領を没収したり、京都近郊の村民を動員したりして、基本的に強硬な対応をとりつづけた。そして山門側の中心的な人物がつぎつぎに自殺に追い込まれたり、謀殺された結果、永享七年二月、山徒らは惣持院《そうじいん》、次いで根本中堂《こんぽんちゅうどう》を焼いた。根本中堂では二四人の僧侶が堂と運命をともにした。

また、この一件でも義教は箝口令を敷き、この事件について語った煎物商人《せんじものしょうにん》（茶売り）は首をはねられた。万里小路時房《までのこうじときふさ》は、「万人恐怖、言うなかれ、言うなかれ」と日記『建内記《けんないき》』に記した。

北嶺《ほくれい》ほど悲惨ではなかったが、南都《なんと》にも被害者がいた。大乗院門主《だいじょういんもんしゅ》の経覚《きょうがく》である。経覚は摂関家九条《くじょう》家の出身で、もともと義教の覚えは悪くなかった。永享一〇年四月、将軍邸で後花園《ごはなぞの》天皇の舞《まい》御覧《ごらん》があった。このとき陪席《ばいせき》した興福寺《こうふくじ》の一乗院《いちじょういん》、大乗院の両門跡《りょうもんぜき》は、舞人《まいびと》への禄物《ろくもつ》の負担を義教から課された。一乗院は、奈良市内の所領に地口銭《じぐちせん》（家の間口の広さに応じて賦課《ふか》される銭）をかけて応じた。しかし、経覚はなぜかこのとき出し渋り、「このような要求にもう何度も応じたではないか」というようなことを口走ったらしい。これが義教の逆鱗《げきりん》に触れて大乗院門主の地位を追われた。

最初経覚は、大乗院からさほど遠くない大安寺《だいあんじ》に入った。ここで謹慎して勘当が解けるのを待つつもりだったのだろう。しかし、義教はそれほど甘くなかった。もっと遠くに去れと命じられ、わずか二人の供に伴われて大和《やまと》の西端の平群《へぐり》郡の立野《たつの》まで落ちた。経覚がいろいろと手を尽くして加賀《かが》から後継者として迎えた一族の尋実《じんじつ》も、大乗院を追われて本国に送還された。

永享の乱によって関東の問題が消滅すると、大名たちは身の危険を冒してまで義教に諫言《かんげん》することがいよいよなくなり、幕政から緊張が失われていった。こうして、災いは大名たちにも降りかかることになる。一《いっ》色義貫《しきよしつら》、土岐《とき》持頼《もちより》が謀殺され、さらに畠山《はたけやま》家や富樫《とがし》家の家督に干渉するようになると、ようやく大名たちも義教の暴走を身近に迫った脅威として感じはじめることになった。

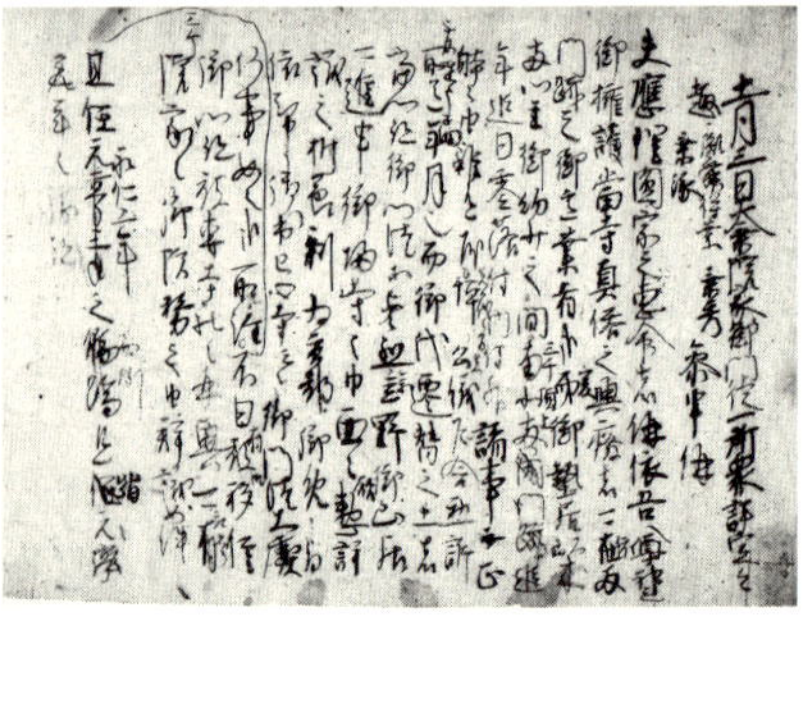

◉大乗院門徒等事書

一乗院・大乗院の両門主が幼少であるなどの理由をあげて、経覚の赦免と復帰を求めた大乗院門徒の要求書の草案。筆跡はじつは当の経覚のもので、彼の懸命な姿が想像されよう。（『福智院家文書』）

民衆の熱気

正長の土一揆

一五世紀は、民衆の姿と活動がはっきりとみえはじめる時代である。いくつかの事件や場面を通じて彼らのエネルギーを探ってみよう。

正長《しょうちょう》元年（一四二八）、「日本開白《かいびゃく》以来土民《どみん》蜂起《ほうき》、これ初めなり」といわれた正長の土一揆《つちいっき》が起こる。この年、武家では正月に足利義持《あしかがよしもち》から義教《よしのり》に、公家では称光《しょうこう》天皇から後花園《ごはなぞの》天皇に代替わりがあった。折から世間は疫病《えきびょう》と飢饉《ききん》に苦しんでいた。京都では「三日病」といわれる流行病が猛威をふるい、貴賤上下《きせんじょうげ》を問わず人びとがばたばたと倒れた。年号が、明治以前ではもっとも長く用いられた応永《おうえい》から正長へとこの年の四月に改められたのは、病の脅威に対する朝廷なりの対応であった。さらに京都などでは洪水が追い打ちをかけた。代替わりという政治上の変化に加えて、社会には不吉な災いの気配が充満していた。

中世の人びとは、支配者の代替わりや天変地異などに際して、徳政が行なわれるべきだ、あるいは行なわれるはずだという考えをもっていた。徳政の本質は復古、もとに戻る、よき昔に戻るということにあるが、代替わりは、世の中の一新、やり直し、再スタートなどと理解されたので、容易に徳政と結びついた。天変地異やその予兆は、世の中を治める君主の徳がなくなってきたことが原因とされたので、仁徳《じんとく》ある政治（徳政）の展開によって君徳が回復され、世の中から災いの気配が追い払われて清新の気が迎え入れられることが期待された。

　このような徳政観念のうえに立って、人びとは為政者によって徳政が実施される前に「徳政と号して」実力行使に走ることになる。質に入れられた質物《しちもつ》や、売却された土地などがもとの持ち主によって強引に取り戻されるのである。とくに土地に関しては、もとの持ち主の権利が消滅せず、いずれ返されるべきだという観念、あるいは売られた土地はもとの持ち主を慕って帰ってくるという呪術的《じゅじゅつてき》な考えが、人びとの過激な行動を支えていた。

　騒ぎは八月に近江《おうみ》から始まった。近江では延暦寺《えんりゃくじ》の所領と守《しゅ》護《ご》の支配領域で徳政が行なわれた。そしてこの波が九月になって京都に、そして一一月には奈良に押し寄せた。

　九月一八日、京都にいた三宝院満済《さんぽういんまんさい》のもとに醍醐寺《だいごじ》から緊急の連絡が入った。この日の早朝、醍醐の民衆が「徳政だ」といって蜂起《ほうき》したのである。彼らは債権者のもとに押しかけて借用書を出させ、これを焼いた。満済は急いで細川満元《ほそかわみつもと》に警護を求め、満元は配下の武将を数百騎の軍勢ととも

11

◉醍醐寺（京都市伏見区）
真言宗醍醐派の総本山。室町幕府との深い関係によって栄えたが、応仁《おうにん》の乱《らん》で大きな被害をこうむる。当山派《とうざんは》修験道《しゅげんどう》の本山でもある。

に醍醐寺に派遣して警戒させた。これを見た醍醐の人びとは醍醐寺には向かわずに退散するが、満済はそれでも安心できず、管領《かんれい》の畠山満家《はたけやまみついえ》を通じて義教の了解を得、侍所《さむらいどころ》長官の赤松満祐《あかまつみつすけ》に支援を要請した。満祐は二〇〇騎の軍勢を山科《やましな》に派遣して陣取らせ、ことがあれば醍醐寺に駆け付けられるように待機させた。

京都でも「私徳政《しとくせい》」が行なわれ、略奪が起きていた。東寺《とうじ》は土一揆によって占拠される恐れがあり、侍所が軍勢を駐屯《ちゆうとん》させた。一揆の張本人探しなども行なわれたが、結局このときは満家が土一揆を撃退し、幕府は徳政令を出すにはいたらなかった。

それに対して、奈良では興福寺《こうふくじ》によって徳政令が出された。奈良は北からは山城《やましろ》の、西からは鳥見《とみ》・生駒《いこま》の、南からは宇陀《うだ》の土一揆に攻められた。これらの一揆の参加者すべてが奈良の金貸しなどに債務を負っていたとは思えないので、ここでは土一揆の目的は、債務の破棄を求めるというよりは、その動きに便乗して都市に偏在する富を略奪することにあったとみるべきであろう。奈良では夜な夜な鐘がつかれ、寺院と住民が一体となって防御に努めたが一揆の勢いが勝り、興福寺の衆徒《しゆと》は一一月二五日に徳政令を出した。こうして畿内や近国に始まった土一揆と徳政の嵐は、やがて「一天下の土民蜂起《どみんほうき》」「惣《すべ》て日本国残りなく御得政《おんとくせい》行く」といわれるまでに吹き荒れた。

なお、注意しておかなければいけないことは、土一揆が困窮した村や農民の経済闘争、民衆運動とばかりはいえないことである。正長の場合はみえにくいが、土一揆はしばしば支配者とつながりをもち、政治的に動く場合もある。この点については嘉吉《かきつ》の土一揆に言及するときにみてみよう。

勧進興行

民衆の姿は、土一揆《つちいっき》のなかだけでなく、穏やかで楽しい行事のなかにもみえる。鎌倉時代から、橋の建造や寺社修造などの公共的な事業の資金は、人びとの喜捨《きしゃ》（寄付）を求める勧進《かんじん》方式によって調達されることが多くなっていた。このころになると、それに加えて、田楽《でんがく》・猿楽《さるがく》・平曲《へいきょく》・曲舞《くせまい》などの芸能によって人びとをひきつけ、観覧料を徴収してそれを事業費にあてる勧進興行が盛んになった。桟敷崩れの田楽として知られる貞和《じょうわ》五年（正平《しょうへい》四年〈一三四九〉）の四条河原《しじょうがわら》の興行も、その地に橋を架ける資金を得るためであった。京都やその近郊では、勧進興行は鴨川《かもがわ》の河原、河原院・今《いま》宮社《みやしゃ》・醍醐・嵯峨《さが》椎野《しいの》・北野社《きたのしゃ》・千本閻魔堂《せんぼんえんまどう》・亭子院《ていじいん》・矢田寺《やたでら》・犬堂・六道珍皇寺《ろくどうちんのうじ》・因幡堂《いなばどう》・六角《ろっかく》堂七本松《どうしちほんまつ》・祇園《ぎおん》や稲荷《いなり》の御旅所《おたびしょ》、鳥羽《とば》など各地で行なわれ、貴賤上下《きせんじょうげ》の人びとでにぎわった。

ところで、このような勧進興行に際しては、桟敷がつくられて貴人の見物席とされた。少しあとのものであるが、寛正《かんしょう》五年（一四六四）に鞍馬寺《くらまでら》の修造費用を調達するために糺河原《ただすがわら》で行なわれた勧進猿楽に際して設営された桟敷を左ページの図に示した。ここにみられるように、「神之座敷」を中心にして円形に観覧席である桟敷がつくられ、その中央で芸能が行なわれた。「神之座敷」の左に将軍義政《よしまさ》の、右に夫人の日野《ひの》富子《とみこ》の桟敷が位置し、それにつづいて門跡《もんぜき》、公家《くげ》、武家の名前がほぼ身分順に記されているように、桟敷は身分序列を広く観衆に示す役割ももった。庶民は、入場口である鼠戸《ねずみど》で木戸銭《きどせん》を払い、桟敷と舞台のあいだの芝や土の上（芝居《しばい》、地居《ちい》）で観劇した。図中の「芝居、勧進聖《かんじんひじり》の桟敷也」という記述は、芝居や地居が興行主である勧進聖の支配下にあって、その収入源だったことを示している。ちなみに、永享《えいきょう》七年（一四三五）の長浜八幡宮《ながはまはちまんぐう》（滋賀県長浜市）の勧進猿楽では、木戸銭は一人あたり五〇文《もん》だったという。

このような円形の桟敷は、六三間《けん》であることが多い。六三は、一見すると中途半端な数字であるが、じつはそうではない。これは半径一〇間の、そしてこの場合には一間＝五尺《しゃく》とされたので、直径一〇〇尺（約三〇メートル）の円の円周ということになる。桟敷は、毎回同一規格のものが繰り返し設営されたのである。

そうだとすれば、桟敷の設営を一手に請け負い、それを将軍をはじめとする貴人たちに間単位で提供する専業者がいてもよさそうなのだが、そうでもないようだ。『満済《まんさい》准后日記《じゅごうにっき》』には、将軍の桟敷を用意した大名の名前がそのつど書きとめられている。将軍の桟敷はやはり特別仕様だった。また、図中に見える大乗院尋尊《じんそん》が、その桟敷について簡単な記録を残してくれている。それによると、尋尊は京都に常駐する興福寺《こうふくじ》僧

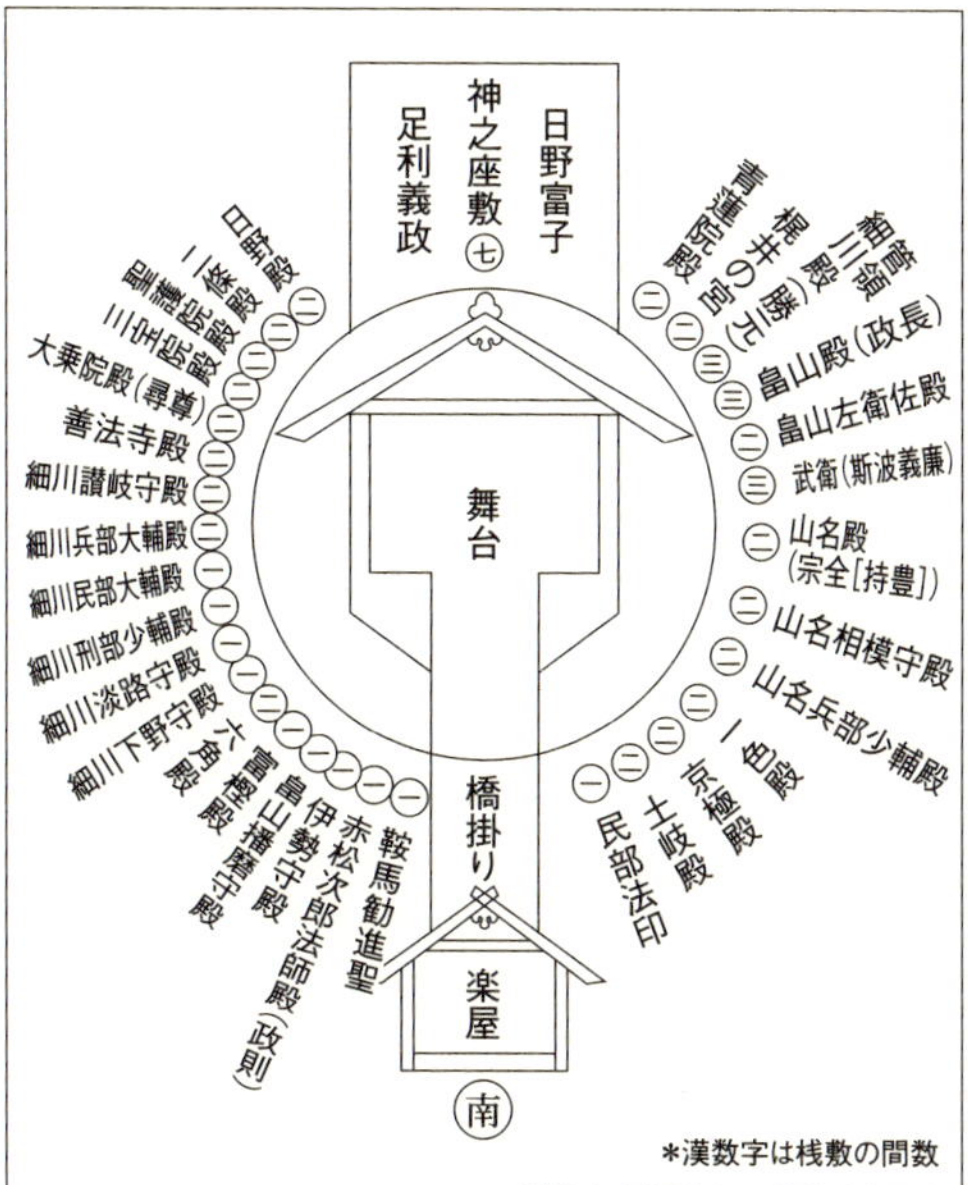

観世文庫蔵「糺河原勧進猿楽図」、島津家文書「糺河原勧進猿楽日記」などから推定復元

●勧進猿楽の舞台・桟敷図
舞台を中心として円形に桟敷が組まれ、間《けん》単位で門跡や大名たちの観覧席が設けられている。舞台への通路である橋掛《はしが》りは、この時期、正面の真向かいについていた。三日間で能二五、狂言二一が演じられたという。

に桟敷打ちを命じ、天井板として「杉正《すぎまさ》」（杉柾。縦にまっすぐ木目の通った板）を、葺板《ふきいた》などとして宇多《うだ》（陀）郡《ぐん》の「曾木《そぎ》（枌《そぎ》板《いた》）」を奈良から運ばせている。したがって、全体を統括・調整する監督者は必要だったと思われるが、桟敷は見物人各自によって設営されたと考えられる。天井板と曾木以外の材木は、「才木屋《ざいもくや》」から借用するように尋尊は指示している。この「才木屋」は、桟敷用に規格化された構造材を毎回貸し出して損《そん》料《りょう》を得ていた業者であろうか。当日の桟敷では、簡単な一献《いっこん》料理が用意され、茶道具も置かれることになっていた。

　これらの費用と門主《もんしゅ》である尋尊の上洛用の費用が、御用銭《ごようせん》として大和《やまと》の六四か荘や末寺に賦課された。京都での観劇の費用を地方の民衆に転嫁するのは大名たちも同様で、彼らは分国《ぶんこく》に桟敷銭などとして賦課した。都市民の楽しみとなる勧進興行も、地方の荘民には負担となったのである。

　もっとも、このころは民衆が支配者に異議を申し立てることが多くなっており、簡単に臨時の費用を徴収できるわけではなかった。大乗院の六四か荘のひとつで、二貫《かん》の御用銭をかけられた番条《ばんじょう》荘（大和郡山市《やまとこおりやま》）の荘民らは、先例があったとしても、困難に直面しているさなかに臨時の課役をかけられるいわれはない、長い目でみれば大乗院のためにもならないと、堂々たる論陣を張っている。荘園領主や守護たちには、支配や収奪の正当性を民衆に示す必要性がだんだん高まってきていた。

12

◉桟敷での見物
一遍《いっぺん》に率いられて京都・四条道場《しじょうどうじょう》のやぐらで熱狂的に踊る時衆《じしゅう》を、臨時に設けられた桟敷席で見物する人びと。（『一遍聖絵《いっぺんひじりえ》』）

流行神、開帳

上杉禅秀《うえすぎぜんしゅう》の乱《らん》が勃発《ぼっぱつ》する少し前の応永《おうえい》二三年（一四一六）七月、伏見宮貞成親王《ふしみのみやさだふさ》は桂《かつら》（京都市西京区）の地蔵についてつぎのような話を聞いている。

阿波国《あわのくに》に住む貧しい男のところへ小法師《こぼし》が来て、「私が住む草庵は壊れていて雨露をしのぐことができない。造作しにきてほしい」と要請した。男は、「私は貧しくて渡世も難しく、妻子を捨てて行くことなどできない」と答えると、小法師は何も心配せずにただ同道すればよいというので男が承諾すると、ほどなく石地蔵のある壊れた辻堂に着き、小法師は消え失せた。近所の人に尋ねると、そこは山城国《やましろ》桂の里だという。阿波から山城へは三日の行程であるが、あっというまに着いたのである。男は小法師の命に従ってこの地に住んだ。あるとき、日ごろからこの辻堂の破損に心を痛めていた西岡《にしのおか》（京都の西郊地域）の竹商人が立ち寄り、阿波の男から地蔵の「奇得・不思儀」を聞いたが、途中から二人は言い争いになり、竹商人は刀を抜いて阿波の男を突こうとした。阿波の男はからくも逃れ、狂乱した竹商人が石地蔵に斬りつけようとしたところ、腰がなえ、「物狂《ものぐるい》」になってしまった。近辺の人びとはこれを見て、地蔵の罰があらたかなることに感じ入った。しばらくして竹商人が地蔵に詫《わ》び、堂を造営して仕えることを誓うと、たちまち腰が起《た》ち、狂気から醒《さ》めた。阿波の男と竹商人は御堂造営奉行として仕え、竹商人が地蔵に斬りつけて「散々にゆがみ、縮」んだ刀は堂に懸けられて人びとに見せられた。参詣《さんけい》の盲者の目が開くなど地蔵の利益《りやく》は絶大で、「幾千万《いくせんまん》」の貴賤《きせん》が参詣にやってきて奉加物《ほうかぶつ》は山と積まれ、造営はほどなく成就した。

この騒ぎには武家や公家も巻き込まれた。いくつも「風流之拍物《ふりゆうのはやしもの》」が仕立てられて地蔵のもとに参上したが、足利義持《あしかがよしもち》と斯波義淳《しばよしあつ》の中間《ちゆうげん》らも共同して「結構目を驚か」す風流を仕立てて奉納し、貞成親王のお膝元《ひざもと》の伏見荘からも「見物の雑人群集」するなか拍物が参詣した。しばらくのあいだ、洛中洛外は桂地蔵にかかわる話でもちきりであった。

ところが、である。一〇月中旬になって阿波の男とその与党七人が幕府によって捕縛された。阿波の男はじつは近郷の人間で、今回の奇跡は数十人の者たちによってめぐらされた「謀計《ぼうけい》」だったというのである。目が開いた盲人もじつは盲人ではなかったという。要するに、最初から奉加物の取り込みをねらった狂言、やらせだったのであろう。

人びとは神仏との結縁《けちえん》や霊験《れいげん》を求めて熱狂しやすくなっていた。伊勢神宮《いせじんぐう》が広く民衆の信仰の対象となったのも、このころのことである。当時、疫病《えきびよう》は怨霊・悪霊の祟《たた》りと考えられたが、京内では病が流行《はや》った地に、つぎつぎに伊勢の神が勧請《かんじよう》された。民衆にとって伊勢神宮は、皇室の宗廟《そうびよう》などという厳《いか》めしいものではなく、悪霊を追い払い、病を治してくれる神のおられるところであった。各地では、伊勢参詣を目的とする伊勢講がさかんに結ばれた。

ところで、寺院の側が阿波の男たちと同様の目的、つまり奉加物を集めるために合法的に行なったことが秘仏秘法《ひぶつひほう》の開帳《かいちよう》である。

栂尾《とがのお》開帳は、高山寺《こうざんじ》石水院《せきすいいん》の春日《かすが》・住吉大明神《すみよしだいみようじん》の神影《しんえい》が公開される行事である。この開帳は貴人や南都僧の所望《しよもう》に応じて行なわれたが、彼ら願主《がんしゆ》の拝観のあとには、広く一般の人びとにも公開された。文安《ぶんあん》元年（一四四四）一〇月に大乗院経覚《きょうがく》の所望によって開帳が行なわれたとき、下級の官人《かんじん》である大外記《だいげき》の中原康富《なかはらやすとみ》はこれに出かけているが、「大乗院殿御拝見あり。御退出の後、諸人群集、頗《すこぶ》る狼藉《ろうぜき》の躰《てい》なり」と、開帳の混乱とにぎわいぶりを伝えている。群集した諸方からの参詣人は、莫大《ばくだい》な賽銭《さいせん》を高山寺にもたらした。

大和《やまと》の長谷寺《はせでら》でも秘仏の十一面観音の開帳があった。やはり貴人の要請に基づくことが多かったが、寺側が落慶供養《らっけいくよう》などに際して行なったこともある。これも賽銭収入がおもな目的といってよく、わずか一〇日間で六〇〇貫《かん》の賽銭があったこともある。

13
●春日・住吉大明神神影
栂尾開帳の両明神の図像は、高山寺を再興した明恵上人《みょうえしょうにん》が建仁《けんにん》二年（一二〇二）に描かせたものに始まる。この図はのちの時代のもの。

風流・盆踊り

盂蘭盆《うらぼん》には死者のために経を読み、供物《くもつ》や手向《たむ》け水を供えることなどが行なわれた。風流《ふりゅう》・風流踊り（盆踊り）・拍物《はやしもの》なども本来は死者供養のための行為であるが、このころには、ほぼ日本中で地域の住民集団などによって仕立てられ、芸能化・娯楽化の道を歩みはじめていた。

風流は、盆の夕方から夜にかけて、村から村へ行き交った。伏見《ふしみ》荘には、石井《いしい》村・船津《ふなつ》村・山《やま》村などがあったが、盆の期間にはそれぞれの村の風流が相互に訪問しあった。

応永《おうえい》三〇年（一四二三）の例をみてみよう。この年の山村の風流は、一〇余人の村人が笈《おい》を背負って高《こう》野聖《やひじり》に扮《ふん》したものだった。高野聖は高野山に本拠を置く諸国行脚《あんぎゃ》の僧で、寺社修造などの資金を募ったり、民衆に念仏を広めたりしていた。人びとに諸国の最新情報をもたらし、新奇な話をするという点では山伏《やまぶし》と並ぶ存在で、人気があったのだろう。このいわば仮装行列に、白居易《はくきょい》（白楽天《はくらくてん》）の漢詩に趣向を求めた提灯《ちょうちん》の作り物が彩りを添えた。石井村を経由して伏見宮貞成《ふしみのみやさだふさ》親王の御所まで参上した山村の風流を、親王は「その興あり」と評して喜んだ。

石井村の風流は、「石引《いしび》きの躰《てい》なり」といわれているので、掛け声をかけながら大勢で大石を引いて運ぶ作業を模したものであろう。もちろん大石は張りぼてである。実際の工事でも、石引きには見世物的な要素があった。これにも親王は「その興少なからず」とのコメントを残している。

三つめの船津村の風流は、『吾妻鏡《あずまかがみ》』の一場面に基づくものである。朝比奈《あさひな》三郎義秀《さぶろうよしひで》は、鎌倉幕府の侍所《さむらいどころ》長官・和田義盛《わだよしもり》の息子で剛勇無双《ごうゆうむそう》で知られ、鎌倉七口《かまくらななくち》のひとつである朝比奈切通《あさひなきりどお》しに名前

14

◉風流踊り

この図は近世に描かれたものだが、室町時代の風流を彷彿《ほうふつ》させる。鮮やかな衣裳をつけ、太鼓や鼓で囃《はや》し、踊る。左右両端の女性は頭上に被り物をつける。中央で鼓《つづみ》を打ち、小太鼓《こだいこ》をたたくのは男性だろう。（『十二ヶ月風俗図《じゅうにかげつふうぞくず》』）

を残している。義秀が一日一夜で切り開いたという。和田氏が北条《ほうじょう》氏に抗して和田合戦を起こしたとき、義秀は惣門《そうもん》を突破して幕府の南庭に乱入したと『吾妻鏡』は記している。船津村の風流は、この有名な場面を再現したもので、これに杓《ひしゃく》をもった勧進僧《かんじんそう》に扮《ふん》した一〇余人の村人が加わった。

都市でも同様であった。荘園では村が単位となって風流がつくられたが、都市では一本の道の両側の家々の住民たちで構成された両側町《りょうがわちょう》が基礎的な単位で、風流もこの町ごとにつくられた。奈良では町のことを郷《ごう》といったが、郷はひとつの自治体、運命共同体でもあった。現在でも町名として残る鵲《かささぎ》町・薬師堂《やくしどう》町・城戸《じょうど》町・北市《きたいち》町などが風流を仕立てたことが知られる。盆の夜に、奈良の市内を郷から郷へいくつもの風流が行き交った様子が想像されよう。

風流は、地縁で結ばれた人びとだけでなく、いわば職場の仲間たちで仕立てることもあった。先に足利義持《あしかがよしもち》と斯波《しば》氏の中間《ちゅうげん》らが桂地蔵《かつらじぞう》に風流を奉納したことを述べたが、これはその一例である。さらに貞成親王は、「ある方より、山臥峯入《やまぶしみねい》りの躰を模し」た風流が奉納され、それが「希代《きだい》の見物」だったと記しているが、これも「ある方」に仕える者たちによって準備されたものであろう。

風流にはしばしば風流踊り、念仏踊りなどといわれるものが付随した。ここでも人びとは人目を驚かす奇抜な被《かぶ》り物をつけたり、豪華な衣装を着けたりするなどの工夫を凝らした。熱狂した見物の群衆が踊りの輪に加わり、あるいは独自に踊りの場が設けられるようになり、やがて盆踊りとなっていった。忙しさ、あるいは楽しさを表現した「盆と正月が一緒にきた」という言いまわしがある。盆は正月と並んで一年で最大の年中行事《ねんじゅうぎょうじ》で、風流や盆踊りは、その重要なイベントであった。

コラム3

花押にみられる政治的地位

花押《かおう》は、平安時代より使われてきた署名（サイン）。多くの場合、実名の字を図案化したものであり、筆で書くので書判《かきはん》ともいう。

足利《あしかが》氏歴代の花押は、いずれも「義」の字の図案化で、よく似ている。なかでも尊氏《たかうじ》と直義《ただよし》の花押は、時期によってはよく注意しないと間違うほどである。ただし、尊氏の花押はそれほど変化しないのに対して、直義の花押は頻繁にその形が変わる。そしてそれは、直義の政治的な地位や立場の変遷と連動している。

1は初期のころのものである。「義」の字を、直義の「直」の形に似せて図案化してある。2は、尊氏とともに「ふたりの将軍」として幕府を率いていたころのもの。縦長だった形から、わずかに横長でそのぶん安定感があるものに変化している。

3は、右半分がぷくっとふくらんでいて全体に大きい。じつは観応《かんのう》の擾乱《じょうらん》の直前、直義が高師直《こうのもろなお》を押さえて力をふるっていたときのもの。ゆるぎない自信が、その形とサイズの大きさに表現されている。

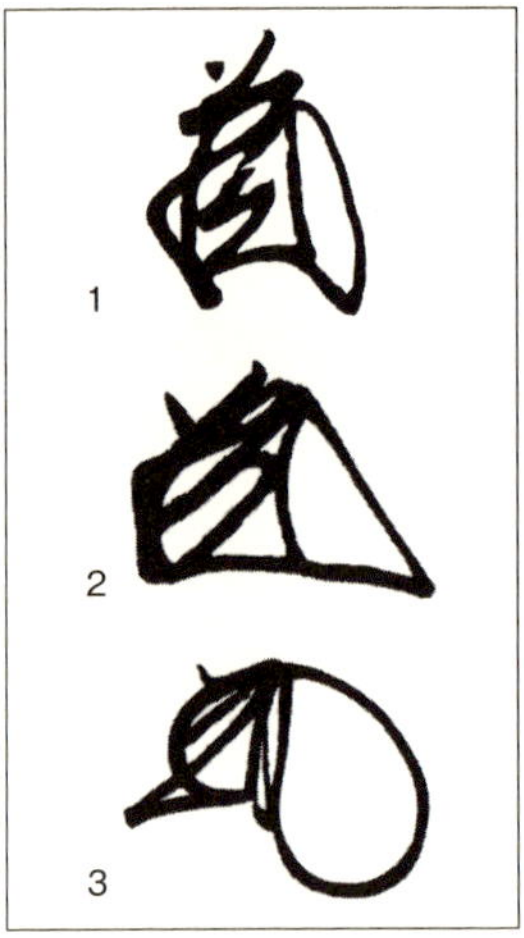

◉直義の花押の変遷　直義の政治家としての地位を反映している。現在でも、閣議書の署名には花押が用いられ、あらたに大臣に就任すると花押がつくられる。

第七章

飢饉・一揆・合戦

1

将軍犬死

嘉吉の乱

嘉吉《かきつ》元年（一四四一）六月二四日、将軍足利義教《あしかがよしのり》や管領《かんれい》以下の大名を招いて、一連の「諸敵御退治《しょてきおんたいじ》」を祝う会が赤松《あかまつ》邸で開かれることになった。この席で義教は暗殺されたのである。伏見宮貞成《ふしみのみやさだふさ》親王が、得た情報に基づいて書いた『看聞日記《かんもんにっき》』の記事を中心にして、その場面を再現してみよう。

型どおりの挨拶《あいさつ》や引き出物の献上などが終わって宴会が始まり、酒盛りも二、三献《こん》めとなって、そろそろ猿楽《さるがく》が開始されるころ、屋敷の奥のほうでとどろく音がした。義教は「何事か」と側近の中納言三条実雅《ちゅうなごんさんじょうさねまさ》に尋ねた。実雅は義教の正室《せいしつ》である三条尹子《ただこ》の兄である。実雅が「雷でしょうか」と能天気な返事をしたとき、背後の障子がさっと引かれて数人の武士が乱入し、あっというまに義教を討ち取った。実雅は、公家でありながら義教の前にあった引き出物の太刀《たち》をとって応戦したが、転倒したところを斬られて負傷した。護衛のために供をしてきた山名《やまな》熈貴《ひろたか》ら三人は討死《うちじ》にした。細川持春《ほそかわもちはる》、大内持世《おおうちもちよ》ら二人の大名は腰刀（小刀）で戦ったが、屈強の暗殺部隊の敵ではなかった。重傷を負い、現場からは逃れたものの、二人ともその傷がもとで亡くなった。管領の細川持之《ほそかわもちゆき》、細川持《ほそかわもち》

◉閻魔王決断所
まったく問題のない大善人でないかぎり、人は死ぬと閻魔の裁きを受けて地獄や餓鬼に墜《お》ちる。しかし、飢饉《ききん》や合戦が絶えないこの世が、すでに地獄であった。（『六道絵《ろくどうえ》』のうち「閻魔王庁図《えんまおうちょうず》」部分）
前ページ図版

常《つね》、一色教親《いっしきのりちか》、赤松貞村《さだむら》らはいち早く逃走し、その他の人びとも右往左往して逃げることしか念頭になく、義教のあとを追って御前で腹を切る者もいなかった。義教の首は赤松方に取られ、死骸《しがい》は放火された赤松邸の焼け跡から翌日になって探し出されて、将軍家《しょうぐんけ》の菩提寺《ぼだいじ》・等持院《とうじいん》に運ばれた。

暗殺計画は入念に練られたものだったが、貞成親王は同席した大名らのあまりの無抵抗ぶりにあきれている。それは事件後の幕府、大名らの対応に対しても同じで、分国播磨《ぶんこくはりま》に落ち行く赤松を追いかけて討とうとする者もいないのを見て、「諸大名同心歟《どうしんか》」と共謀を疑ってさえいる。事件の原因はもともと義教の赤松討伐計画にあって、それを察知した赤松満祐《みつすけ》が先手を打って出たのだという伝聞を記したあとで、「自業自得のはて、力無き（仕方ない）ことか。将軍此《かく》のごとき犬死《いぬじに》、古来その例を聞かざることなり」と酷評している。

将軍の横死《おうし》は衝撃的な事件であったが、その知らせを喜びをもって受けた者も少なくなかった。いうまでもなく、義教の勘気をこうむって逼塞《ひっそく》を強《し》いられていた人びとである。彼らはい

2

●義教が好んだ能
義持は田楽を好み、義教は猿楽（能）に熱中した。義教の時代に猿楽は幕府の公式芸能、つまり式楽《しきがく》になった。（『豊国祭礼図屏風《ほうこくさいれいずびょうぶ》』）

っせいに復帰に向けて動き出した。

大和国《やまとのくに》平群《へぐり》郡の立野《たつの》にひっそりと暮らしていた前大乗院門主《だいじょういんもんしゅ》の経覚《きょうがく》もそのひとりで、嘉吉三年六月には門主の地位を回復する。

若年将軍

足利義教《あしかがよしのり》の死を受けてただちに大名たちは大名評定《たいめいひょうじょう》を開き、義教の子で八歳の千也茶丸《せんやちゃまる》（義勝《よしかつ》）を後継者と定めた。千也茶丸は養育されていた伊勢貞国《いせさだくに》の邸宅から室町殿《むろまちどの》に移った。それと同時に、烏丸資任《からすますけとう》、義持側室の「南向《みなみむき》」（徳大寺実時女《とくだいじさねときのむすめ》）、奉公衆の斎藤朝日持経《さいとうあさひもちつね》、三条実雅《さんじょうさねまさ》らのもとでそれぞれ育てられていた千也茶丸の兄弟たち八人も、同所に集合させられた。それだけでなく、管領《かんれい》の細《ほそ》川持之《かわもちゆき》によって、義教の兄弟たちや義嗣《よしつぐ》の子は鹿苑院《ろくおんいん》に集められた。異心をもつ勢力が擁立するのを恐れてのことである。赤松満祐《あかまつみつすけ》は播磨《はりま》で足利直冬《ただふゆ》の孫である義尊《よしたか》を将軍として担ぎ出して反幕勢力の糾合《きゅうごう》を図ったが、将軍の一族がそのような形で利用される可能性のある重大な危機だったのである。

ところが義勝は、二年後の一〇歳のときに痢病《りびょう》で亡くなった。大名たちはふたたび相談して義勝の同母弟の三春《さんはる》（のち義成《よししげ》、さらに義政《よしまさ》）を将軍としたが、三春はまだ八歳であり、管領の畠山持国《はたけやまもちくに》が幕政を主導することになった。しかし、持国および持国と交互に管領の座についた細川勝元《かつもと》、赤松討伐によって勢力を拡大した山名持豊《やまなもちとよ》（宗全《そうぜん》）らのあいだの対立と暗闘は、幕政を不安定でまとまりのないものにしていた。

いつほころぶかもしれない幕政を支えていたのが、義勝や義成の母である日野《ひの》重子《しげこ》であった。北条《ほうじょう》政子《まさこ》の例を持ち出すまでもなく、将軍が幼少のとき、その母は大きな力をもつことがある。有力大名間の紛争調停や公武の人事などに、重子はその力を発揮した。

文安《ぶんあん》六年（一四四九）年四月、義成は将軍宣下《せんげ》を受け、判始《はんはじ》めを行なった。判始めとは、将軍が発給する文書である御判御教書《ごはんのみぎょうしょ》に、新将軍がはじめて花押《かおう》を据える儀式である。これによって、義成は御判御教書を出して将軍としての権力の行使が可能になったのであるが、一四歳の将軍に幕政の主導はまだ少し無理だった。公家や武家の所領安堵《あんど》などに関して御判御教書が出される一方で、管領が将軍の権力を代行して発給する管領下知状《げちじょう》も相変わらず出された。管領を代表とする大名たちと将軍の綱引きが始まったとみることも可能だろう。享徳《きょうとく》二年（一四五三）六月、義成は後花園《ごはなぞの》天皇からもらったその名前を義政にあらためた。これは、成の字の中の、武器や武力を意味する「戈《か》」を避けて政務に励むことを示したものである。

さらにこの時期の政治を混沌《こんとん》としたものにしたのは、将軍の側近たちである。大館《おおだて》氏の出身で乳母《めのと》であった今参局《いままいりのつぼね》は義政の寵愛を受けるようになり、しばしば幕府の人事などに容喙《ようかい》した。時には重子と鋭く対立するようなこともみられた。また、乳父《めのと》（養育者）の烏丸資任も、養育者という立場を生かして影響力を行使した。さらに、養育という立場を足がかりにした二人とは別に、摂津国《せっつのくに》有馬《ありま》郡の分郡守護《ぶんぐんしゅご》である有馬元家《もといえ》が義政の施政《しせい》を左右した。以上の三人を世間では「三魔《さんま》」といったという。「お今（おいま）」「からすま」「ありま」に共通する「ま」に引っかけたのである。

一方、義政のもうひとりの乳父で「室町殿御父《むろまちどのおんちち》」とされた伊勢貞親《さだちか》がしだいに力をふるいはじめた。貞親は、政所《まんどころ》の執事《しつじ》（長官）として幕府財政や将軍の家政などの実務をつかさどることを通じてその実力をふるっていたが、さらに公武の故実《こじつ》に詳しい者として義政に重用されていった。長禄《ちょうろく》三年（一四五九）正月に、今参局は義政正室の日野富子《とみこ》呪詛《じゅそ》の疑いをかけられて自殺に追い込まれるが、このころには影響力のある側近は「三魔」から貞親にかわっていた。

義政の親政

長禄《ちょうろく》二年（一四五八）、二三歳になった足利義政《あしかがよしまさ》は本格的な親政をめざすようになる。四月には義《よし》満《みつ》の先例に倣って公家を家司《けいし》に編成し、公武統一政権の長としての機構を備えた。五月には義教《よしのり》に倣い、理非を基準とした公正な裁判を行なうという連署起請文《れんしょきしょうもん》を幕府奉行人《ぶぎょうにん》らから徴した。その起請文の文言《もんごん》は、義教のときのものをほぼ引き写したものである。さらに、義教の御前沙汰《ごぜんさた》に倣い、みずから訴訟を受理することも始めた。七月には義政は内大臣《ないだいじん》になるが、祖父の義満もやはり二三歳で内大臣となっている。このころ、武士の押領《おうりょう》などによって不知行《ふちぎょう》となった寺社本所領《じしゃほんじょ》の還付政策を打ち出した。八月からは公家様花押《くげようかおう》を使いはじめた。

要するに義政は、義満や義教、とくに義教の先例を踏襲《とうしゅう》して代始《だいはじ》めの徳政を行なったのであるが、その徳政もまた、民治や庶民の生活とはほとんど無関係な世界の出来事であり、それによっていわゆる民百姓《たみひやくしよう》の生活が楽になったわけではない。むしろ義政は悪政といわれても仕方がないようなことも、少なからず行なっている。

のちにみるように、長禄・寛正《かんしよう》年間はひどい飢饉《ききん》であった。そのさなか、義政は将軍就任後も住みつづけていた高倉殿《たかくらどの》（烏丸資任邸《からすますけとう》）に庭園をつくり、さらにそこから義教の住んだ室町殿《むろまちどの》に移るために新殿の造営を始めている。享徳《きようとく》三年（一四五四）一〇月の徳政令以後、幕府は債務額の一〇分の一あるいは五分の一を、債権者ではなく幕府に納めることで債務破棄を認めるようになり、幕府の収入確保を図った。

収入確保といえば、関《せき》の設置もそうである。中世の関所は、軍事的目的から設置されたのではなく、経済的なもの、つまり関銭《せきせん》を稼ぐために置かれた。長禄三年八月、幕府は京都の出入り口である七口《ななくち》に新しい関を設けて関銭の徴収を始めた。これは伊勢《いせ》神宮《じんぐう》の造営費をまかなうためという触れ込みであったが、じつは義政や日野富子の奢侈《しやし》を支えるためであった。

また、義政の猿楽《さるがく》好きは度を超えていた。先に寛正五年（一四六四）四月の糺河原《ただすがわら》の猿楽について少し触れて義政と富子が観覧したことをみたが、義政夫妻は同月五日、七日、一〇日と三日間も楽しんでいる。こ

3

◉逢坂の関（大津市）
室町時代には関銭を取るために各地で関が乱立した。関の設置者あるいはその上級領主に申請して過所《かしよ》（過書）を発行してもらえば、関銭を払わずに通行できた。（『石山寺縁起絵巻《いしやまでらえんぎえまき》』）

の年はこれ以前にも正月に一度、三月に二度、一〇月、一一月、一二月にも各一度観劇している。つねに室町殿に猿楽を呼んだというわけではなく、大名などの屋敷に招かれて見る場合もあったが、それにしても何かと費用は要したであろう。

ところで、義政にはこのころ実子がいなかった。まだまだ実子が期待できる年齢であったが、寛正五年一一月に義政は弟で東山《ひがしやま》の浄土寺《じょうどじ》に入っていた義尋《ぎじん》を還俗《げんぞく》させて後継者とした。これが義視《よしみ》である。これは、義政が政務への意欲を失ったからというわけではなく、かつて義満が将軍義持《よしもち》の、義持が将軍義量《よしかず》の背後にあって実権を行使したように、いわゆる大御所《おおごしょ》政治への布石とみるべきだろう。また実子の誕生をあきらめたわけでもなく、義視からわが子への継承を予定していたと考えることができる。翌年には富子《とみこ》に男子が生まれる。これが義尚《よしひさ》であるが、義尚誕生後も義政が義視の立場に変更を加えなかったことは、義視が中継ぎとして予定されていたことを意味しているのだろう。

しかし、しだいに激しさを増す大名たちの権力闘争をよそに、義政は政務に飽きてきていた。少なくとも傍目《はため》にはそう映った。奈良から京都の政治をみていた興福寺大乗院《こうふくじだいじょういん》の尋尊《じんそん》は、「近日の京都の様、一向に諸大名相計《あいはか》らう。公方《くぼう》（義政）は御見所《けんじょ》（傍観）なり。今出河殿《いまでがわどの》（義視）また諸事仰せ計らわる（指揮しておられる）と云々《うんぬん》。公方の儀は正躰《しょうたい》なし（異常だ）と云々。以《もっ》ての外《ほか》のことなり。行く末心元なきこととなり」と将軍の統治意欲喪失に対する不安を記したが、不幸にもこの予感は的中することになる。

享徳の乱

鎌倉公方《くぼう》は、永享《えいきょう》一一年（一四三九）二月に足利持氏《あしかがもちうじ》が自刃《じじん》してから不在のままであった。関東では上杉《うえすぎ》方が勢力を伸ばしたが、上杉憲実《のりざね》は主人である持氏を死に追いやったことを悔やんで引退し、子供たちも出家させた。山内上杉《やまのうちうえすぎ》家の家督は弟の清方《きよかた》が継承したが、清方が亡くなると長尾《ながお》氏や太《おお》田《た》氏らの有力家臣らは憲実の息子で出家していた憲忠《のりただ》を担ぎ出した。憲忠は父の命に背いて還俗《げんぞく》し、文安《ぶんあん》四年（一四四七）に関東管領《かんれい》に就任した。

一方、持氏の遺児で信濃《しなの》に逃れていた万寿王《まんじゅおう》も、結城《ゆうき》氏や宇都宮《うつのみや》氏などの支持を得て幕府に鎌倉公方再興を請願していたが、同年に幕府から許可が出て八月に鎌倉に入った。そして二年後の文安六年に元服して足利成氏《しげうじ》と名のり、鎌倉公方に就任する。成の字は、将軍義成《よししげ》（義政）の下の字をもらったものである。

こうして鎌倉公方—関東管領の体制は一応復活したのだが、まもなく上杉方に対する公方側勢力の攻撃が始まる。宝徳《ほうとく》二年（一四五〇）四月、両者は相模《さがみ》の江ノ島《えのしま》で激突した。成氏は、上杉方の実権が長尾景仲《ながおかげなか》や太田資清《おおたすけきよ》にあるとみて二人の排除をねらったが、結局これに失敗し、幕府の斡旋《あっせん》もあってうやむやのうちに両者は和解した。

しかし、成氏の上杉氏に対する恨みは深く、四年後の享徳《きょうとく》三年（一四五四）一二月、成氏は計略をめぐらして憲忠を鎌倉の公方邸に呼び出して殺した。これによって両者はふたたび戦闘に突入し、関東は内乱状態となった。これが享徳の乱である。

戦いは公方側が優勢にすすめて上杉勢はじりじりと北へ追いやられた。常陸《ひたち》まで後退した上杉勢を追って、享徳四年三月、成氏は下総《しもうさ》の古河《こが》（茨城県古河市）に拠点を構えた。

京都の幕府は、今度は成氏の弁明を聞き入れず、成氏は父持氏と同様に、幕府から追討を受ける身となった。憲忠の弟の上杉房顕《ふさあき》は、京都で幕府に仕えていたので憲実の息子たちのうち、ただひとり出家をまぬがれていたが、関東管領および成氏追討の総大将に任命され、さらに信濃・越後《えちご》・駿河《するが》の守護《しゅご》、および幕府直轄軍である奉公衆《ほうこうしゅう》らにも出陣が命じられた。駿河守護である今川範忠《いまがわのりただ》の軍勢が鎌倉に入った。

鎌倉を占領されて帰ることができなくなった成氏は古河にとどまることを余儀なくされ、これ以後古河公方《こがくぼう》と呼ばれる。そして年号が享徳から康正《こうしょう》に改められてもこれに従わず、公然と享徳年号を使いつづけるなど、京都への敵対姿勢をとりつづけた。関東のこの独立状態は、文明《ぶんめい》一〇年（一四七八）頃まで続くことになる。

これに対して、義政は長禄《ちようろく》元年（一四五七）、天龍寺《てんりゆうじ》の僧侶となっていた兄政知《まさとも》を還俗させて鎌倉公方に任じ、関東に下向《げこう》させた。しかし、幕府による成氏の攻撃が計画どおりには進まず、また政知も関東管領の上杉氏などを掌握することができないまま鎌倉入りを断念し、伊豆《いず》の堀越《ほりこし》（静岡県伊豆の国市）まで下向したところでとどまった。そこでこれを堀越公方《ほりこしくぼう》という。こうして関東は、古河公方・鎌倉の上杉勢（関東管領）・堀越公方などが入り乱れる混沌《こんとん》とした状態に陥った。

土一揆

四辺土民蜂起

少し時間を戻そう。嘉吉《かきつ》元年（一四四一）六月に足利義教《あしかがよしのり》が赤松《あかまつ》邸で暗殺され、大名らの会議でわずか八歳の千也茶丸《せんやちゃまる》（義勝《よしかつ》）が後継に決まったが、この機会をとらえて土民《どみん》らは、「代始めの慣例だ」と称し、徳政を要求して蜂起《ほうき》した。山名持豊《やまなもちとよ》（宗全《そうぜん》）らが赤松追討のために播磨《はりま》に出かけたタイミングを見計らったように蜂起しており、一揆《いっき》側の戦略を感じさせる。

騒ぎは近江《おうみ》から始まり、村々では地域を限定して実施される在地徳政が行なわれたが、この動きを煽動《せんどう》したのは、近江守護《しゅご》の六角満綱《ろっかくみちつな》だといううわさが京都では流れた。近江で徳政が実施されると、同国に多くの荘園をもつ延暦寺《えんりゃくじ》（山門《さんもん》）は多大な損害をこうむる。その延暦寺と六角氏が在地支配をめぐって対立していたことを考えれば、六角の煽動は十分に可能性がある。

『大島《おおしま》・奥津《おくつ》島《しま》神社文書《じんじゃもんじょ》』によると、山門領の奥島《おくしま》・北津田荘《きたつだしょう》で行なわれた徳政は、質物《しちもつ》は債務の一一分の一の返済で解消、出挙《すいこ》の借銭、年季売り地契約、憑支講《たのもしこう》（頼母子講）は破棄、永代売り地は半分返却で現作付け分も折半、三社（伊勢《いせ》・賀茂《かも》・石清水《いわしみず》社）関係は適用外、というものであった。

八月末から九月初めにかけて、徳政令発布を要求して一揆は周辺から京都に進入した。九月三日には東山の法性寺《ほっしょうじ》近辺で一揆勢と侍所《さむらいどころ》の軍勢が衝突して火災が起きたが、一揆勢の多さに侍所方はなすすべがなかった。夜には賀茂《かも》あたりでも鬨《とき》の声があがった。この日には東福寺《とうふくじ》が、次いで五日には東寺《とうじ》が一揆勢の占拠するところとなった。東寺には二、三〇〇〇人ほどの土民らがいたという。一揆勢は、そのほか今西宮《いまにしのみや》・西八条寺《にしはちじょうじ》・官庁《かんちょう》・神《じん》祇官《ぎかん》・北野社《きたのしゃ》・太秦寺《うずまさでら》などの寺社・官司を占領し、出雲路口《いずもじぐち》・河崎《かわさき》・将軍塚《しょうぐんづか》・清水《きよみず》・六波羅《ろくはら》・阿弥陀峯《あみだがみね》・今愛宕《いまあたご》などの地に、京都を取り囲むように陣取った。寺院に立てこもった一揆は、要求が聞き入れられないときは、堂舎《どうしゃ》・仏閣《ぶっかく》を焼き払うと幕府を脅《おど》した。これは決してただの脅しではなかった。一揆の要求を拒否した土倉《どそう》は容赦なく放火された。

徳政令が出ると大損害をこうむる土倉は、管領《かんれい》の細川持之《ほそかわもちゆき》に「千貫賄賂《せんがんわいろ》」を贈って一揆の鎮圧を要請した。ところが持之は、一揆を抑えることは不可能として、これを返却した。どうやら大名たちの足並みがそろわず、なかには一揆と気脈を通じている者もいたことが原因のようである。幕府は一揆の要求に応じて、土民の負債を免除する徳政令を発布することにしたが、一揆は幕府に「土民等殊《こと》なる借物なし。殊なる質物なし。公家・武家の人々切迫の条、痛ましく相《あ》い存ずるの間、張行《ちょうぎょう》するところなり。悉《ことごと》く皆同に許さるべし」と要求してきたという。

◉大島・奥津島神社（滋賀県近江八幡市）
いまは干拓されて陸続きになったが、もとは湖に浮かぶ島にあった。付近の奥島・北津田荘の鎮守で、二〇〇点あまりの「惣村文書《そうそんもんじょ》」が残されており、たいへん貴重。

つまり、自分たち土民はこれといった借物も質物もない、公家・武家の人々の困窮ぶりが気の毒なので徳政を要求したのだ、公家・武家にも適用される徳政を行なえと。このことを日記に記した大納言《だいなごん》の万里小路時房《までのこうじときふさ》は、一揆が債務者全体をいわば共犯関係に引きずりこんで、後日の処罰をまぬがれようとしたのだと推測している。一揆はただの暴徒の集まりではなく、幕府と交渉する能力をもって政治的に動く存在であった。

こうして、九月一二日に侍所長官である京極持清《きょうごくもちきよ》の署判する徳政令が出された。この法令には「一国平均の沙汰」とあるので、山城国《やましろのくに》一国に、つまり公家にも武家にも適用され、一揆の要求が容《い》れられたものであることがわかるが、先の奥島・北津田荘の徳政令のような細かい規定はみられない。これでは実施にあたって混乱は避けられないが、このような徳政令は、とりあえず要求に応じてみせて一揆を鎮静化する目的で「戦略的に発令」されたものだという。幕府もけっこう狡猾《こうかつ》なのである。

ところが、一揆は幕府の期待したほどには鎮静化せず、徳政実施をめぐるトラブルが京都などで続発した。そこで幕府は先の徳政令発布から約一か月後の嘉吉元年閏《うるう》九月一〇日に、九か条の規定をもつ徳政令をあらためて発布した。その内容は、永代売買地に関しては当知行《ちぎょう》二〇年未満の地には徳政適用、本銭返地《ほんせんがえしち》・年季沽却地《ねんきこきゃくち》・質券地《しちけんち》にも適用、将軍が売買を安堵《あんど》した地や売寄進地《うりきしんち》などは不適用、などとするものであった。山門やその他の債権者に配慮した内容であるが、さらにのちには永代売買地を適用範囲から除外した。

一揆は村ぐるみか

嘉吉《かきつ》以後にも土一揆《つちいっき》は起こった。六年後の文安《ぶんあん》四年（一四四七）の六月末ごろから七月の初めにかけて、山城《やましろ》・大和《やまと》・近江《おうみ》・河内《かわち》などで徳政が実施された。京都では東寺《とうじ》が土一揆によって占拠され、幕府から派遣された諸大名の軍勢が東寺付近で一揆勢と戦った。一五世紀の後半に入ると、土一揆は頻発するようになる（三一八ページの表参照）。応仁《おうにん》の乱《らん》（一四六七〜七七年）が戦われた時期にはやや鎮静化するが、一四八〇年代、九〇年代には二年に一度以上の頻度で一揆が起こっている。

ところで、これらの土一揆は、惣村結合《そうそんけつごう》を基礎として借金に苦しむ村人が村ぐるみで参加したもの、また蜂起《ほうき》した村々の連合と考えられる場合が多い。たとえば、京都東郊の山科七郷《やましなしちごう》の場合は、そう考えるのに十分な根拠を提供してきた。

山科七郷は、現在の京都市山科《やましな》区にあたり、東・西・北の三方を山で囲われた山科盆地の北部に位置する。この地には十数の村があり、それらが七つの郷を形成していた。領主は醍醐《だいご》寺《じ》三宝院《さんぼういん》・山科家《やましなけ》・聖護院《しょうごいん》・青蓮院《しょうれんいん》・勧修寺《かじゅうじ》などで、ほぼ郷ごとに異なっていたが、七郷は地縁によって結ばれていた。その自治的な活動がよく知られているが、各郷には年老《おとな》、中﨟《ちゅうろう》、若衆《わかしゅ》などの組織があり、七郷の寄合《よりあい》が毎年春と秋に開かれ、緊急事態に際しては「野《の》寄合《よりあい》」と呼ばれる野外での会合ももたれた。

長禄《ちょうろく》元年（一四五七）一〇月に起こった土一揆は、京都およびその周辺で幕府や土倉《どそう》に雇われた軍勢と何度か衝突して、月末にはほぼ勝利を手中にした。事態を注視していた山科七郷は、一揆側の勝利を確認して七郷として行動を起こした。また、文明《ぶんめい》一二年（一四八〇）の土一揆では、上京して一揆に参加した村人の費用を、七郷として負担している。このような例が、土一揆を村ぐるみの農民闘争ととらえるための具体的な根拠となっていた。

　しかし、むしろそうではないことが多いのである。一揆には村人が三々五々《さんさんごご》、加わった例が多いことが最近指摘されている。村そのものは一揆参加にはきわめて慎重で、幕府の命によって領主とともにむしろ土一揆を取り締まる立場に立たされることが多い。土一揆の張本《ちょうほん》（リーダー）あるいは加担者が処刑されて、その首が村から幕府に届けられたこともある。一揆に参加した、あるいは一揆の張本として処罰されるのは、各村から何人ずつかでしかない。「村のリーダーの手で村ぐるみ住民が組織された」ものとして土一揆をみることはできないのである。

　では、一揆は誰に率いられたのであろうか。寛正《かんしょう》三年（一四六二）九月上旬に蜂起し、一〇月の末に敗北した土一揆の大将は蓮田《はすだ》なる者で、「牢人《ろうにん》」と呼ばれ主人をもた

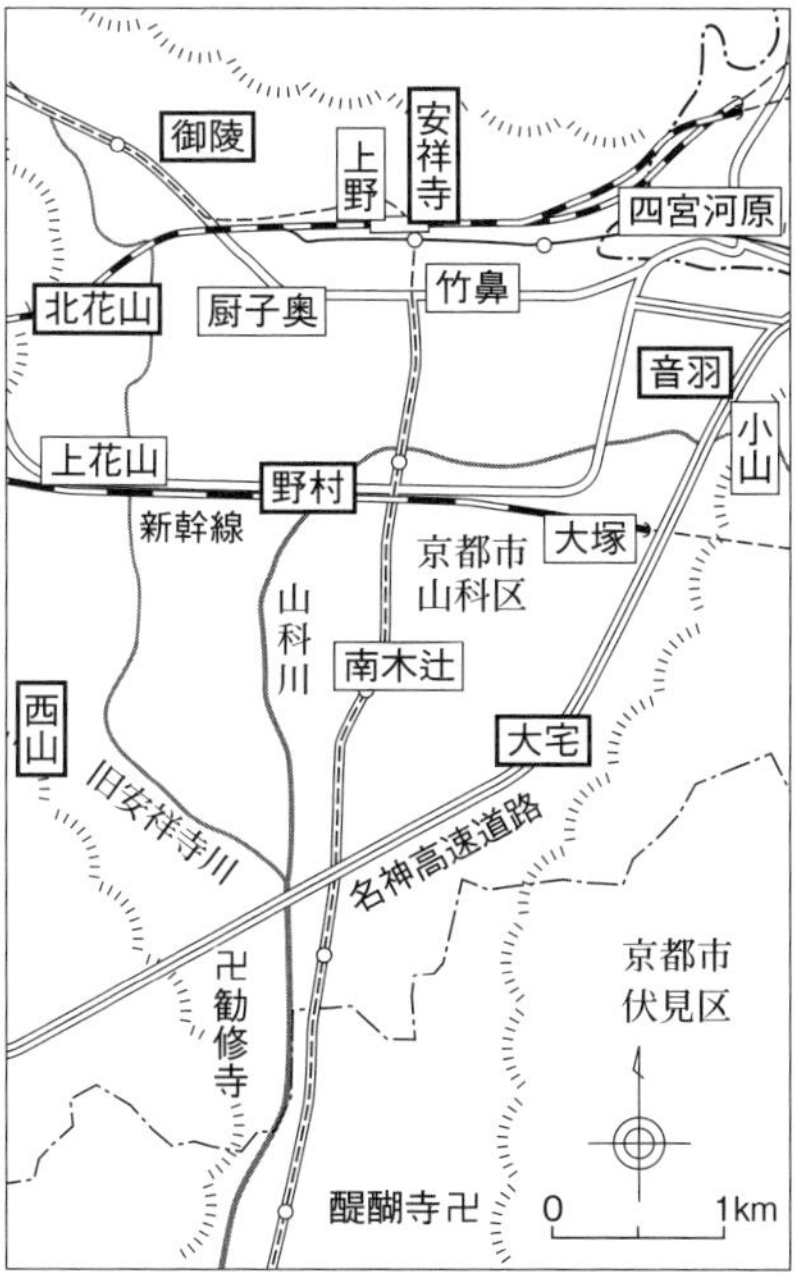

◉山科七郷の地図（京都市山科区）
これらの村のうち、野村《のむら》・大宅《おおやけ》・西山《にしのやま》・北花山《きたかざん》・御陵《みささぎ》・安祥寺《あんしょうじ》・音羽《おとわ》を「本郷」として、七つのグループに編成された。

ない侍の身分であった。また、もともとは農民であっても、農業を捨て、武芸に励み、系図を買って侍身分へ上昇をめざすような者が「徳政の張本」になったという。応仁の乱などに足軽大将《あしがるだいしょう》などとして活躍した馬切衛門五郎《うまぎりえもんごろう》や御厨子《みずし》らも同類である。

さらに注意しておかなければいけないことは、土一揆には大名らの被官《ひかん》の姿が、少なからずみえることである。文安の西岡《にしのおか》の土一揆には畠山持国《はたけやまもちくに》の被官が多かったし、伊勢《いせ》氏の被官も西岡には少なくなかった。寛正六年一一月に、伊勢貞親《さだちか》は西岡の被官たちに一揆への参加厳禁を通達している。のちには武家被官が土一揆の大将として登場したこともある。

大名被官の侍たちが土一揆に加わり、時にはこれを率いていることさえあるとすれば、土一揆が幕府内の大名たちの争いと密接に連動した動きを見せることがあるのも、なんら不思議ではない。土一揆を村ぐるみの農民闘争とする考え方は、現在大幅に修正されつつある。

土倉とのつきあい

徳政は、すべての人につねに歓迎されたわけではない。京都や周辺地域の住民で、土倉《どそう》からの定期的な借り入れが生活していくうえで不可欠であった者は、しばしば難しい立場に立たされた。それは、土一揆《つちいっき》に同調して、あるいは徳政令が出されたからといってむやみに質物《しちもつ》を土倉から取り戻すようなことをすれば、それ以後土倉からの借り入れが困難になるからである。長禄《ちょうろく》元年（一四五七）の土一揆に際しては、「田舎者」や流れ者は質物を只取《ただど》りしたが、今後のつきあいがある京都や周辺の住民たちは、債務額の一〇分の一を支払って質物を返してもらった。正長《しょうちょう》の土一揆（一四二八年）に際しても、奈良では債務の三分の一、先にみた『大島《おおしま》・奥津《おくつ》島神社文書《しまじんじゃもんじょ》』では一一分の一の返済が規定されており、ほとんど形ばかりであっても債権者にそれなりの返礼をしておくのが徳政に際しての慣習だったようである。

貴族や寺院もまた土倉からの借り入れなしにはやっていけない存在であった。嘉吉《かきつ》には土一揆の

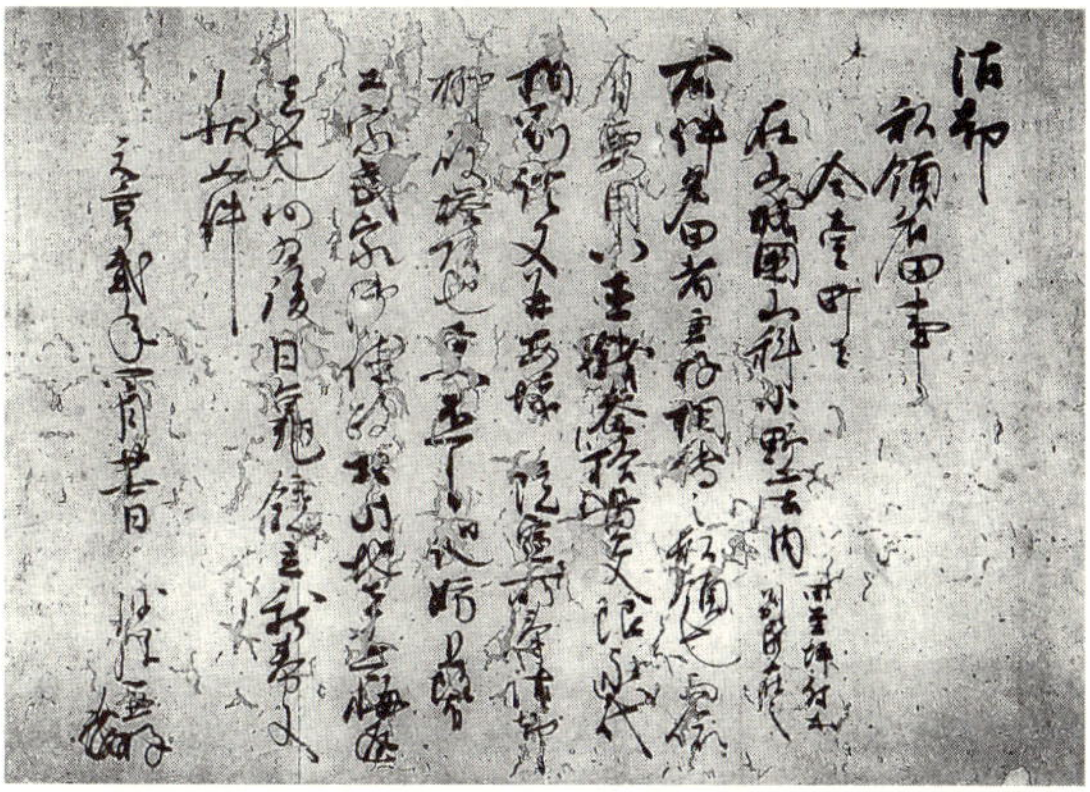
4

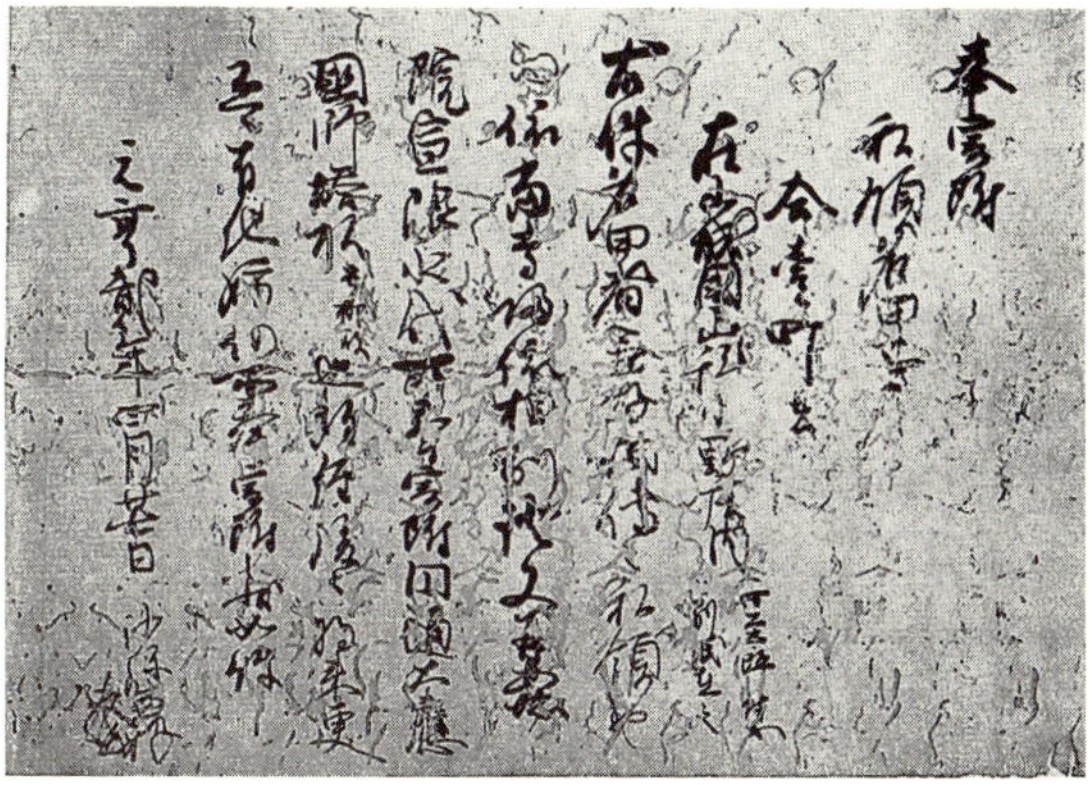
5

◉同日付の売券と寄進状
『徒然草』の作者・兼好法師が、京都山科の小野荘内の田一町を、大徳寺の塔頭に一〇貫で売却した際に作成したもの。寄進状は、徳政令の適用をまぬがれるためである。

要求によって公家・武家にも適用される徳政令が発布されたが、万里小路時房《までのこうじときふさ》は土倉から質物が返却されると、後日に債務を支払うことを約束してこれを受け取った。東寺《とうじ》では土倉からの申し入れによって一部の債務は解消し、ほかの債務は無利息にすることを条件に返済に同意している。なかには赤飯を炊いて徳政を歓迎した貴族もいたが、多くの場合、今後のことを考えると徳政を手放しで喜んでばかりはいられなかったのである。

貴族たちが個別的に土倉と行なったことは、ある意味では徳政忌避の行動ともいえるが、古くから土地の売買に際しては、「たとえ徳政が行なわれても、この地には適用されない」などの徳政文言《もんごん》といわれる特約をつけて徳政を避けることが少なからずみられた。また、それと同様の目的をもつ措置であるが、実際には売買であるにもかかわらず、売券と同時に寄進状を作成して買い主に渡しておく方法もしばしばみられた。売買や質入れではなく、寄進や贈与であれば徳政が適用されないからである。前ページの写真は、『徒然草《つれづれぐさ》』の作者である兼好法師《けんこうほうし》が山科小野荘《やましなおののしょう》内の土地を大徳寺《だいとくじ》の塔頭《たっちゅう》に売り渡したときに作成した土地売券であるが、同日付で寄進状を作成している。徳政は、通常の経済行為にとっては障害となる以外の何ものでもなく、中世の人びとにも重荷となることがあったのである。

和物・枯淡・抑制の美

唐物から和物へ

足利義政《あしかがよしまさ》の時代には文化思潮に大きな転換が起こった。それは、ひとことでいえば、華やかなものから落ち着いたものへの移行で、今日《こんにち》の日本人の美意識につながる変化である。平安時代以来の日本人の唐物《からもの》好きについては先にみた。将軍・公家・大名・僧侶たちは、唐物に目がなかった。ただし、少し注意しておく必要があるのは、中国のものならばどのようなタイプのものでも日本で珍重されたわけではなく、ある程度選択的に受容されていたことである。たとえば、絵画でいえば、中国ではそれほどの評価を得ていなかった南宋《なんそう》代末の禅僧画家牧谿法常《もっけいほうじょう》の、そのソフトな画風が歓迎されて、日本ではひじょうな好評を博した。豪華な青磁《せいじ》や天目《てんもく》茶碗のなかにも、じつは枯淡美《こたんび》に通じる要素が見いだされていたとの指摘もある。

　そのような日本人の趣味、美的感覚が前面に押し出されるようになったのである。さらにその後、中国の青磁や天目茶碗よ

◉**水の子岩遺跡から出土した「波状文壺」**一九七七年、瀬戸内海の海底（香川県小豆島沖の岩礁）に沈む難破船から、南北朝期の大量の備前焼が引き上げられた。焼締めと自然釉の地肌の味わいが好まれた備前焼が、船で大量に畿内へ持ち込まれるようになる。

り国内の備前焼《びぜんやき》や信楽焼《しがらきやき》をよしとする主張が出てきた。「冷《ひ》え枯《か》れた」（茶人の村田珠光《むらたしゅこう》）、素朴な味わいが評価されるようになったのである。日本人の和物を見る目が養われてきたわけであるが、和物浮上の背景には、日明《にちみん》貿易の低迷による唐物輸入の減少ということもあった。

このころ、中国の画家の唐絵《からえ》を日本の画家が模倣する似絵《にせえ》がさかんに行なわれた。似絵といえば、一二世紀後半の藤原隆信《ふじわらのたかのぶ》に始まる肖像画が思い出されるが、ここでは唐絵の画題や技法を手本として描かれたもののことである。似絵のなかには、手本となった画家の作品と区別できないほど見事なものもあった。そして、それらは模倣、贋物《にせもの》として退けられることはなく、優れた作品として人びとに愛された。中国への留学経験もあり、山水画《さんすいが》を大成した雪舟《せっしゅう》には、専門家によって「仿玉澗《ほうぎょくかん》」「仿梁楷《ほうりょうかい》」など、仿誰々と呼ばれる作品がある。「仿」は模倣の倣と同じで、倣う、まねるの意味である。雪舟も中国の絵を学ぶなかから、その画風を確立していったのである。

和物や和様といっても、それは唐物や唐様を前提としたものといえる。また日本人の好みが和様や枯淡に統一されたわけでもないことに、留意しておく必要があろう。

足利義持《あしかがよしもち》のころから、水墨画の世界では画面にわざと空白を残し、できるだけ簡潔な筆遣いで描くスタイル、余白や抑制を尊ぶ描写法が出てきたが、能の世界でも抑制された表現や身体が世阿弥《ぜあみ》によって導入されていた。誇張はもちろん、写実も退け、演技の「間《ま》」や空白によって目の肥《こ》えた観客の想像力をかきたてることがよしとされたのである。このように洗練された能は、世阿弥の娘《むすめ》婿《むこ》である金春禅竹《こんぱるぜんちく》などによって継承・発展していった。

書院座敷

住まいや建築の面でも、今日につながる動きが始まった。足利義満《あしかがよしみつ》以来、歴代将軍は幕府のなかに公式行事を行なうハレの場とは別に、和歌会や連歌会《れんがえ》などを行なう「奥《おく》の間《ま》」的な空間をもっていた。建物でいえば、前者が寝殿《しんでん》で後者が会所《かいしょ》である。義満は花の御所に一宇《いちう》、義持《よしもち》も三条坊門殿《さんじょうぼうもんどの》に一宇、義教《よしのり》にいたっては再建した室町殿《むろまちどの》に三宇と三条坊門殿に一宇の会所を建てた。会所のなかは唐物《からもの》で装飾され、そこで行なわれる茶会は禅宗寺院のそれに倣い曲彔《きょくろく》（椅子《いす》）に座って行なわれるものであった。

会所の建築様式は統一されていたわけではないが、やがて書院造《しょいんづく》りに収斂《しゅうれん》してくる。これまで、それぞれ別個のものであった書院・押板《おしいた》（床《とこ》）・違い棚などがひとつのセットとして造り付けになった。屋根裏があらわな寝殿造りと異なり、書院造りでは天井が張られており、床には畳が敷き詰められた。それまで床は板張りで、人が座る場所など必要に応じて畳が敷かれた。畳は持ち運ばれたり、貸し借りされたりするものでもあった。座敷という言葉は、本来円座《えんざ》や畳や莫座《ござ》などが敷かれた座席を意味したが、しだいに畳を敷き詰めた部屋の呼称になっていった。座敷の出現とともに、茶会や立花《りっか》は、畳の上で行なわれるものになった。

もちろん畳が敷き詰められるようなったとはいっても、それは将軍や

7

●畳を運ぶ僧侶
客を迎える準備に畳を運んだり、敷いたりする下級の僧侶。他所から借用することもめずらしくない。（『一遍聖絵《いっぺんひじりえ》』）

貴族などの邸宅の話である。庶民はおろか、かなり格式の高い寺院などでも、従来どおり板張りの床に円座などの座具《ざぐ》を用いるのが主流だった。尋尊《じんそん》の『大乗院寺社雑事記《だいじょういんじしゃぞうじき》』には畳の貸し借りや、行事が行なわれる会場への運搬を記した記事がみられる。すべての居室に、恒常的に畳が隅から隅まで敷き詰められるようになるのは、もっとあとのことである。

天井の張られた書院座敷の登場とともに、屋内の間仕切りの方法が変わって、襖《ふすま》や障子《しょうじ》や遣戸《やりど》などの引き違えの建具によって区切られた部屋が生まれた。寝殿造りの内部空間は几帳《きちょう》などで仕切られたが、これでは上の方は空《あ》いていて独立性がなかった。用途別などによって、それぞれきちんと区切られた独立性の高い空間の出現は、屋内生活のあり方に多大な影響を及ぼした。

足利義政《よしまさ》は、遅くとも三〇歳頃には隠棲《いんせい》への志向をもっていたが、文明《ぶんめい》一四年（一四八二）に東山《ひがしやま》山荘の造営を開始した。のちのいわゆる銀閣寺《ぎんかくじ》である。翌年に一部が完成し、義政はここに移って東山殿《ひがしやまどの》と呼ばれるようになる。さらに三年後には、この山荘内に持仏堂《じぶつどう》として方三間半《ほうさんげんはん》（約七メートル四方）、檜皮葺入母屋《ひわだぶきいりもや》造《づく》りの東求堂《とうぐどう》が完成する。これが現存する最古の書院造りである。この堂内の東北部の同仁斎《どうじんさい》と呼ばれる書院座敷は、北側に書院と違い棚をもち、四畳半茶室の原形とされる。

8

◉足利義政
文明一七年（一四八五）、幕府では義政を支持する奉行人（文官）と、義尚《よしひさ》と結びついた奉公衆（武官）の対立が激化。事態収拾のため義政は引退を表明し出家する。（『真如堂縁起絵巻《しんにょどうえんぎえまき》』）

作事・作庭の迷惑

ところで足利義政《あしかがよしまさ》は、東山山荘以前にも高倉殿《たかくらどの》や室町殿《むろまちどの》などの作事《さくじ》を行なっている。殿舎《でんしゃ》の造営は庭づくりを伴ったが、世間にとって将軍の作事や作庭《さくてい》は迷惑きわまりないものであった。それは、造営費用を負担させられるからだけではない。貴族や寺院の庭園から名木《めいぼく》や名石《めいせき》・奇岩《きがん》などが奪われ、建物からは優れた建材《けんざい》や建具《たてぐ》などが徴発されたからである。奈良の尋尊《じんそん》の日記からみてみよう。

長禄《ちょうろく》二年（一四五八）閏《うるう》正月二日、幕府から興福寺《こうふくじ》の関係者のもとに、将軍の庭の木を調達するために、河原者を派遣したのでよろしく世話せよ、という奉行人連署奉書《ぶぎょうにんれんしょほうしょ》が届いた。

当時、被差別民である河原者が作庭にかかわったことは、よく知られている。おそらくこの奉書を携えてきた使者と河原者は、同行して奈良に下向《げこう》した。

翌日、河原者はさっそく大乗院《だいじょういん》にやってきて庭の木を物色した。尋尊は、河原者が「糸桜一本、白槇《びゃくしん》一本、槇《まき》一本」を要求したという報告を受けたが、予想より被害が小さくすみそうなことに機嫌をよくしたのであろうか、河原者に「酒等」をふるまわせている。

翌四日には、尋尊は近習《きんじゅう》をひとり河原者たちに同行させ、末寺の永久寺《えいきゅうじ》（天理《てんり》市杣之内《そまのうち》町、明治初年に廃寺）と釜口寺《かまのくちでら》（長岳《ちょうがく》

9

◉奇岩が並び立つ庭園（大徳寺大仙院）
室町時代を代表する枯山水式庭園。将軍が普請を始めると、京都近在の寺院や邸宅の名材がねらわれた。（京都市北区）

寺《じ》。天理市柳本町《やなぎもと》）に下した。樹木を運ぶためであろう、借用した馬を添えてやっている。

一行は翌日奈良に戻ってきた。釜口寺では諸院坊《いんぼう》の岡松《おかまつ》・五葉松《ごようまつ》・柿などあわせて二二本の木が指定された。河原者や大乗院からの上使は釜口寺から昼食の接待を受け、さらに河原者に対しては二〇〇疋《びき》（二貫《かん》）の、門跡《もんぜき》には五〇〇疋の「御礼」が出された。永久寺には適当な樹木が少なかったのか、あるいは河原者らが鼻薬でも嗅《か》がされたのであろうか、指定されたのは同寺子院の円光院《えんこういん》の五葉松と南天《なんてん》、世尊院《せそんいん》の槙、それに西養院《せいよういん》の蓮華躑躅《れんげつつじ》の四本にすぎなかった。ここでも釜口寺と同様に河原者には二〇〇疋が贈られ、さらに茶二〇袋が与えられた。門跡への「御礼」は一〇〇疋であった。

奈良に戻った河原者は、尋尊の命によってふたたび「両種（酒の肴《さかな》が二種類ということ）ニテ酒」を給い、手当として三〇〇疋、さらに「練貫《ねりぬき》（絹織物）一重」を支給された。一乗院《いちじょういん》からも二〇〇疋が届けられた。尋尊は、河原者の名前は「ヒコ三郎」と「エモン」だと聞いた。

翌々日の七日には永久寺から、八日には釜口寺から指定された木が奈良に届けられた。九日には、興福寺内の蓮花院《れんげいん》の梅が召されることになり、奈良市内から人夫五〇人が徴発されて木津《きづ》までこれを運んだ。木津から北へは、木津川を利用して船で進上された。

さらに二月になると、尋尊は京都に駐在する雑掌《ざつしょう》経由でふたたび幕府の命を受けた。それは、「室町殿御新造の御用」として「二間《けん》の槻押板《つきおしいた》」を調達して進上するようにというものであった。槻は、堅くて美しく、また狂いが少ないので建材として重宝された欅《けやき》のことである。押板は先にみたように、書院造りのなかに設置された、物を飾るための床《とこ》である。その寸法は「七尺間定め、ヒロサ一尺八寸」と注記されている。したがって、ここでは一間は通常の六尺ではなく七尺ということになり、二間は約四メートル二〇センチになる。ヒロサ（幅）は約五四センチで、このような立派な板は、簡単に見つかるものではなかった。

尋尊が大和《やまと》国内の「東西を相《あ》い尋ね」たところ、一か月ほどして前述の永久寺の仏光院《ぶつこういん》なる坊にあることがわかった。それで、これを「所望」する旨、永久寺に書状を遣わした。このような命に仏光院が抵抗できるはずもなく、四月一日には京都に向けて進上された。進上された棚板はたまたま何かに使うために仏光院にあったのか、あるいはすでに押板などとして部屋の一部になっていたものが剝《は》ぎ取られたのか、どちらか不明であるが、義政の横暴が大和の山寺を直撃したのである。

長禄四年閏九月には、日野勝光《ひのかつみつ》の使者とともに「御大工」二名がやってきた。その目的は、義政の泉殿《いずみどの》のために「古き押板」を興福寺の諸院や諸坊のうちに探し求めて徴発するためである。尋尊は大乗院配下の院や坊のリストを作成して使者と大工に与え、それに基づいて「検知《けんち》」が行なわれた結果、「伝法院《でんぽういん》・常善院《じようぜんいん》の杉障子《すぎしようじ》」が召されることになった。

おそらく興福寺だけでなく、多くの貴族・大名・僧侶たちがこのような悲惨《ひさん》な目にあっていた。将軍居所《きよしよ》の見事な建築や庭園の背後には、台なしになった多くの屋敷や庭が残され、いわゆる東山文化を影で支えたのである。

寛正の飢饉

鴨長明がみた飢饉

一九九三年、長梅雨と冷夏のせいで日本中から備蓄米がなくなり、タイ産米、カリフォルニア産米などが緊急輸入された。「外米《がいまい》」という懐かしい言葉が復活したが、庶民には品質のよいものはあまりまわってこず、評判はいまひとつであった。また不思議なことに、東京で国産米がなくなる前に、一部の地方で手に入らなくなった。米屋の売り惜しみだったと思われるが、太平洋戦争後、都会の人びとがぎゅう詰めの列車からこぼれ落ちそうになりながら、農村へ食料を買い出しに行く様子を思い出し、なんとも奇妙な思いがしたものである。

現代農業の生産技術、また改良を重ねた稲の品種をもってしても長雨と冷夏は致命的だった。古代や中世には飢饉《ききん》が頻繁に起こっただろうということは容易に予想できよう。一二世紀以降、おもなものだけでもつぎのようになる。

天永《てんえい》の飢饉（一一一一年）　長承《ちょうしょう》・保延《ほうえん》の飢饉（一一三四〜六〇年）
治承《じしょう》・養和《ようわ》の飢饉（一一八〇〜八二年）　寛喜《かんぎ》の飢饉（一二三〇〜三二年）
元徳《げんとく》の飢饉（一三三〇年）　応永《おうえい》の飢饉（一四二〇〜二一年）
寛正《かんしょう》の飢饉（一四五九〜六一年）　弘治《こうじ》の飢饉（一五五七〜六〇年）など

これらの飢饉のうち、治承・養和の飢饉について鴨長明《かものちょうめい》の『方丈記《ほうじょうき》』に具体的な記述がある。そこには飢饉に中世の人びとがどう向き合ったか、その特徴もよく現われている。それによると、朝廷が行なったことは、祈禱《きとう》である。朝廷の命によって寺社では特別の大法《だいほう》などが行なわれたが、効果はなかった。諸国の民は、居住地を捨てて山に入った。これは、山に食料となるものがあるからであろうが、別の理由もあったかもしれない。中世には「山林に交わる」といわれる行為があるが、これは逃散《ちょうさん》のことで、農民の職場放棄、ストライキである。飢饉に際して年貢《ねんぐ》・公事《くじ》などの課役拒否を示す行為とも解釈できる。

山林だけでなく、畿内近国の人びとは京都をめざした。京都では施しが期待できたからであるが、とどまることを知らない流民すべてに行き渡るわけはない。食を乞《こ》いながら人びとはばたばたと倒れた。都じゅうが死臭で満たされ、くさき香が充満した。死体は川、とくに町の東を流れる鴨川《かもがわ》にほうり込まれた。あまりにも投げ込まれた死体が多いので、流れがせき止められることもあった。

死が特別なことではなく、毎日何度となく見聞きするものになっても、中世ともなると個々の死者を悼み、その人生を思いやることがみられる。飢饉や戦乱などに際しては、死者を供養してまわる宗教者が現われることが多い。ここでは仁和寺《にんなじ》の隆暁法印《りゅうぎょうほういん》が、一つひとつの死体の額に阿《あ》の字を書いてまわっている。阿は梵語《ぼんご》の第一字母で、「功徳甚深《くどくじんしん》の名号」といわれる。隆暁はその字を書いて仏縁《ぶつえん》を結ばせたのである。

寛喜の飢饉

治承《じしょう》・養和《ようわ》の飢饉《ききん》から半世紀、寛喜《かんぎ》三年から四年（一二三一～三二）に飢饉が起こる。その数年前から異常気象で、危機的な状況が続いていた。とくに前年の寛喜二年は異常な冷夏だった。そしてこれが直接の引き金となった。

寛喜二年の六月九日は、現代の暦に換算すると七月二七日にあたるが、この日美濃《みの》で雪が降った。同じ日に、信濃《しなの》でも大雪となった。武蔵《むさし》ではこの前後に雨混じりの雪が降った（『吾妻鏡《あずまかがみ》』）。藤原定家《ふじわらのさだいえ》は、その日記『明月記《めいげつき》』に京都の異常気象を記録している。それによると、六月一〇日から一七日にかけて涼しい風が吹いて秋の気候のようだったという。定家は、寒いので綿衣《わたごろも》を着たと記している。

七月には諸国に霜が降り、八月には大風（台風か）が吹いて、まるで冬のようになった。草木は枯れ、作物の被害は甚大であった（『吾妻鏡』）。

九月になると、諸国から大凶作の知らせが京都に続々と入ってきた。定家は庭の植木を掘り捨てさせて麦をまかせた。麦は、秋に稲を収穫したあとにまき、冬を越して翌年の初夏に収穫する。そして初夏から秋まで貴重な食料となる。しかし、寛喜二年から三年にかけての冬は、夏が

●仮設バラックでの厳しい生活
合戦に加えて、火災・大風・水害などが人びとの生活を脅かした。（『六道絵《ろくどうえ》』のうち「人道苦相図《にんどうくそうず》」部分）

寒かった反動か、とても暖かく、まるで春か夏のようだった。麦は異常に生長し、諸国では人びとが年内に早くも麦を食べているという話を聞いた。その話を定家は疑っていたところ、自分の畠の麦が三か月も早く、旧暦の一一月中に穂を出してしまい、驚いた。この麦の異常生長は、決して麦の豊作を意味するものではなく、全体としてはまともに実らないまま異常に生長し、枯れてしまう結果になった。麦もまた凶作となったのである。暖冬で桜が咲き、タケノコが異常にできた。タケノコはもちろん食料になるが、あまり栄養はない。ホトトギス、コオロギ、セミが冬に鳴いて人びとの不安に拍車をかけた(『明月記』)。

年が明けて二月、都には泥棒が横行し、栄養不足から体力が落ちた人びとのあいだで病気が流行しはじめた。三月から餓死者が出はじめ、その数はどんどん増え、六月から八月にかけてピークを迎えて京都の町なかには死者があふれた。諸国ではネズミが大発生して穀物を食い荒らした。

秋にはこの年の稲が収穫されてひと息つくことができたが、夏に日照りが続いたせいで水が不足して二年連続の不作・凶作となった。頼みの綱というべき麦は、飢饉で食料が底を突いたので、秋までとっておくべき種も食べてしまった農民が多かった。寛喜三年秋の麦の耕作面積は、例年の半分程度にすぎなかったらしい。当然のことだが、こうして翌年も食料不足となり、飢饉は続いて餓死する者が跡を絶たなかった。

危機回避の方法

このような状況を受けて、領主は年貢の減免、債務の一部破棄を行なった。北条泰時《ほうじょうやすとき》がみずからの領内を対象として徳政を行なったことが知られているが、これは何も泰時に限らず、領主が一般的に行なっていたことだろう。年貢の減免、債務の軽減などが、社会のリスク回避のために行なわれた。

しかし、もっと広く機能した安全装置（セーフティネット）がある。寛喜《かんぎ》の飢饉《ききん》のときに限らず、飢饉の際にはほとんど必ずみられたのが、人身売買である。安全装置というのにはあまりにも苛酷《かこく》な方法だが、大きくみれば、食料のある場所、生存可能な状態へ、飢えている人びとを移動することである。寛喜二年には稲や麦が不作だったので、蓄えられている食料が全体として激減したことは間違いないが、食料や富は偏在する。あるところにはある。持てる者のところへ持たざる者が奴隷として買われていって命を永らえるのである。

土地を売買するときに作成される売券《ばいけん》（土地売買契約書）は今日までたくさん残されている。ところが、人間を売買したときにも作成されたはずの売買証文は、ほとんど残っていない。これは当然のことで、売買された人間が死んでしまえば、その証文・契約書も無用になるからである。そのような理由からその実態はあまり解明されておらず、中世末から近世にかけて盛んになった説経節《せっきょうぶし》（説教浄瑠璃《じょうるり》）などの語り物に現われた人身売買が参考にされることが多い。

しかし、史料がまったくないわけでもない。横浜市金沢《かなざわ》区の神奈川県立金沢文庫所蔵資料のなかにも、偶然残された人身売買関係の史料ある。これによると、寛喜の飢饉のとき、遠江《とおとうみ》の藤原家貞《ふじわらのいえさだ》という人が、源次郎《げんじろう》と袈裟《けさ》の「子息二人」を竪者御房《りゅうじやごぼう》なる僧に売り渡した。時に源次郎は二六歳、袈裟一九歳で、二人とも立派な成人である。また「子息」といえば現代では男性だが、袈裟は名前からみて女性である。つまり、成人の男女二人が、寛喜の飢饉に際してその父親によって売られたのである。そうして得た金で、父親や母親、あるいはその他の子供たちの生き残りが図られたのである。

ところが、源次郎と袈裟の二人は、おとなしく竪者御房に仕えたわけではなかった。何かにつけて反抗的だったようだ。そこで怒った竪者御房が、父親である家貞と源次郎に、「主人をないがしろにしない、悪いことをたくらまない、ほかの人を主人と仰がない、逃げない」などという起請文《きしょうもん》を連名で書かせた。この誓約書が偶然に残って、家貞親子の身の上に起こったことが今日まで伝わったのである。

家貞は名のりなどから考えて、武士と思われる。飢饉に際しては彼らでさえ子供を売ったのである。まして庶民のレベルでは、広範に人身売買が行なわれただろう。鎌倉幕府は、原則と

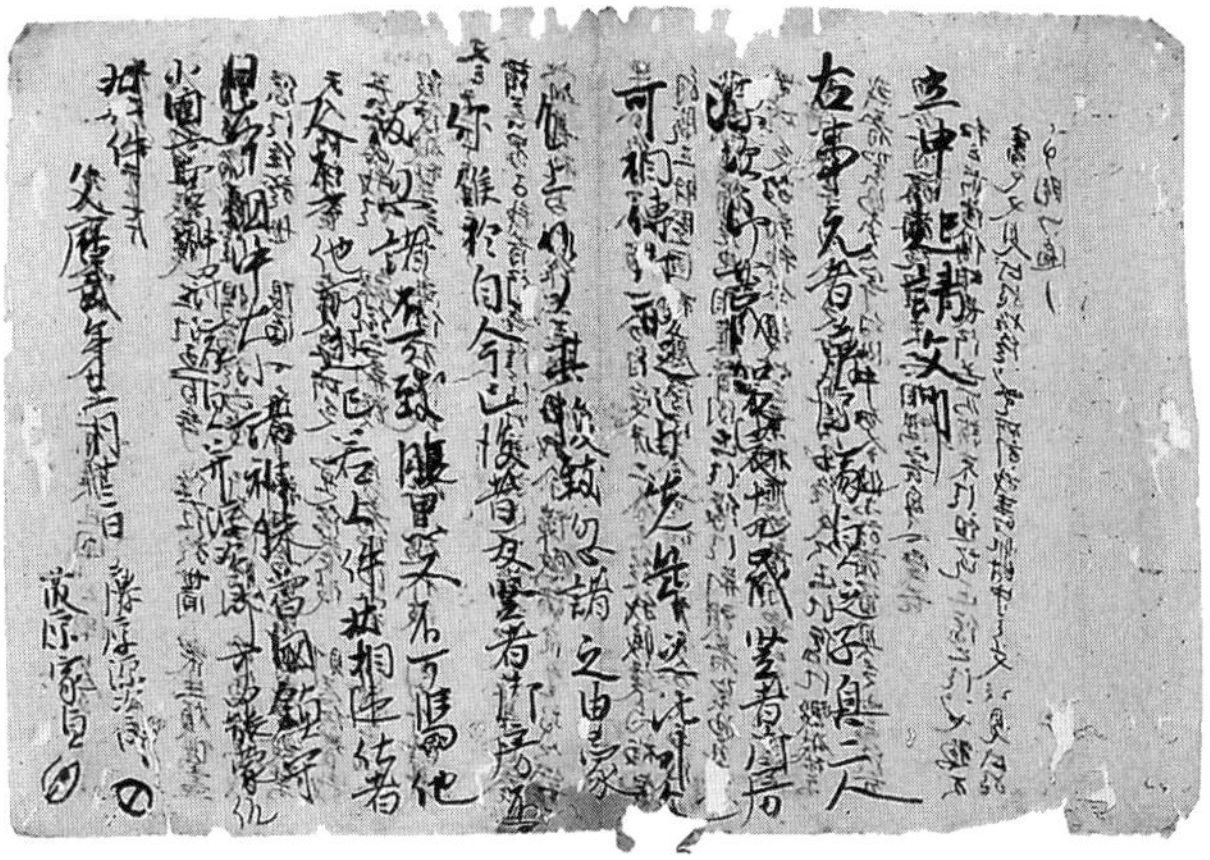

11

◉藤原家貞・同源次郎連署起請文
飢饉のピークから三年ほどのちの文暦《ぶんりやく》二年（一二三五）二月一三日の日付が記されている。裏面が利用されたため、今日まで残った。

して人身売買を禁止していたが、寛喜の飢饉に際しては禁止を一時的に撤回した。これは、民衆の救済策、リスク回避の方法のひとつであるが、土一揆《つちいっき》や徳政の嵐が吹き荒れたのちの室町期と違って、富裕な者の債権や所有権をそのまま保証するものでもあった。鎌倉時代にはヒトをモノ（富や食料など）のあるところへ動かした、室町時代にはそれに加えてモノを、必要とするヒトのところへ動かすようになったと対比できるだろう。

施行と施餓鬼

平安末から鎌倉期の飢饉《ききん》を概観したので、つぎに本題の寛正《かんしょう》の飢饉についてみよう。

長禄《ちょうろく》四年（寛正元年〔一四六〇〕）は異常気象の年だった。大和《やまと》では六月中旬に雨がやむようにという止雨《しう》の祈禱《きとう》がなされ、八月下旬には一転して雨が降るように祈雨《きう》が諸社で行なわれた。いつになればやむのかと思えば、今度はまったく降らないという天候不順が稲作を直撃した。秋には諸荘園から百姓がつぎつぎに奈良にやってきて、興福寺《こうふくじ》に年貢の減免を求めた。収穫が少なくて、とても例年どおりに納められる見込みはなかった。大市荘《おおいち》（天理市《てんり》柳本町《やなぎもと》）の百姓たちは、年貢・公事を納めずに逐電《ちくでん》した。越前《えちぜん》の河口荘《かわぐち》（福井県坂井郡《さかい》）からは、収穫期に大風・大水に襲われたという悲鳴のような報告が届いた。こうして、年の暮れから年明けにかけて、飢饉が始まった。

京都には施行《せぎょう》を目当てにつぎつぎと飢えた人びとが流れ込んできた。毎日数百人が行き倒れたという。奈良の経覚《きょうがく》の日記によれば、足利義政《あしかがよしまさ》は寛正二年正月元旦に流民一人あたり六文《もん》の支給を始めたが、たちまち用意した銭《ぜに》が尽きてしまった。正月一六日には、ある人が「歩ける者は革堂《こうどう》（行願寺《ぎょうがんじ》）に集まれ」と触れまわらせ、群集した飢民に一条《いちじょう》道場の聖《ひじり》が一人あたり五〇文の施行を施した。一万人ばかりがこの恩恵をこうむったので、総費用は五〇〇貫《かん》になると経覚は計算し、いったいスポンサーは誰なんだろうと考えている。

二二日には、義政は申請に応じて願阿弥《がんあみ》なる勧進聖《かんじんひじり》に「非人乞食《こつじき》」の「供養」を命じた。ここでの「非人乞食」は京都に流れ込んできた難民のことで、「供養」は病人の収容や施行と、死者の弔《とむら》いなどを意味した。願阿弥配下の聖たちは、六角頂法《ろっかくちょうほう》寺《じ》の南側の通りに、東は東洞院《ひがしのとういん》通から西は烏丸《からすま》通にいたるあいだにずらっと小屋を建て、粟粥《あわがゆ》を炊き出しした。粥にしたのは、弱っている者にいきなり固い飯を食べさせると死んでしまうからである。その一方で、聖たちは京都じゅうから死体を集めて葬った。願阿弥の活動資金は、諸方からの勧進（募金）によって調達されたものであった。

この願阿弥の事業に関して経覚は、二月になって親しい商人

12

◉施餓鬼
本来見えないはずの餓鬼が栄養失調で腹がふくらみ、手足の細い姿に可視化されて描かれているが、これは飢えに苦しむ現実の民衆の姿であろう。（『餓鬼草紙《がきぞうし》』）

で京都の情報に通じている楠葉新右衛門《くずはしんえもん》からつぎのような興味深い話を聞いている。

「正月一八日の夜、束帯姿《そくたい》の義教《よしのり》が義政《よしまさ》の夢枕《ゆめまくら》に立ち、つぎのように言った。『私は生きているときに多くの罪を犯したので、いま受けている苦しみはなみなみではない。しかし、善行も多かったので、ふたたび将軍に生まれることができる。ただいま乞食が多数餓死している。私を苦しみから助けようと思うならば、乞食に施行《せぎよう》してほしい』と。そこで義政は願阿弥に仰せ付け、一町におよぶ小屋を建てて乞食を収容し、多数の大釜《おおがま》で雑炊を炊いて毎日施した。それにかかる費用は日ごとに一五〇〇疋《ぴき》で、これは麦の収穫時まで続けられる」

楠葉新右衛門の祖父・天竺聖《てんじくひじり》は足利義満《よしみつ》に重用された天竺（インド）からの渡来人で、父の西忍《さいにん》は明《みん》に二度渡ったことのある貿易商である。新右衛門自身も幕府有力者たちと昵懇《じつこん》であったと思われるので、右の話を根も葉もないデマとしていちがいに否定できないだろう。本当だったとすれば、義政のねらいは、生前の罪によってあの世で苦しむ父親の救済で、民衆への施行はその手段にすぎなかったということになろう。経覚は「有り難き御夢想」「尊ぶべし、尊ぶべし」と感想を記しているが、それほど感動できる話でもない。

義政の動機はともあれ、願阿弥はどのような僧だったのだろうか。生まれは越中《えつちゆう》といわれ、鴨川《かもがわ》に四条橋や五条橋を架け、南禅寺《なんぜんじ》の仏殿再興に一〇〇貫を施入し、「能《よ》く檀波羅蜜《だんはらみつ》（財などを他人に施す修行）を成す」などといわれているので、すでに名の知られた実績のある勧進聖であったと推測されるが、この願阿弥が、じつは飢饉の直前に大和にその姿を見せている。

先に長谷寺《はせでら》の観音開帳《かんのんかいちょう》について簡単に触れたが、長禄三年八月、観音堂の屋根葺《ふ》き費用調達のために開帳があった。開帳を軸として、勧進によって資金調達を行なうことを願阿弥が請け負ったのである。長谷寺の開帳は、同寺の本寺である興福寺大乗院《こうふくじだいじょういん》の申請に基づいて朝廷から綸旨《りんじ》が出されて行なわれるのが通例であったが、このときは勧進聖である願阿弥の主導によって行なわれた。大乗院門跡《もんぜき》である尋《じん》尊《そん》のもとに京都から綸旨をもたらしたのは、願阿弥の代官であった。また長谷寺の開帳に際しては、収入の一部を開帳銭として大乗院に上納する義務が長谷寺側にあったが、このとき願阿弥は、大乗院に交渉して「御奉加《ごほうが》」してもらうこと、つまり免除獲得を長谷寺側に約束したらしい。のちにそんなことを承知していない大乗院とのあいだでひともめすることになる。

　願阿弥は、朝廷から綸旨を獲得するルートをもっていたのであるが、それだけではない。綸旨と同時に願阿弥の代官は、「長谷《はせ》奉伽帳《ほうがちょう》」を持参して尋尊の加判《かはん》（花押《かおう》を書くこと）を得ているが、その奉加帳にはすでに「室町殿幷諸大名《むろまちどのならびにしょだいめい》」らの花押が据えられていた。つまり願阿弥は、朝廷や幕府のトップとのあいだに独自の太いパイプをもっていたのである。そのようなつながりに支えられ、配下の多数の僧を指揮して各地で

◉鴨川
鴨川の広い河原は、死体を捨てる葬送地であり、飢饉ともなれば周辺から食料を求めて都に集まってきた人びとの亡骸《なきがら》で、川の流れが妨げられることもあったという。

勧進や施行などを行なっていたので、寛正の飢饉にあたって、義政が願阿弥を起用したことは当然ともいえよう。

さて、資金が底をつき、願阿弥は二月の末で流民のための小屋を撤去し、施行もやむなく打ち切られた。ある僧が小さな木片で八万四〇〇〇個の「率堵《そつと》（卒塔婆《そとば》か）」をつくり、正月から二月末にかけて死体の上にひとつずつ置いて供養して歩いたところ、二〇〇〇個があまったという。したがって、施行にもかかわらず、この間京都で亡くなった者の数は八万二〇〇〇人ということになる。その後も死ぬ者は跡を絶たず、やがて町じゅうに死臭が満ちるようになった。

三月の末に、義政は五山《ござん》に命じて、四条橋や五条橋などの橋上で施餓鬼会《せがきえ》を営むことを命じた。これは苦しんで死んでいった飢民たちの祟《たた》りを避けるためであろう。四月二二日にいたるまで、建仁寺《けんにんじ》・相国寺《しょうこくじ》・東福寺《とうふくじ》・万寿寺《まんじゆじ》・南禅寺《なんぜんじ》・天龍寺《てんりゆうじ》などが多数の僧を動員して入れ替わり行なった。法会では亡魂《ぼうこん》に施すために実際に食べ物が用意されたが、それを河原者《かわらもの》などが奪い合う恐れがあったので、幕府の侍所《さむらいどころ》が厳重な警護を行なった。行事の費用は、義政が一〇〇〇疋出すなど、やはり勧進方式が採用された。

飢饉に対して、朝廷や幕府は寺社に祈禱《きとう》を命じるか、せいぜい勧進聖に施行や供養を行なわせる程度の対策しかとらなかった。京都の住民も自分たちのことで精いっぱいで、とめどなく流れ込んでくる諸国の住民に手をさしのべる余裕はなかった。

第八章

応仁の乱

1

家督争い

下剋上の足音

すでに二度ほど登場した越前《えちぜん》の河口《かわぐち》荘は、一一〇〇町《ちょう》（約一三平方キロメートル）を超える北陸地方の大荘園で、奈良の興福寺《こうふくじ》・春日社《かすがしゃ》の所領で大乗院《だいじょういん》が荘務権（荘園を実際に支配する権限）をもっていた。飢饉の長禄《ちょうろく》四年（寛正《かんしょう》元年〔一四六〇〕）にも河口荘には例年どおり大乗院から年貢と公事がかけられてきたが、この年はそれだけでなく、越前守護《しゅご》の斯波《しば》氏からは「鎌倉出陣」のために守護役が、京都の将軍からは公方段銭《くぼうたんせん》が、さらに伊勢《いせ》の内宮造営《ないくうぞうえい》のための段銭がかけられてきた。興福寺の工作によってこれらの臨時課役の大半は免除されることになったが、それで荘民たちがひと息つけたわけではなかった。なぜなら、奈良ではこの年、大乗院門主《もんしゅ》の尋尊《じんそん》が春日若宮祭《わかみやさい》（おん祭り）の田楽頭役《でんがくとうやく》に指名され、その費用調達の一環として河口荘に田楽頭段銭六〇〇貫《かん》をかけてきたからである。田楽頭役は、おん祭りで田楽を演じる田楽法師たち一三人の豪華な装束を新調して下げ渡す役割である。

不作と飢饉《ききん》に見舞われたうえに思いもしなかった負担を要求され、河口荘の百姓は半額の三〇〇貫免除を奈良に申し入れたが尋尊は耳を貸さず、もし翌寛正二年の春夏のあいだに全額納入が完了しない場合には、「国方《くにかた》に仰」すと百姓たちを脅《おど》した。国方とは守護のことで、武士の介入は現地が

●応仁の乱の戦闘
太刀・長刀を振りまわす武者たちが、活き活きと描かれている。
前ページ図版（口絵参照）

もっとも恐れることのひとつであった。

長禄四年一一月、尋尊は無事に田楽頭役を果たしたが、河口荘に対する催促はやまなかった。この間、河口荘は「大風（台風か）」にも見舞われて大きな被害を受けていた。寛正二年二年七月、河口荘から二人の百姓が奈良にやってきて窮状を尋尊に訴えた。それによると、前年冬よりの餓死者は九二六八人、逐電《ちくでん》した者は七五七人という。いくら河口荘が大きい荘園であるといっても、あまりの餓死者の数に尋尊は疑いをもったようで、「或《ある》いは世間の事（世の中全体のこと）」かと日記に小さく注記している。

数字の正確さはともかく、荘民が塗炭《とたん》の苦しみを味わっていたことは間違いあるまい。七月の末あるいは八月初めに、さらに「河口庄十郷百姓等《じゅうごうひゃくしょうとう》」を名のる者たちが奈良にやってきて「告文《こうもん》」を尋尊に捧げた。告文は起請文《きしょうもん》と同じで、百姓たちは、「神仏にかけてうそ偽りは申し立てていない、自分たちに段銭を納入する力はない」と再度尋尊に訴えたのであろう。しかし、尋尊はこの告文を見もせずに突き返した。八月七日に百姓らは大乗院の公文所《くもんじょ》に列参し、奉行《ぶぎょう》たちを介して訴えたが尋尊は頑として譲らず、百姓らは約一か月後にむなしく帰国した。

一〇月中旬になって、尋尊は上洛中の朝倉弾正左衛門尉《あさくらだんじょうさえもんのじょう》に連

2

◉大乗院門主尋尊
半世紀に及ぶ日記『大乗院寺社雑事記《じしゃぞうじき》』をはじめとして、一五世紀後半の政治や社会を知るうえで貴重な記録を数多く書き残した。

絡をとり、段銭徴収の契約を成立させた。越前の現地を実際に掌握している、あるいは掌握できるのは斯波氏の被官《ひかん》の朝倉氏だと尋尊は判断したのであろう。二〇日に一族の朝倉駿河守《するがのかみ》以下四〇余名が段銭催促のため越前に向けて京都を出立した。河口荘の百姓らは、「河口惣御百姓中《そうおんひやくしようちゆう》」として「去年・当年のことは、五百年、三百年此方《このかた》にもなき不熟」、「朝倉殿へ仰せ付けられ候は、、庄家の大儀」、「庄内の失墜」が多くなるとし、さらには逃散までちらつかせて朝倉との契約破棄を嘆願したが、尋尊は「逃散を恐れて催促すべきものをさしおくことはできない」として拒否した。こうしてこの年の末に、朝倉氏は現地から段銭を徴収して六〇貫《かん》を大乗院に納めた。

こうみてくると、読者のなかにはつぎのような疑問をもつ人もいるだろう。すなわち、第六章でとりあげた猿楽《さるがく》観劇の費用負担に大和《やまと》の番条《ばんじよう》荘の百姓が抵抗したように、当時の百姓はおいそれとは臨時の賦課に応じなかったのではないか、どうして河口荘の荘民らは田楽頭段銭をはね返すこと

3

◉おん祭り松の下渡り
御旅所《おたびしよ》（仮神殿）での奉納に先立ち、一の鳥居を入ったところ、かつて春日明神が影向《ようごう》したという松の下で種々の芸能が少しずつ披露される。図は能が演じられている場面。（『月次風俗図屏風《つきなみふうぞくずびようぶ》』）

ができなかったのか、と。じつは、この問題を私も解けないのである。おそらくそれは、大和の住民たちが先進的、戦闘的で、越前の農民がおとなしかったからだとか、猿楽観劇はただの遊興で、対する田楽頭役は神聖な神事の一環だからだ、とかというだけではすまない、中世社会全体の理解にかかわる根本的な問題を含んでいるのではないか。これからも考えていかなければならない大きな問題だと思っている。

諸家の分裂

ところで、大乗院《だいじょういん》と手を組んだ朝倉弾正左衛門尉《あさくらだんじょうさえもんのじょう》こそ孝景《たかかげ》で、まもなく勃発《ぼっぱつ》する応仁《おうにん》の乱《らん》の立て役者のひとりである。朝倉氏はもともとは但馬《たじま》の武士で、足利尊氏《あしかがたかうじ》の挙兵に応じた広景《ひろかげ》が、斯波《しば》高《たか》経《つね》に従っていた。朝倉氏は高経が幕府に背いたときも京都の命に従い、その恩賞として越前に七か所の所領を賜わるなどして同国に拠点を築いていた。孝景は広景から数えて七代目にあたり、大乗院から段銭《たんせん》徴収を依頼されたころ、義政《よしまさ》から越前の守護《しゅご》代《だい》に任命された。

着々と勢力を伸ばしつつあった朝倉氏とは対照的に、主家の斯波氏はピンチを迎えていた。高経に直接つながる嫡流は絶えて、このころには傍流の義敏《よしとし》が斯波氏家督を継いでいたが、義敏は重臣の甲斐《かい》氏、織田《おだ》氏、朝倉氏らと折り合いが悪く、長禄《ちょうろく》元年（一四五七）と二年にはこの主従間で合戦にまでいたった。

義敏は長禄二年の冬に足利成氏《しげうじ》討伐のために関東への出陣を義政から命じられたがこれを履行せ

ず、翌年五月、甲斐氏を攻め、敗北を喫した。義政はこの命令違反を怒り、義敏から斯波氏家督の地位を奪い、義敏の息子の松王丸《まつおうまる》に与えた。しかし、この措置も斯波氏と重臣たちのあいだに平和をもたらすことはできず、寛正《かんしょう》二年（一四六一）に斯波氏の家督と越前・尾張《おわり》・遠江《とおとうみ》三か国の守護職《しき》は一族の義廉《よしかど》に与えられた。義廉の父の渋川義鏡《よしあきら》は堀越公方《ほりこしくぼう》足利政知《まさとも》の重臣だったので、義廉の登用は成氏に対峙《たいじ》した政知支援の意味もあった。

義敏は周防《すおう》の大内《おおうち》氏のもとに身を寄せていたが、遠縁の義廉の起用を知って復帰に向けて動き出した。文正《ぶんしょう》元年（一四六六）七月、義敏はついに惣領職に復帰するが、その背後には伊勢《いせ》貞親《さだちか》や蔭涼《いんりょう》軒季《けんき》瓊真蘂《けいしんずい》などの支持と暗躍があった。有力大名の細川勝元《ほそかわかつもと》や山名《やまな》持豊《もちとよ》（のちに宗全《そうぜん》）らは義廉を支持しており、斯波氏の家督争いは幕府の中枢まで波及してきた。

家督争いは、これ以前に畠山《はたけやま》氏においても起こっていた。畠山持国《もちくに》には男子がおらず、弟の持富《もちとみ》を後継者に指名していた。持国が四〇歳のとき、待望の男子が生まれたが、持国は持富の地位を変更しなかった。ところが、文安《ぶんあん》五年（一四四八）一一月、突如として持国は後継を持富から実子の男子に変更した。幕府に出仕して義政の寵愛《ちょうあい》を受けたこの男子が、のちの義就《よしひろ》である。その四年後に

応仁の乱の対立関係

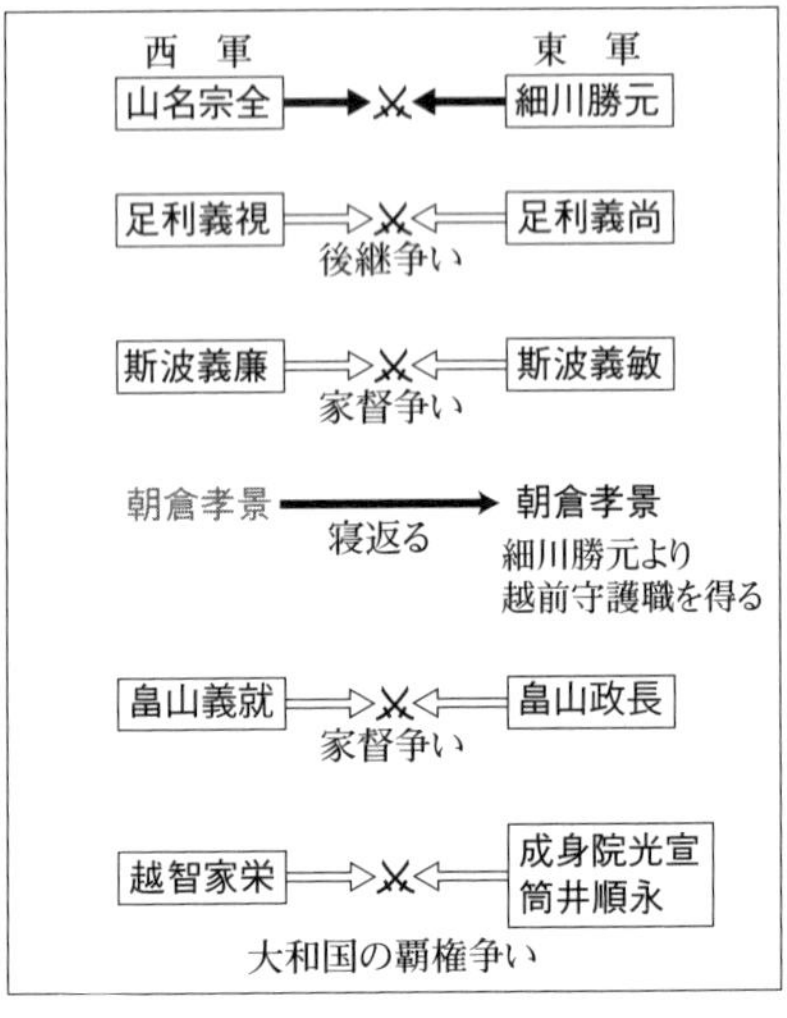

持富が亡くなると、持国は義就の地位を固めようと考え、まもなく持富の子の弥三郎《やさぶろう》を追放した。しかし、畠山被官《ひかん》の多くが義就を家督と認めず、さらに細川勝元と山名持豊が弥三郎をかくまったので、義政も仕方なくいったんは弥三郎を畠山家督とした。しかし、その後義政が勝元と持豊に相次いで圧力を加えたので、今度は弥三郎が在京できなくなり、義就が家督に復帰する。

義政の強引な支持によって畠山家家督の地位を確保した義就であったが、「上意《じょうい》」を詐称《さしょう》した行動などによってしだいに義政との距離が開いていった。長禄四年九月、義政は義就から畠山家家督を取り上げ、この間に亡くなった弥三郎の弟政長《まさなが》に与えた。義就は河内《かわち》に下って抗戦したので、政長派とのあいだに攻防戦が展開されることになる。飢饉《ききん》のさなかのことであり、この争いは河内だけでなく、畠山分国《ぶんこく》の紀伊《きい》や越中《えっちゅう》の百姓の苦しみに追い討ちをかけるものとなった。

やがて将軍家でも同様の問題が火を噴くことになる。実子義尚《よしひさ》が生まれたにもかかわらず、義政が弟義視《よしみ》を依然として将軍後継としていたことは先に述べた。しかし、義尚の母である日野富子《ひのとみこ》や、養育者である伊勢貞親にとって、義視は邪魔者でしかなかった。文正元年九月、敵対勢力である細川勝元や山名持豊ら有力大名を、義尚の後見者という立場から抑え込むため、貞親は義視を失脚させ義尚の地位を確立しようと図った。ところが計画は裏目に出て、逆に貞親らが失脚することとなった。これを文正の政変というが、義政の親政も大きな打撃をこうむり、大名たちの力が増大した。

東西の幕府

文正《ぶんしょう》元年（一四六六）一二月、山名宗全《やまなそうぜん》（持豊《もちとよ》）の工作によって畠山《はたけやま》義就《よしひろ》は上洛し、翌二年（三月に応仁《おうにん》と改元）の正月に足利義政《あしかがよしまさ》に拝謁した。かつて宗全は弥三郎《やさぶろう》・政長《まさなが》派を支持していたが、細川勝元《ほそかわかつもと》との対立などから義就派に転向していたのである。義政が政長に義就への屋敷の明け渡しを命じると、政長は管領《かんれい》を辞し、次いで屋敷に火をかけて上御《かみご》霊社《りょうしゃ》に陣取ったが、義就勢に攻められて西走《せいそう》した（御霊合戦《ごりょうかっせん》）。

両畠山の戦いは、それぞれの背後にいた細川方と山名方のにらみ合いとして潜行《せんこう》し、双方とも軍勢を京都に招集した。奈良にいた尋尊《じんそん》は、五月中旬に「京都、ことのほか物忩《ぶっそう》」と日記に記したが、その予想どおり、二六日早朝についに合戦が始まった。細川方（東軍）は将軍邸（室《むろ》町殿《まちどの》）を掌握して義政と義視を確保し、山名方（西軍）は室町殿の西に陣取った。その地は西陣《にしじん》と呼ばれるようになり、現在も西陣織などにその名をとどめている。合戦によって京都の町は「焼亡連続」し、「焼失数百箇所」といわれる荒れ果てた姿に変貌《へんぼう》していった。

当初、将軍を東軍に抱え込まれて西軍の旗色は悪かったが、八月に大内政弘《おおうちまさひろ》が上洛すると西軍は勢いを得て戦闘は激化した。後花園《ごはなぞの》上皇と後土御門《ごつちみかど》天皇は、正月の御霊合戦のときと同じく、室町

4

◉上御霊神社（京都市上京区）
文正二年（三月に応仁と改元）正月一八日早朝、ここから応仁の乱が始まった。「京中の者、衢《ちまた》に立て合戦を見物」したという。

殿に避難した。その同じ日に義視は京都を出て行方をくらましたが、のちに伊勢《いせ》の守護である一色《いっしき》氏のもとにいることがわかった。義視のこの行動の目的は必ずしも明らかではないが、このときすでに義視には西軍への合流計画があったのかもしれない。

応仁二年九月、義視は義政の説得を容《い》れて帰京するが、義視が日野勝光《ひのかつみつ》・富子兄妹や赦免された伊勢貞親《いせさだちか》と共存できるはずもなかった。一一月二三日、義視は比叡山《ひえいざん》を経由して斯波義廉《しばよしかど》の陣に入り、翌日西軍諸将の参賀を得た。西軍は義視を将軍に擁立し、ここに東西二つの幕府が出現した。

この後戦線は西軍にやや有利に展開するものの、大きくみれば膠着《こうちゃく》状態に陥った。これを打ち破ったのが、文明《ぶんめい》三年（一四七一）五月の朝倉孝景《あさくらたかかげ》の東軍への寝返りである。孝景は翌年八月に甲斐《かい》氏を破って越前《えちぜん》一国の掌握にほぼ成功した。越前は、日本海を経由して西国から京へ人と物を運ぶ重要な中継点であったが、ここを東軍に取られて西軍は大きな打撃をこうむった。

このころから乱は長期化と、いっそうの惰性化の様相を見せはじめた。決裂したものの、文明四年には細川と山名とのあいだで和平の動きがみられた。翌年五年には山名宗全、細川勝元の東西の主将が相次いで亡くなった。これによって両幕府とも求心力を低下させたが、西軍のほうにより深刻に影響したようである。この後の西軍諸将は義政の誘いに動揺したり、あるいは分国《ぶんこく》の情勢が気になったりして結束力を失っていった。とくに大内氏や義視が義政と和解の道を探る動きを見せたのは決定的であった。こうして文明九年一一月、諸大名らはそれぞれ分国に下向し、西幕府は滅亡した。

足軽

京都を舞台にして一〇年間にわたって戦われた乱の主力は、東西両陣営とも足軽《あしがる》といわれた存在であった。本巻では最初のほうですでに足軽が登場したが、そのころの足軽は、本来騎兵《きへい》でありながら戦闘や地形に応じて歩兵となり、俊敏に活躍した兵士がおもなものであった。しかし、応仁《おうにん》の乱《らん》の主役はそのような正規兵ではなく、いわゆる雑兵《ぞうひょう》である。いくつかの証言を聞いてみよう。

東福寺《とうふくじ》の禅僧である太極《たいきょく》は、ある人からつぎのようなことを聞いた。

「東陣に精鋭の兵が三〇〇余人いる。足軽と号し、身に甲《かぶと》を着けず、戈《ほこ》を持たない。ただ一剣を持って敵軍に突入する」と。その後、みずから足軽の一隊を目撃している。それは、「東陣の疾足《はやあし》（足軽であろう）三〇〇余人が宇治社《うじしゃ》に詣《もう》でた。各々長矛《おのおのながほこ》・強弓《ごうきゅう》を持ち、歌い踊っていた。頭にはある者は金の冑《かぶと》をかぶり、またある者は筍《たけのこ》の皮でつくった笠をかぶっていた。赤毛の者もいた。身には粗末なものを一枚まとっただけで、肌が見えた。寒さなど気にせずに、身を軽くして飛ぶように疾走することを心がけている」というものであった。ここでは足軽は勇敢な兵で、軽装かつ異形《いぎょう》の集団として描かれており、鎌倉末期の悪党《あくとう》を連想させるものがある。

実際、一条兼良《いちじょうかねよし》は足軽を「悪党」と表現した。将軍足利義尚《あしかがよしひさ》のために著わした政道書である『樵《しょう》談治《だんち》要《よう》』のなかで、兼良はつぎのように述べた。「この度《たび》はじめて出てきた足軽は、とんでもない悪党である。なぜなら、洛中洛外の諸社・諸寺・五山十刹《ござんじっさつ》・公家・門跡《もんぜき》の滅亡は、彼らの所行《しょぎょう》であるからだ。敵の立てこもったところはやむをえないとして、そうではない所々を打ち破り、あるいは放火して財宝を探すことは、昼強盗といわなければならない。このようなことは、前代未聞のことだ」。兼良は、足軽が敵味方の区別なく行なう放火と略奪に腹を据えかねて足軽を悪党と痛罵《つうば》したのである。太極の精兵という見方よりも、むしろこのような否定的な評価のほうが一般的であった。

その行動についても「人の心を誑《たぶら》かし、思い寄らずふと敵に懸かり合戦仕る。…逃ぐること、恥辱《ちじょく》にあらず」（『応仁乱消息《おうにんのらんしょうそく》』）と、奇計・奇襲に長《た》けて逃げることを恥としないなどと批判的な評価が多い。これらの証言から浮かび上がるのは、およそ名誉とか潔さなどといった価値観とは無縁で、略奪を旨とし、危険があればたちまち蜘蛛《くも》の子を散らすように逃げてしまう、烏《う》合《ごう》の衆に近い兵というイメージである。

ところで、土一揆《つちいっき》と応仁の乱の関係について、次ページの表のような興味深い研究がある。京都を相当の頻度で襲撃していた土一揆は、応仁の乱が戦われていた一四七〇年代にはほとんど鎮静化し、乱の終息とともにふたたび盛んになるというのである。これはいったい何を示唆しているのだろうか。

足軽が京中で略奪を働いているときには京都に土一揆は押しかけてこなかった。そうだとすると、足軽＝土一揆という可能

5

●戦場を疾風のごとく駆けまわる
屋根板や格子を引き剝《は》がし、畳などを運び出す足軽。抜き身で女性を追いかける者も。略奪は生きるための手段であった。（『六道絵《ろくどうえ》』のうち「人道苦相図《にんどうくそうず》」部分）

性が出てくるだろう。もちろん、両者がぴたりと重なりあうことはないだろうが、主力は同じだという指摘である。

　その指摘が正しいことを示す根拠はいくつも提示されている。たとえば、兼良は先にみた記述に続いて、つぎのようなことも書いている。「（足軽は）いずれも主人をもたない者はいない。今後もこのようなことがあれば、各々《おのおの》その主人の責任で糾明《きゅうめい》すべきである。また土民《どみん》や商人であれば、その所属する在地に命じて禁止すれば、千にひとつは止められるかもしれない」。兼良は、足軽の身元を武家の被官《ひかん》、村人や商人であるとみているのである。つまり土一揆の参加者と同じなのである。要するに、彼らは東西両軍の足軽として略奪に忙しかったので、土一揆が下火になったのである。

　応仁の乱は、視点を将軍家や大名らの家督争いから移してみることによって、形を変えた土一揆として理解することができるのである。

応仁の乱と、京都・京都周辺の土一揆勃発年

1420年代	1428						
1430年代							
1440年代	1441	1447					
1450年代	1454	1457	1458	1459			
1460年代	1462	1463	1465	1466	（1467〜77年 応仁の乱）		
1470年代	1472	1473					
1480年代	1480	1482	1484	1485	1486	1487	1488
1490年代	1490	1493	1494	1495	1497	1499	
1500年代	1504	1509					
1510年代	1511						
1520年代	1520	1526					
1530年代	1531	1532	1539				
1540年代	1546						
1550年代							
1560年代	1562						
1570年代	1570						

神田千里『土一揆の時代』吉川弘文館、2004年より作成

大和の応仁

東の大将、成身院光宣

筒井順慶《つついじゅんけい》といえば「洞ケ峠《ほらがとうげ》の順慶」「日和見《ひよりみ》の順慶」というありがたくない名前で知られているだろう。豊臣秀吉《とよとみひでよし》と明智光秀《あけちみつひで》とのあいだで戦われた山崎《やまざき》の合戦《かっせん》のとき、光秀に誘われて出陣したものの、山の上から戦いの趨勢《すうせい》を見てから有利なほうにつくことにしたという、いわれのない汚名を着せられた大和《やまと》の大名である。この順慶をさかのぼること四代の一族に、興福寺六方衆《こうふくじろっぽうしゅう》（学侶《がくりょ》の下、衆徒《しゅと》より上の身分の僧侶）の成身院光宣《じょうしんいんこうせん》という人物がいる。一般にはまったく無名のこの僧が、応仁《おうにん》の乱《らん》の元凶だと尋尊《じんそん》はいう。乱が始まったころに、尋尊は「西の大将ハ山名入道《やまなにゅうどう》、畠山衛門佐《はたけやまえもんのすけ》、東の大将ハ武田《たけだ》、成身院法印《ほういん》」と記している。細川勝元《ほそかわかつもと》をさしおいて若狭守護《わかさしゅご》の武田信賢《のぶかた》をあげるのが疑問であるように、光宣を大将とするのもなんらかの誤解によると考えることもできる。しかし、東西の首領を細川と山名と正しく認識するようになったあとも、依然として尋尊はこの老僧を「今度一天下の大乱は、この仁《じん》の申し沙汰《さた》なり」としている。

永享《えいきょう》元年（一四二九）以来、大和の国人《こくじん》たちは北の筒井《つつい》氏と南の越智《おち》氏をそれぞれの大将として二派に分かれて抗争を続けていた（大和永享の乱）。尋尊は、応仁の乱の勃発《ぼっぱつ》に際しても、大和の両首領である光宣・筒井氏と越智氏の果たした役割が大きかったとみている。尋尊はつぎのように把握していた。「畠山持国《もちくに》の晩年に家督争いが義就《よしひろ》と弥三郎《やさぶろう》のあいだで起こった。光宣は弥三郎を支持し、筒井氏や箸尾《はしお》氏なども与力《よりき》した。義就が筒井らの館を攻めたので彼らは没落して細川勝元を頼った。若くてまだ子供がいなかった弥三郎が亡くなると、その弟の政長《まさなが》を担いで大将とし、さらに畠山惣領《そうりょう》、幕府の管領《かんれい》としたのは、すべて光宣と勝元の扶持《ふち》による。義就は吉野《よしの》の奥の天川《てんかわ》に逃れたが、朝夕の食事まで送り届けてこれを懸命に世話したのが越智家栄《おちいえよし》である。そのうえ家栄は山名宗全《そうぜん》に取り入って義就を将軍に引き合わせた。これによって今度の一天無双の大乱が起きたのである」と。光宣は乱中の文明《ぶんめい》元年（一四六九）一一月に亡くなるが、尋尊は興福寺に生涯忠節を尽くしたこの僧の死を悼むと同時に、ふたたび「今度の一天の大乱は、一向この仁の計略」と記し、さらに「軍方《いくさがた》につきて種々の悪行、自国・他国その隠れな」いほどであるので、「清盛公《きよもりこう》」のような悲惨《ひさん》な死に方をするだろうとかねて予想していたのに、立派な臨終であったのは「希有《けう》のこと」と驚き、「三宝御《さんぼうご》引導《いんどう》」とありがたがっている。

光宣が具体的にどのように動きまわった結果このような評価を得るにいたったのか、残念ながら明らかでない。越智氏に対する見方を含めて、大和の勢力に対する一種の身びいきによる過大評価とみることもできるだろう。しかし、光宣は行動範囲が実際広く、幕府の要人たちとも接触があった。正長《しょうちょう》二年（一四二九）にはじめて三宝院満済《さんぼういんまんさい》のもとに参上しており、興福寺別当《べっとう》の使者として満済と折衝することもあった。同年、若年の筒井覚順《つついかくじゅん》は将軍義教《よしのり》へのお目見えを果たすが、その段取りをしたのは光宣であろう。大和永享の乱に際して幕府は筒井氏を支持するが、その背後にも光宣の奔走があった。寛正《かんしょう》四年（一四六三）六月には「畠山の間のことに就《つ》き、仰せ付けらるべき子細」があって幕府に召され、文正《ぶんしょう》元年（一四六六）九月には、大和の合戦に関して「細川ならびに畠山と申し合わ」すために上洛した。文正二年正月五日に政長方として上洛してからは、二年半ものあいだ、大和には帰らずに参戦した。文明元年七月に久方ぶりに大和に下向《げこう》するにあたっては、細川・赤松《あかまつ》勢が醍醐《だいご》まで送り、そこで「大和衆五百人ばかり」が迎えたという。

奈良では尋尊だけでなく、疎開中の太閤一条兼良《たいこういちじょうかねよし》にもお目通りをした。このような、なかなかの大物ぶりをみると、「一向この仁の計略」とまではいえないものの、乱の重要な場面に光宣がかかわっていた可能性は十分にあるだろう。

越智氏が果たした役割に対する評価も、それほど過大ではなかろう。西の幕府は文明三年八月に南朝の後胤《こういん》を担ぎ出すが、この皇子は前年ごろから越智氏のもとにいたらしい。六年には義就の七歳前後の息子がその母親とともに越智館《おちのやかた》に避難しているが、これも義就の越智氏に寄せる信頼の高さを物語っている。国内勢力である筒井氏と越智氏に関する尋尊の評価は多少割り引いて聞く必要があるが、大和の国人らはたしかに東西の陣営で重要な役割を果たしていたのである。

6

◉国人の風貌・益田兼堯
石見《いわみ》の有力国人。同国守護の大内氏や、山名氏に従う一方、独自に幕府とも結びつきをもっていた。雪舟筆で肖像画の傑作とされる。

東西の儀、同篇

筒井《つつい》氏と越智《おち》氏の立場は明確で一貫していたが、その他の国人《こくじん》は必ずしもそうではなかった。彼らは情勢次第で東方につくこともあれば、西方にまわることもあった。尋尊《じんそん》は、国人らの目的を「勝ち方に成りて寺社本所領を押領《おうりよう》すべき志なり」と的確に見抜いていた。

しかし、どっちつかずという点では尋尊も同様であった。応仁《おうにん》二年（一四六八）一〇月、東方は興《こう》福寺《ふくじ》の寺内や国人だけでなく、大乗院《だいじよういん》・一乗院《いちじよういん》の両門跡《もんぜき》に仕える候人《こうにん》のなかにも西方に通じている者がいるとして、「不日糺明《ふじつきゆうめい》せられ、露顕《ろけん》の仁躰《じんてい》においては速やかに召《め》し進《まい》らさるべし」と、西方の者の捕縛《ほばく》と送致を管領細川勝元《かんれいほそかわかつもと》の奉書《ほうしよ》（室町幕府御教《みぎよ》書《うしよ》）をもって通達してきた。これに対して尋尊は、東方が問題視しているのは一乗院の坊官《ぼうかん》や、前大乗院門主の経覚《きようがく》の被官《ひかん》である楠葉《くずは》新右衛門《しんえもん》などの動きだとして深刻には受け止めなかった。そして、どのような返事を出せばいいのかと思案しているが、ともかく東方へ回答が必要だとは考えていたようである。

興福寺の寺内には、たしかに西方に通じた者がいた。勝元奉書の到来は西方の知るところとなり、翌月の末に越智氏を通じて西方から興福寺と両門跡を

7

◉**興福寺五重塔**（奈良市）
春日社と一体となり、鎌倉から室町時代のあいだ、興福寺は大和の事実上の守護として強大な権力をふるった。五重塔は応永三三年（一四二六）に再建された。

牽制《けんせい》する連絡がきた。東の幕府からの命令は、伝統的な、管領が将軍の意向を奉じた室町幕府御教書の様式で到来したが、この時点ではまだ将軍（義視《よしみ》）不在の西方は、山名宗全《やまなそうぜん》、畠山義就《はたけやまよしひろ》、斯波義廉《しばよしかど》ら八名の有力大名らの連署状をもって連絡してきた。西方は、彼らによる集団指導体制であったことがわかるが、「もし寺門の衆徒《しゅと》といい、国中の徒党《ととう》といい、当方の衆に対し不儀顕現《ふぎけんげん》の躰《てい》候わば、まず分国《ぶんこく》の寺社領をもってこれを押さえ置」く、つまり興福寺の僧や大和《やまと》の武士たちが西方に敵対すれば、西方の大名の分国にある興福寺や春日社《かすがしゃ》の所領を没収すると警告してきた。これに対して尋尊は、二日後に「この度《たび》の大名たちの連署状を、一乗院は一国中に触れたらしい」とまるで他人事のように、あるいは一乗院がよけいなことをしたかのような筆致で日記に書いているので、どうやら尋尊自身は部下たちに西方からの通達を伝達しなかったらしい。東方からの御教書には回答が必要、西方からの通達は放置しておけばよい、というのがこのときの尋尊の東西に対するスタンスであったとすれば、乱の当初、尋尊は東方にやや近かったといわねばならない。

　しかし、乱の進行とともに、尋尊の姿勢は修正された。文明《ぶんめい》二年（一四七〇）七月、西方の将兵が大和に落ちたら「出陣」「防禦《ぼうぎょ》」せよとの命令が、東方の奉行人奉書によりもたらされた。尋尊は翌日、これを一国中に伝えた。その七日後に越智氏から抗議を受けた尋尊は、「自分も一乗院も機械的、形式的に京都の命を配下に伝達しただけで、その命に従う気はない」という趣旨の弁明をした。

　ところが、その時点で一乗院は配下にこの幕府の通達を流しておらず、内々《ないない》に取り扱いを越智氏と相談していたのである。まもなく一乗院は所々に通達したが、この経緯を知った尋尊は、「越智方に仰せ合わさるる分、はなはだ無益のことなり」「何方《いずかた》より仰せらるといえども、あい触《ふ》るべきことなり」と一乗院の対応を批判し、諸国はみな東西どちらかに味方する心中をもっているが、「寺門ならびに両門においては、東西の儀、何《いず》れも同篇《どうへん》たるべきことなり」と南都がとるべき態度を明確に述べている。ここに尋尊の中立という立場が確立した。

実力主義

越智《おち》家栄《いえよし》は、文明《ぶんめい》二年（一四七〇）に西の幕府によって和泉守護《いずみしゅご》に登用された。畠山義就《はたけやまよしひろ》方の功労者とはいえ、興福寺《こうふくじ》配下の一介の国人《こくじん》の破格の出世であった。東の幕府においても朝倉孝景《あさくらたかかげ》が越前《えちぜん》守護の地位を得た。要するに、いわゆる下剋上《げこくじょう》、実力主義である。本来保守的である権力がみずから積極的にこのような変革を望むはずはないから、これらは現実に進行していた事態の後追い、事後承認的な性格をもつだろう。

大和《やまと》や興福寺では、越智氏のライバルである筒井《つつい》氏も、従来の家格や身分の秩序に大きな穴を開けた。長禄《ちょうろく》四年（一四六〇）に尋尊《じんそん》が春日社《かすがしゃ》のおん祭りの田楽頭役《でんがくとうやく》をつとめたことは先に触れた。この田楽頭役は、興福寺の僧侶たちのなかでも上位身分である学侶《がくりょ》のなかから毎年二名が指名されてつとめるもので、いい方をかえれば、学僧たちの名誉ある義務であった。この制度は、学侶たちがそれぞれそれなりの経済力をもっていること、また京都の実家や貴族などから援助を得られることを前提にして機能したが、僧侶たちの荘園が失われ、京都の貴族たちも没落すると、田楽頭役は負担しがたい重荷となった。学侶たちはあれこれ理由を申し立てて頭役を逃れるようになり、毎年の頭役選定は難航するようになっていた。

文明元年、興福寺ではこの年の田楽頭役を引き受ける学侶がひとりもおらず、おん祭りの挙行が危ぶまれていた。窮した学侶たちは、「新儀ではあるが、衆徒《しゅと》の中に勤仕してくれる者がいれば、ありがたい」と申し出た。これを受けて、衆徒のリーダーであった筒井順永《つついじゅんえい》が頭役を二名分とも勤仕することになった。これは実力者の順永にとっても経済的に「希有《けう》の大儀《たいぎ》」であった。ない袖《そで》は振れずに下位の衆徒に泣きついた学侶たちであったが、順永の両頭勤仕が決定すると陰湿な反撃を始めた。彼らがまず要求したのは、頭のうちひとつは「他人に申し付くべし」ということであった。つまり、一頭は学侶を名義人に立てよということである。順永はこれを飲んだが、それに勢いを得たのであろうか、学侶はもう一頭も学侶名義でなければならないと要求をエスカレートさせた。なぜ順永がこのような理不尽ない い分に屈したのか不明であるが、結局この年の頭役は、経済的な負担はすべて順永、晴れがましい表舞台の役割と名義は二人の学侶ということになった。

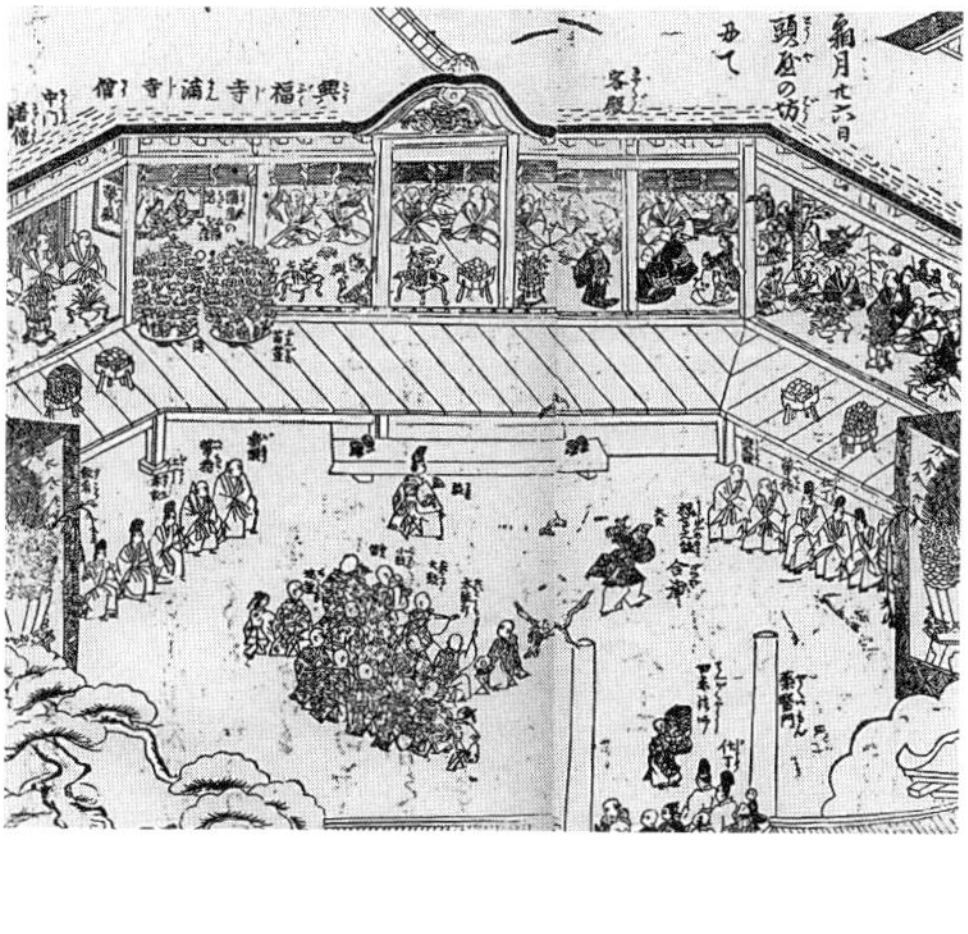

◉**装束賜《しょうぞくたばり》の能**
おん祭りの前日、田楽頭役の僧の院や坊で新調の装束が田楽法師たちに下賜され、宴会で能が披露される。(『春日大宮若宮御祭礼図《かすがおおみやわかみやごさいれいず》』)

それだけではなかった。両頭勤仕の功によって法眼《ほうげん》の位に昇進するだろうと尋尊は順永に予告していたが、ふたを開けてみると学侶の意向は法眼より一階下の権律師《ごんりつし》であった。尋尊は「もっとも法眼に任ずべきことなり。律師の条、その意を得ず」と日記に記した。

このように、家格や身分秩序の破壊に対する旧勢力の抵抗は、なまやさしいものではなかっただろう。しかし、それはもはや押しとどめることができない、社会の大きな流れになっていた。順永が立てなかった表の舞台で、延徳《えんとく》元年（一四八九）には同じく衆徒でのちに南山城《みなみやましろ》の守護代《しゅごだい》となる古《ふる》市澄胤《いちちょういん》が堂々と主役を演じることになる。

落日の幕府

奈良の貴族たち

応仁《おうにん》の乱《らん》で京内の戦闘が激しくなると、貴族たちは各地へ避難した。奈良は当初、最大の疎開先であった。ここでは尋尊《じんそん》の家族、つまり摂関家《せっかんけ》のひとつである一条家《いちじょうけ》の人びとについてみてみよう。

まず奈良にやってきたのは、尋尊の母親である。権中納言中御門宣俊《ごんのちゅうなごんなかみかどのぶとし》の娘で東御方《ひがしのおかた》と呼ばれたこの女性は、一条兼良《かねよし》とのあいだに一五人もの子をもうけていた。応仁《おうにん》元年（一四六七）五月、京中が騒がしくなると、まず彼女はいったん実家の中御門家に戻り、そこからすぐに娘のひとりである了高尼《りようこうに》のいる梅津《うめづ》の是心院《ぜしんいん》に、次いでやはり娘の尊秀尼《そうしゆうに》が住持する山城八幡《やましろやわた》（京都府八幡市）の一乗院《いちじようい ん》に逃れた。そして、応仁二年八月、その地から尋尊を頼って奈良に下向《げこう》してきた。

東御方が一時実家に避難したときに一条家には父の太閤《たいこう》兼良、兄の前関白教房《かんぱくのりふさ》、その子の大納言《だいなごん》政房《まさふさ》が踏みとどまったが、八月下旬に相次いで九条の随心院《ずいしんいん》に移った。ここは尋尊の同母弟である東寺長者《とうじちようじや》厳宝《げんぽう》が住持した院家《いんげ》で、兼良らは一年近くここに滞在したが、やがてこの地も安全ではなくなり、応仁二年の七月から九月にかけて、兼良・教房・政房そして厳宝も奈良に避難してきた。まもなく教房は土佐《とさ》へ、政房は一条家の所領である摂津国福原荘《せつつのくにふくはら》（神戸市兵庫区）に移るのでごくわずかなあいだであったが、兼良と東御方は、奈良で少なくとも三人の息子と一人の孫とともに過ごしたのである。一条家の人びとの宿舎として、大乗院《だいじよういん》の有力坊官家《ぼうかんけ》のひとつが、その居所を明け渡した。なお政房は、文明《ぶんめい》二年（一四七〇）一〇月に福厳寺《ふくごんじ》（神戸市兵庫区）で赤松《あかまつ》勢に殺され、その父教房は同一二年一〇月に土佐の地で没し、ふたたび京の地を踏むことはなかった。

一条家だけでなく、その他の摂関家の人びとも続々と京都を出て、奈良をはじめとする各地に戦乱を逃れた。文明二年の年頭に、天下大乱のために内裏では節会《せちえ》などの行事がいっさい行なわれないと記したあとで、尋尊は五摂家《ごせつけ》の人びとの居所《きよしよ》や避難先として、次ページ表にまとめた記事を書いている。「九条右大臣ばかり御所に座せらる。ただし、時々摂州（摂津）辺に御下向《げこう》」、これでは内裏で年中行事を遂行できるはずもなかった。

下表のように、一条兼良、鷹司房平《たかつかさふさひら》・政平《まさひら》、九条政忠《くじょうまさただ》が文明二年正月までに奈良などに、そして同年一〇月には近衛房嗣《このえふさつぐ》・政家《まさいえ》も一乗院を頼って宇治から下ってきた。二条《にじょう》家を除く五摂家の主だった人びとが奈良に集まったのである。それぞれ別当《べっとう》や門跡《もんぜき》となっている縁者を頼ってきたのであるが、頼られたほうも大変であった。その費用の一部として尋尊は、文明元年の年末に大乗院領六四か荘に用米《ようまい》を賦課《ふか》した。その額は、柳本《やなぎもと》荘、田井《たい》荘（各五石《こく》）、新免《しんめん》荘（二石半）、出雲《いずも》荘、九条《くじょう》荘（各二石）を除けば一律に一石で、それほどの要求ではなかったが、当然一部の荘園からは先例なき不当な賦課だという抗議が寄せられた。これに対して、尋尊は「殿下（兼良のこと）以下、かくの如《ごと》く永々と御座のこと」も先例がないのだから、新儀も仕方ないだろうと「念比《ねんごろ》に仰せ付」けている。興福寺《こうふくじ》一寺としても摂関家の人びとの困窮にそ知らぬ顔をしているわけにもいかず、経済的援助を各家に対して行なっている。それは、毎月一条家と近衛家には一〇貫《かん》、鷹司家と九条家には五貫というもので、年末には越年料《えつねんりょう》としてさらに一か月分プラス米などが贈られたようである。

経済的な負担と、摂関家の人びとにそれなりの格式の居所《きょしょ》を提供するためのやりくりは大変だったが、彼らの疎開中、奈良では京文化が華やかに展開した。連歌《れんが》をはじめ、和歌・茶・平曲《へいきょく》・曲舞《くせまい》

五摂家の公卿たちの避難先（文明2年正月）

公卿名	職	避難先
一条兼良	関白	興福寺大乗院
一条教房	元関白	土佐・幡多荘
鷹司房平	元関白	興福寺一乗院
鷹司政平	内大臣	興福寺一乗院
二条持通	前関白	賀茂の奥（鞍馬寺か）
二条政嗣	左大臣	賀茂の奥（鞍馬寺か）
九条政基	右大臣	京都にとどまる
九条政忠	前内大臣	奈良・古市
近衛房嗣	元関白	宇治（→興福寺一乗院）
近衛政家	大納言	宇治（→興福寺一乗院）

(久世舞《くせまい》)・猿楽《さるがく》などの会が貴族たちを中心に催され、春には梅見・花見、盆には灯籠御覧《とうろうごらん》・念仏風流《ねんぶつふりゅう》の見物、秋には菊見などが行なわれた。一例をあげると、文明六年三月には、城戸郷《じょうどごう》の新浄土寺《しんじょうどじ》に兼良、内大臣の鷹司政平、大納言の近衛政家、醍醐《だいご》寺《じ》三宝院政深《さんぽういんせいしん》、一乗院 教玄《きょうげん》、随心院厳宝《ずいしんいんげんぽう》、尋尊、西殿《にしどの》(一乗院の伯父《おじ》の円海《えんかい》)、中納言の勧修寺経茂《かじゅうじつねしげ》、竹屋治光《たけやはるみつ》(近衛家家司《けいし》)、松殿忠顕《まつどのただあき》(一条家家司)らが参会して一日中、連歌と蹴鞠《けまり》、それに「種々一献《いっこん》」を楽しんでいる。京都が焼け野原となったこのころ、奈良はもっとも華やかなときを迎えたのかもしれない。

山城国一揆

応仁《おうにん》の乱《らん》後も畠山義就《はたけやまよしひろ》と政長《まさなが》の争いは畿内各地で続いていたが、畠山氏の本拠地である河内《かわち》、次いで山城《やましろ》の南部での戦いが多くなってきた。南山城の国人《こくじん》は政長を支持した細川政元《ほそかわまさもと》の被官《ひかん》が多かったが、いつ果てるとも知れない戦いに政長派、義就派に関係なく危機感といらだちをつのらせた。

文明《ぶんめい》一七年(一四八五)の冬になると、細川政元の工作を背景に、山城国内から両畠山の軍勢を追い出す計画が、細川被官の国人らを中心にして着々と進行していた。奈良の尋尊《じんそん》のもとには、両畠山軍の撤退を前提にして、南山城にある大乗院《だいじょういん》の荘園の代官職《だいかんしき》を望む国人らが参上していた。

そして、一二月一一日の日記に、尋尊は「今日山城国人集会す。上は六十歳、下は十五、六歳と云々。同じく一国中土民《どみん》等、群集す。今度の両陣の時宜《じぎ》を申し定めんがための故と云々。しかるべき歟《か》。ただし、又下極上《げこくじょう》の至りなり」と記した。

「時宜を申し定め」るの厳密な現代語訳は難しいが、要するに国一揆《くにいっき》として両畠山に撤退を要求するために国人らが集会したのである。実質的にはすでに決まっていたことなので、この日の集会の目的は、できるだけ多くの国人・土民を集めて団結と勢力を誇示することであろう。一五歳から六〇歳といえば、成人のことである。南山城の一人前の国人らは全員が出席を義務づけられたのである。尋尊は戦闘の終了によって荘園の支配が回復されるので、一揆の行動を「しかるべき歟《か》」と一応歓迎しているが、同時に国人や土民らが大名を排除することの本来的な危うさも感じており、「下極上の至り」と警戒感もあらわにしている。

一揆は「惣国《そうごく》」を名のり、国人のなかから輪番で二名の月行事《がちぎょうじ》を置いて諸事を処理した。古市澄胤《ふるいちちょういん》は義就方として二か月あまりにわたって山城に在陣していたが、一七日になって奈良に戻ってきた。おそらく古市氏からの情報と思われるが、尋尊は「惣国」の施政方針が、一、両畠山の国中からの退去、二、本所領をもとのように貴族や寺社の支配に戻すこと、三、新しい関所はいっさい置かないこと、と聞き、「珍重（めでたい）のことなり」と安心している。

「惣国」は翌一八年二月に宇治平等院《うじびょうどういん》でふたたび集会し、「国中掟法《くにじゅうおきてのほう》」

8

◉平等院鳳凰堂（京都府宇治市）
平等院のある宇治は、京都の南の玄関口、奈良との中継点であり、水陸交通の結節点でもあった。国人たちがここに集まったのは、交通の要衝であったからであろう。

を定めた。同年には半済《はんぜい》を行ない、「物国」が必ずしも一〇〇パーセント本所の味方であるわけではなく、幕府や守護の権限の代行者にすぎないという面も見せた。八年にわたって南山城を掌握したが、内部には国人と農民・商人・運輸業者らとの利害対立、国人のあいだでの競合などを抱えており、両畠山という共通の敵が退散したあと、いつまでも団結を維持することは困難であった。

幕府政所執事《まんどころしつじ》の伊勢貞宗《いせさだむね》は、後述する明応《めいおう》の政変《せいへん》で細川政元と手を結び、息子の貞陸《さだみち》は山城守護《やましろしゅご》職《しき》を獲得する。そして国一揆によって山城から退散させられた大和《やまと》の古市澄胤を、南山城の相楽《そうらく》・綴喜《つづき》両郡の代官に登用した。澄胤は被官を郡代《ぐんだい》として南山城に入部《にゅうぶ》させ、稲八妻城《いなやづまじょう》にこもって抵抗する国人たちを明応二年（一四九三）九月に破った。ここに山城国一揆はひとまず解体した。

山城国一揆は、ほぼ同時に加賀《かが》で、またのちに山城の西部の乙訓《おとくに》郡、伊賀《いが》、近江《おうみ》の南部の甲賀《こうが》郡、紀伊《きい》など各地で起きた国一揆のひとつで、守護があてにできないときに地域の住民が平和と秩序を回復するためにしばしばとった手段である。

乱後の幕政

応仁《おうにん》の乱《らん》のさなかの文明《ぶんめい》五年（一四七三）、足利義尚《あしかがよしひさ》は東の将軍に就任した。しかし、九歳の子供に幕政の舵《かじ》とりが任されたわけではなく、義政《よしまさ》が実権を握っていた。義尚の母方の伯父《おじ》である日野《ひの》勝光《かつみつ》が「新将軍代《しんしょうぐんだい》」と呼ばれて不在の管領《かんれい》にかわって幕政を執行することが多かったが、それも義政の意向を体《てい》したものであった。

義尚は、成長とともにしだいに政務への意欲をもちはじめた。一方の義政は、執政への意欲をしだいに低下させ、勝光亡きあとは妻の富子《とみこ》に政務処理をゆだねることが多くなっていたが、それでも簡単に権力を手放すような人物ではなかった。義尚は不満をつのらせることになり、癇《かん》癪《しゃく》を起こしてみずから髻《もとどり》を切るという異常な行動を、文明一二年と一三年の二度とっている。こうして義政は義尚への政務委譲を考えはじめ、文明一五、六年頃から段階的に権限の委譲が実行されていき、母富子の執政もみられなくなる。

しかし義尚は満足せず、義政の影響から脱するために、思い切った手を打つ。それが長享《ちょうきょう》元年（一四八七）九月の近江《おうみ》への出陣、いわゆる六角征伐《ろっかくせいばつ》である。尋尊《じんそん》は、「これしかしながら寺社本所再興のためと云々《うんぬん》。未《いま》だ聞かざる御願《ごがん》なり。有り難し、有り難し」と、将軍親征《しんせい》の目的を額面どおりに受け取って感激しているが、六角氏に押領《おうりよう》された寺社本所の荘園など義尚にとってはたいした問題ではなかった。義尚は、奉《ほう》公衆《こうしゅう》の支持を基盤に、幕府の実務を担うべき奉行人《ぶぎょうにん》らをほとんど根こそぎ近江に連れていった。それによって京都の幕府は機能不全に陥り、義政は手足をもがれた状態になったのである。六角高頼《たかより》はたいした抵抗も

9

●髻が露わになった男（一団の右端）　中世では、成人した俗人の男性は髻を結い、身分や職業にふさわしい烏帽子をつけて隠すのが正しい姿であった。これは、絵巻に髻が描かれためずらしい例。（『年中行事《ねんじゅうぎょうじ》絵巻《えまき》』）

せずに行方をくらましてしまうが、義尚は父のいる京都には帰らず、鈎《まがり》（滋賀県栗東《りっとう》市）に陣を敷いて政務を執った。大名たちを排除し、奉公衆の内からお気に入りの者たちを登用して行なわれた政治は、幕府の求心力をいっそう失わせるものとなった。

長享三年三月、義尚は鈎の陣中で亡くなる。二五歳であった。大酒が原因だといわれる。行き違いの多かった親子だが、義政と富子の嘆きは大きかった。近江の陣は焼き払われて軍勢は解散した。義尚の死が伝わると、美濃《みの》の土岐《とき》氏のもとに逃れていた義視《よしみ》は、息子の義材《よしき》を伴ってただちに上洛した。義視父子は義政にまみえ、義政は義材を後継者と定めて翌年の延徳《えんとく》二年（一四九〇）正月、義尚のあとを追うように亡くなる。

新将軍・義材のもとで幕政を執ったのが、細川政元《ほそかわまさもと》である。義材と政元とのあいだには、しばらく大きな問題はなかったが、畠山《はたけやま》氏の内紛をきっかけに両者は決裂し、明応《めいおう》二年（一四九三）四月、政元は義材を廃して新将軍に堀越公方足利政知《ほりこしくぼうあしかがまさとも》の子の義遐《よしとう》（のちの義高《よしたか》、義澄《よしずみ》）を擁立した。これを明応の政変というが、義材は越中《えっちゅう》に逃れ、ここに将軍家はふたたび分裂し、細川氏嫡流の京兆《けいちょう》家は幕府の実権を掌握して畿内近国の経営に専念していくことになる。在京しなくなった守護などの地方の勢力は、すでに室町幕府の伝統的な体制から離脱しはじめており、戦国時代の足音はすぐそこまで迫っていた。

地方の時代

都は野辺

応仁《おうにん》の乱《らん》は、京都を焼け野原にした。奈良の尋尊《じんそん》は、文明《ぶんめい》九年（一四七七）一二月二日の日記に大乱中に焼けた貴族の邸宅や寺院を逐一列挙したあとで、「およそ京中・嵯峨《さが》・梅津《うめづ》・桂《かつら》等、西山・東山・北山、一所として焼け残る所なきものなり」と記した。その情景をある武士が「汝《なれ》やしる都は野辺の夕雲雀《ゆうひばり》、あがるを見ても落つる涙は」と詠んだという。応仁の乱による京都の荒廃は、発掘される遺構の状況からみて、それほどのものではなかったのではないかという疑問も考古学の側から出されているが、文献史料が伝える壊滅的イメージを覆すにはまだいたっていない。

復旧の動きは、室町殿《むろまちどの》や内裏《だいり》の造営、貴族の帰洛とその邸宅の再建から始まった。幕府は乱終息のきざしがみえた文明九年正月に室町殿造営のために石見《いわみ》に段銭《たんせん》を賦課《ふか》したのをはじめとして、酒屋・土倉《どそう》に要脚《ようきゃく》（税）、全国に段銭、京中に棟別銭《むなべちせん》などを課して費用調達を図り、文明一一年二月に造営事始め、つまり起工式を行なった。

土御門《つちみかど》内裏《だいり》再建のためには京都七口《きょうとななくち》に新関が設置され、やはり段銭や棟別銭が地方や京中に賦課され、室町殿造営事始めの二か月後に工事が始められた。

貴族たちもつぎつぎに帰洛した。奈良に下向《げこう》していた摂関家《せっかんけ》の人びとについてみると、まず文明九年一二月一三日に右大臣《うだいじん》の近衛政家《このえまさいえ》が勧修寺経茂《かじゅうじつねしげ》を伴って、二日後には左大臣《さだいじん》の鷹司政平《たかつかさまさひら》が、さらにその二日後には太閤《たいこう》の一条兼良《いちじょうかねよし》が、そしてその一週間後に一条冬良《ふゆよし》が帰洛した。兼良は翌一〇年の年末に御所の新造に着手している。侍従の日野政資《ひのまさすけ》はその少し前に「近比見事《ちかごろみごと》の家」と評された新邸に入っていた。一一年には三宝院《さんぽういん》が京内活動の拠点である法身院《ほっしんいん》をもとの土御門《つちみかど》万里小路《までのこうじ》に復旧するなど、洛中は再建ラッシュとなった。

このように再建の槌音《つちおと》が高かったと書くと、京都の復興や住民の還住《げんじゅう》が順調に進んだかのように思われるが、じつはそうではなかった。摂関家クラスはともかく、貴族の京都からの脱出は続いていた。文明一一年には九人もの公家が越前《えちぜん》や加賀《かが》などをめざして京都を出ている。延徳《えんとく》二年（一四九〇）一二月には各地に避難した公家に対して、朝廷から帰京命令が出ているほどである。

公家の地方下向には政治的、経済的、文化的など、さまざまな理由があったが、京内の治安の悪さも一因だった。文明一六年、ある貴族は土蔵に強盗が入ったことを聞いて、「近年は盗人が多い。在国していて管領《かんれい》はなし、侍所《さむらいどころ》はなし、所司代《しょしだい》はなし、開闔《かいこう》（訴訟の担当者）もない。糺明《きゅうめい》にあたる者がいないので、盗人が跳梁《ちょうりょう》する。末世《まっせ》の至りである」と日記に記した。

このような状況に対して、京内にとどまった貴族や住民ら

◉「西陣」の碑（京都市上京区）
西軍の陣地があった周辺に、応仁の乱後、織手たちが住み着き、西陣織の産地となった。上御霊神社とは直線で一キロメートルほどの距離。

は、館や町のまわり、出入り口などに「構《かまえ》」をつくって自衛した。「構」は、堀・土塁《どるい》・土塀《どべい》・柵《さく》・釘貫《くぎぬき》・木戸門《きどもん》・櫓《やぐら》など、またそれらを組み合わせた防禦《ぼうぎょ》施設の総称である。このような施設を京内に構えることは南北朝期からみられたが、盛んになったのは応仁の乱勃発以後のことである。乱が起こると、土御《つちみ》門《かど》天皇は足利義政《あしかがよしまさ》のいる室町殿に避難してきて、天皇と将軍がいわば同居することになったが、この室町殿を中心にしてそのまわりに、内側の面積が一二、三町（一町は約一万二〇〇〇平方メートル）ほどの「御陣」「御構」がつくられて東軍の拠点となっていた。乱後に貴族や都市住民らのつくった構はもちろんずっと小規模であったが、京内は大小さまざまな構が林立する地となっていった。

　乱の以前から、京は政治の中心地たる上京《かみぎょう》と、経済・流通を担う下京《しもぎょう》の二つの中心をもっていたが、都市域を縮小させた乱以後の京は、やがて見た目にも二つの市街地からなる都市として再建される。上京と下京は、それぞれ別個に大規模な惣構《そうがまえ》によって囲繞《いにょう》されて、そのあいだは室《むろま》町通《ちどおり》一本によって接続されるようになる。洛外まで視野を広げると、東寺《とうじ》・北野社《きたのしゃ》・大徳寺《だいとくじ》・祇園《ぎおん》

◉都の通り町ごとに設けられた「釘貫」　柱を組み合わせた簡単な門。このころ、奈良でもいっせいに郷（現在の町）ごとにその出入り口に再建された。（『洛中洛外図屏風《らくちゅうらくがいずびょうぶ》』舟木本《ふなきぼん》）

社《しゃ》・清水寺《きよみずでら》・東福寺《とうふくじ》などの門前には、町人たちの地縁的共同体からなる小都市が形成されるようになる。やがて上京・下京のなかにも町共同体ができ、町《ちょう》—町組《ちょうぐみ》—惣町《そうちょう》からなる都市共同体が成立してくるが、それらはまだ少し先のことである。

国人たちの花の御所

奈良以外の地方に目を転じてみよう。各地で京都の文化をいち早く取り入れたのは、将軍と直接に結びついていた国人《こくじん》たちである。応仁《おうにん》の乱《らん》以前には、守護《しゅご》は在京していることが多かったので、京文化の導入という点ではむしろ有力な国人たちが地方で中心的な役割を果たした。そのことを物語っているのが、各地に残された国人の館《やかた》跡である。

飛驒《ひだ》の国人である江馬《えま》氏は、その名のりなどからもとは伊豆《いず》の江馬荘の出身で、北条《ほうじょう》氏の一族と考えられる。北条義時《よしとき》は江馬四郎《しろう》、その子の泰時《やすとき》は江馬太郎《たろう》を名のり、泰時の弟の朝時《ともとき》の子孫は江馬氏と称された。いつごろのことかは明らかでないが、その一族が飛驒に移ってきたのである。鎌倉御家人《ごけにん》の系譜を引く江馬氏は、南北朝期には将軍に近く仕える国人、おそらく将軍直臣《じきしん》となっていた。一四世紀後半には、江馬氏は幕府の命を飛驒で執行する「両使《りょうし》」として登場する。両使は鎌倉時代以来の制度で、近隣の有力国人とともに二人で行動するのでこの名前がある。応仁の乱後にはその地位が上がったようで、飛驒で守護にかわる存在になっている。長享《ちょうきょう》三年（一四八九）にはその本拠地である高原郷《たかはらごう》を訪れた禅僧《ぜんそう》で詩人の万里集九《ばんりしゅうく》をもてなし、馬と人夫を提供している。このころの地域の有力者は、連歌師《れんがし》や僧侶、貴族などが自分の領内を訪れたり通過したりする場合、宿や食事などを提供して歓待し護送したのである。

さて、江馬氏が足利義満《あしかがよしみつ》の花の御所に倣って構えた方一町の館跡が、岐阜県飛騨《ひだ》市神岡町《かみおかちょう》にある。右図を参照されたい。館の周囲は、北・西・南の三方に空堀《からぼり》が巡らされている。東側は山になっているので不要だった。館の正面は西側（図の下方）で、堀を越えると主門《しゅもん》と脇門《わきもん》がある。主門を入る

11

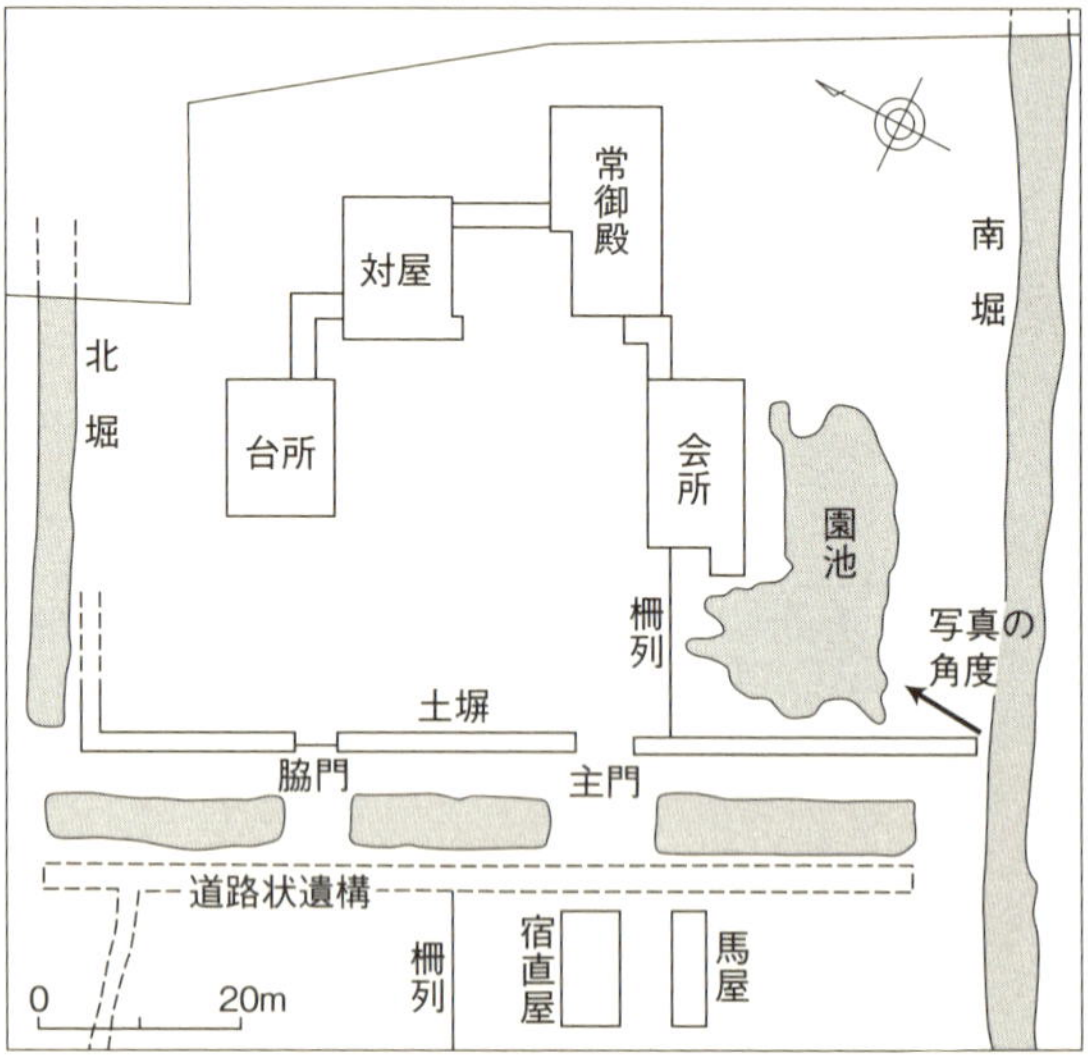

◉江馬氏館跡（岐阜県飛騨市）
背後に山城・高原諏訪《たかはらすわ》城があり、ともに江馬氏によるもの。発掘調査のあと整備され、主門や会所が復元されて、二〇〇七年より一般公開されている。

と、広場があり、その左に台所と思われる建物があった。その奥には台所の付属建物と思われる対《たい》屋《のや》があり、さらにその右手、やや奥に主《あるじ》の生活の場である常御殿《つねのごてん》があった。広場の右手には庭園に面して会所が建てられ、池・築山《つきやま》などを望むことができた。ただし、目隠し塀が立っていたので、通用門が閉まっていれば、来訪者には庭園は見えなかったかもしれない。江馬氏のこの会所には、公式の会見の場としての機能もあった可能性が考えられている。建物の機能や性格に関しては別の考え方もあり、まだ検討の余地がある。

館の建設とともに、館の外も江馬氏によって少し整備された可能性がある。館の北西には馬場《ばば》があったと考えられ、さらに西や南には従者の屋敷がつくられた。また館を四方から取り囲むように寺社が配置され、館を中心とした町づくりが構想された可能性もある。江馬氏はその後、一六世紀の末に、南飛騨の三木《みき》氏と争って敗れ、没落した。

二〇〇七年に国指定文化財（史跡）となった長野県中野《なかの》市の高梨《たかなし》氏館も、花の御所に倣ったものだった。この館は、約一三〇×一〇〇メートルほどの方形で、周囲は土塁と堀によって囲まれていた。東側が奥で、西側が表となる。庭園は現在枯山水《かれさんすい》式に復元されているが、本来は池泉《ちせん》式《しき》庭園だったとする意見もある。庭園の北側の建物が会所と推定され

12

◉高梨氏館跡庭園跡（長野県中野市）
一九八七年から六年をかけて発掘調査が行なわれ、遺構の一部が明らかになった。現在は枯山水に復元されているが、本来は池泉式庭園だった可能性がある。

る。館の全盛期は、一五世紀前半、中野氏が館主だった時代とされている。高梨氏や中野氏と室町幕府との関係は確認されていないが、鎌倉時代にはいずれも幕府御家人《ごけにん》で、室町期にも幕府と直結した武士だったと思われる。

そのほか、同様の事例として石見《いわみ》の益田《ますだ》氏、越後《えちご》の中条《なかじょう》氏、越前《えちぜん》の朝倉《あさくら》氏などの館をあげることができる。各国に守護が下向《げこう》してくる以前には、このような国人たちが地方の中心的な存在で、京との橋渡しも担っていたのである。

守護下向

応仁《おうにん》の乱《らん》が終わると、それまで在京していた守護《しゅご》たちは、続々とそれぞれの分国《ぶんこく》に下向《げこう》した。先にみたような有力な国人《こくじん》たちの国元《くにもと》での活躍は守護にとっては脅威《きょうい》であったし、京に踏みとどまって幕政に参加する魅力は薄れていたからである。守護の下向、在国によって、地方都市の発達と文化の移植が促進され、地域の覇権をめぐる守護と国人との争いが生起した。

文明《ぶんめい》一一年(一四七九)の年末、周防《すおう》・長門《ながと》・筑前《ちくぜん》・豊前《ぶぜん》の守護である大内政弘《おおうちまさひろ》は周防の山口に下向した。大内氏は、ずっと在京して幕政に参加したタイプの守護ではなく、在国していることが多く、早くから分国に京風文化を取り入れていたが、乱後の政弘の下向は、山口の整備や、いわゆる大内文化樹立などのうえで大きな画期となった。大内文化の最盛期は、もう少しあとの義興《よしおき》や義隆《よしたか》の時代であるが、その基礎が築かれたのは政弘のころのことである。

政弘は下向後まもなく館《やかた》の新造にとりかかった。延徳《えんとく》元年（一四八九）一二月頃には完成したようで、大内氏掟書《おおうちしおきてがき》に「殿中見物御禁制の事《でんちゅうけんぶつごきんせい》」と題したおもしろい法令が残されている。これによると、大内氏の御所は見物が禁止されているにもかかわらず、大内氏に仕えている者たちが内々《ないない》「知音《ちいん》の族（知人・友人）」に見せており、なかには当主の生活の場である「常《つね》の御座所辺《ござしよあたり》」まで導き入れることさえあるという。したがって、今後は「御庭たりといえども」見物人を入れてはならないというのであるが、京都の将軍邸に倣って新造された大内氏の御殿や庭園をひと目見てみたいという人が少なくなかったのだろう。

大内氏にはこれとは別に、迎賓館《げいひんかん》的な性格の築山《つきやま》館《やかた》と呼ばれる館があった。連歌師の宗祇《そうぎ》は、築山館の庭で池を前にして「池は海、こずゑは夏の深山《みやま》かな」という発句《ほっく》を詠んでいる。連歌師は、地方の武士と京の貴族たちのあいだをとりもつ重要な存在であった。連歌師を介して武士たちは京文化を受け取り、送り手の貴族たちはその代価や返礼を得た。

宗祇のように、山口にその姿を見せた都の文化人は多い。のちに水墨画の大画家となる雪舟《せっしゅう》が、応仁の乱勃発《ぼっぱつ》以前に山口に下向していたことはよく知ら

13

◉『秋冬山水図』のうち「秋景の図」
大内氏の庇護下、雪舟は四八歳で明《みん》に渡り、本場で画を学んだ。上部の空白と対照的に手前にモチーフを配し、強い線で奥行きを表現する、雪舟独自の様式を展開している。

れているだろう。雪舟は、京都の相国寺《しょうこくじ》で水墨画を習ったあと、応仁の乱が勃発した年に大内氏が派遣する遣明船《けんみんせん》で渡海するが、かの地の水墨画と風物に触れるのが当初からの目的だったかもしれない。三年後に日本に戻り、諸国を遍歴したあと、ふたたび山口に住む。

　宗祇や雪舟のように有名ではないが、大内政弘は周防に下向するとき、京都から賀茂《かも》（勘解由小《かでのこう》路《じ》）在宗《あきむね》・在重《あきしげ》という陰陽師《おんようじ》の親子を伴った。陰陽師は、天変地異などの形で示される天からのメッセージの意味を解読して、統治者である天皇あるいは将軍に報告することを職務とするが、政弘が陰陽師を分国に連れて下ったことは、みずから「天意に応ずる治者」として今後は領国に臨むという決意と姿勢の現われと解釈できよう。つまり政弘は、もはや将軍や幕府の権威を背景に地方支配を担う守護というよりは、自立した中国地方の「王」としての道を歩みはじめたとみることができるのである。

　しかし、京都から下向しても、分国の地盤固めを順調に進められない守護も出てきた。土岐成頼《ときしげより》は、西軍が興福寺《こうふくじ》に出した諸大名連署状《だいめいれんしょじょう》にも署名した有力大名であったが、足利義視《あしかがよしみ》を擁して帰国した美濃《みの》では、守護代《しゅごだい》の斎藤《さいとう》氏が大きな勢力をもっていた。応仁の乱で縦横に活躍した斎藤（持是《じぜ》院《いん》）妙椿《みょうちん》は、美濃だけでなく隣国の近江《おうみ》・越前《えちぜん》・尾張《おわり》・伊勢《いせ》にも勢力を張っており、京都とも独自のパイプをもっていた。守護である土岐成頼の影は薄く、妙椿没後は斎藤氏の内紛に巻き込まれ、明応《めいおう》六年（一四九七）の成頼没後、土岐氏は実力を失って諸勢力に守護という立場や名義が利用されるだけの存在に落ちぶれてしまう。先にみた下剋上《げこくじょう》、実力主義の嵐が美濃でも吹き荒れたのである。

戦国の世へ

三管領《さんかんれい》家のひとつである斯波《しば》氏は、この嵐の最大の被害者のひとりであろう。斯波氏は、越前《えちぜん》・尾張《おわり》・遠江《とおとうみ》三か国の守護職《しゅごしき》をもっていたが、その没落は急であった。越前は先にみたように、応仁《おうにん》の乱《らん》中に重臣の朝倉孝景《あさくらたかかげ》が西方の斯波義廉《よしかど》から離反して東方につき、幕府のお墨付きを得て一国の経営に乗り出した。戦国大名朝倉氏の初代といえる孝景は、子孫への教訓と領国経営のために一七か条の「朝倉孝景条々《あさくらたかかげじょうじょう》」を制定したといわれ、一乗谷《いちじょうだに》を城下と定めて家臣を集住させるなど、斯波氏や甲斐《かい》氏と戦いを続けながら着々と一国の支配を固めていった。

尾張には、遅くとも応永《おうえい》前後（一三九四～一四二八年）には織田《おだ》氏が守護代として入国していた。同氏はもとは越前の国人《こくじん》である。応仁の乱ころには、大和守《やまとのかみ》を名のる織田敏定《おだとしさだ》と伊勢守《いせのかみ》を称する織田敏広《としひろ》が争っていた。文明《ぶんめい》一一年（一四七九）正月には幕府が支持する敏定に尾張国内の二郡が安堵《あんど》され、敏広方とのあいだに休戦が成立した。

敏定は清須《きよす》（清洲）に拠《よ》り、敏広はあらたに岩倉《いわくら》に拠ることになり、ここにのちに織田大和守家が清須城を拠点として尾張

14

◉一乗谷朝倉氏遺跡（福井市）
手前の足羽川《あすわがわ》に向かって開ける谷間、およそ三キロメートルにわたって町が形成され、中心部に館が、向かって左の山上に城が設けられた。

下半国を、織田伊勢守家が岩倉城《いわくらじよう》に拠って上半国を支配したといわれる一国分割支配の原形が成立した。同一五年には幕府によって敏定が一国の守護代、斯波義良《よしすけ》（のち義寛《よしとう》）がその「主人屋形《しゆじんやかた》」、つまり守護として認められ、長享《ちようきよう》・延徳《えんとく》の六角《ろつかく》征伐には斯波氏が両織田氏を率いて出陣しているが、しだいに力を失っていった。その後、清須に拠る織田氏の重臣家のなかから織田信長《おだのぶなが》が出て尾張を統一するにいたるのである。

遠江は、文明一五年に甲斐《かい》氏が守護代に定められたが、同氏の関心は越前にあったようで、先述のように、主家の斯波氏とともに同国に侵攻を繰り返した。しかし、結局越前を攻略することはできず、遠江でも駿河《するが》から侵攻してきた今川《いまがわ》氏に圧倒され、斯波氏同様に没落してしまう。

かつて室町幕府を支えた斯波氏は、守護代やさらにその家臣クラスの者の台頭によって表舞台から退場していく。天皇や将軍の権威、また伝統や家格でもなく、今川義元《よしもと》が『仮名目録追加《かなもくろくついか》』のなかで高らかに宣言したように、もっぱら「自分の力量をもって」地域支配を実現する時代がきていた。

15

◉織田敏定

信長の三世代ほど前の一族。右目は文明一〇年（一四七八）、清須（洲）城で防戦の際、失った。彼らの生きた厳しい社会を実感させる。

走る悪党、蜂起する土民

おわりに

変転する政治と社会

この巻で扱った南北朝・室町時代は、激しい変化が繰り返された時代である。親政の再現をねらった天皇による公武両政権統一の試みは失敗し、その後遺症ともいうべき内乱状態がしばらく続いた。南朝は、幕府に抵抗する勢力に正当性を与える存在として機能した。やがて北朝は事実上幕府に吸収され、明《みん》皇帝を頂点とする東アジア世界のなかで、将軍が「日本国王」と認められて独占的な通交を許される。有力な大名たちを帰服させて将軍や幕府の基礎は盤石《ばんじゃく》であるかにみえたが、実際にはもろかった。ふたたび、大名たちがふた手に分かれて戦った内乱に伴って幕府も東西に分裂し、将軍や幕府は求心力を失い、王権は地方に拡散して各地に独立的な小王国が叢生《そうせい》するにいたる。

この時代は、多くの個性的な人物の登場によって始まった。自己顕示欲が強く、時には反社会的でがさつともいえる彼らの行動が政治を大きく動かし、また混乱させた。良識的な勢力からは指弾されつつも、彼らの思想や嗜好《しこう》は社会に広く浸透していった。貴賤《きせん》上下の多くの人びとが入り交じって、連歌《れんが》・田楽《でんがく》・猿楽《さるがく》・茶・風流《ふりゅう》などの芸能が楽しまれたのは、この時代の大きな特徴であろう。中国からの輸入品や文物にかわって、和物や和様《わよう》が好まれるようになったのもこの時代である。

戦乱が絶えず、政治に民政という視点がいまだ乏しい困難な時代を、人びとは生きていた。領主の不当な支配やいわれのない賦課《ふか》に対しては、民百姓らは堂々と自己を主張し、団結して行動するようになった。彼らの住む村や町の自治は、権力の直接の脅威から人びとを守る緩衝材ともなった。彼らは、時には武士などとも手を結んで、自立した地域権力を打ち立てることも行なった。

危機の時代

私が大学で日本史を学びはじめた四〇年ほど前、鎌倉時代は集約農業によって生産力が飛躍的に高くなり、米の収量が伸びた時代とみる有力な説があった。

平安末から鎌倉時代の初め、各地の荘園・公領で支配や収取の仕組みが整えられた。このころの田一反《たん》あたりの年貢高は三～八斗《と》程度。残りは耕作する百姓の取り分で、年貢を納めると百姓は食べていくのがやっとの状態で余裕はほとんどない。つまり、領主によって「全剰余搾取」が行なわれていた。しかし、百姓らは灌漑《かんがい》や施肥などの努力を黙々と続けて土地の生産力を高め、一四世紀のなかばには年貢額に匹敵する、いやしばしばそれを上まわるほどの剰余を生み出した。

この新しい「富」をめぐって、それをみずからの手に確保しておこうとする百姓、土地や金銭の貸与などを通じて吸収しようとする地主や高利貸したち、さまざまな機会を通じて収奪しようとする武士、貴族、寺社などの領主たちが争った。この階級間の争奪戦が、本巻で対象とした南北朝・室町時代の社会の原動力と考えられた。ここでは全体のパイはしだいに大きくなったと想定されており、中世の社会はだんだん豊かになっていったと、発展的にイメージされていたといえる。

しかし現在では、どうもそうではなさそうだと考えられている。耕地に化学肥料が投入される以前に、単位面積あたりの生産量がそれほど増えるだろうかという素朴な疑問がもともとあったが、環境史の視点からも鎌倉時代に飛躍的な増産があったとは考えがたいとされるにいたっている。

今日われわれは、温暖化という難問に直面している。これは地球がいままで経験してきた自然の気候変動による温暖期と寒冷期の繰り返しとは異なり、早急に止めなければならない人為的な環境破壊によるものと考えられるが、過去の人びとにとっての温暖期は、おおむね収穫が増えて住みやすい時代、逆に寒冷期は苛酷《かこく》な期間であっただろうということは想像しやすい。そして鎌倉時代は、寒冷期であったらしい。

南北朝・室町時代に関しては、見方が分かれている。海進・海退などを示す自然科学のデータによれば、ある程度は温暖であったと思われるが、飢饉《ききん》や疫病などに関する文献史料を重視すれば、寒冷期が続いたという判断も可能である。まだまだ種々の調査結果を突き合わせる必要があるが、いずれにしろこの時代が新しい「富」の争奪を軸に展開していたという見方は退けられ、むしろ、鎌倉時代以来頻発した種々の危機への対応を中心として動いていたとする見方が浮上している。

本巻でも少しみた三毛作は農業生産や技術の発展というよりも、むしろ飢餓への対応という文脈で理解されるようになった。領主の恣意《しい》的な賦課《ふか》を拒絶する荘民らの強硬な姿勢も、そして土一揆《つちいっき》や国《くに》一揆も、農民の政治的な成長とか村人の団結としてよりも、そうせざるをえないぎりぎりの選択として解釈されるようになった。

中世びとに学ぶ

ひるがえって今日の日本の社会をみると、南北朝・室町時代に劣らないほどの危機的な状況にある。もちろん、列島各地で血が流される合戦が起きているわけではないが、つぎの世代に押しつけられようとしている国の膨大な借金、目前に迫ってきた超高齢・少子化社会、「失われた一〇年」の犠牲にされた年齢層と、グローバル化・規制緩和の掛け声のもとで増加した非正規雇用、その結果として格差の出現、各方面でみられるモラル・ハザード等々、われわれもまた瀬戸際まで追い込まれている。そして、間違いなくその原因のひとつは、政治や経済への「参加」に及び腰であったわれわれにある。

四〇年前に大学のキャンパスに足を踏み入れたとき、われわれ新入生を迎えてくれたのは、熱く日本の政治や社会を語り、アジアの民衆との連帯と平和を説き、時には過激な行動も辞さない団塊の世代だった。いわゆる大学闘争はそのピークを過ぎていたが、少し遅れてきたわれわれにもその余熱は強く感じられた。もちろん、冷めた目で見る人たちもいたが、キャンパスや社会には変革への気運が高まっていた、少なくとも未熟な私に「夜明けは近い」と錯覚させるには十分だった。

しかし、夜は明けず、政治の季節は過ぎ去り、団塊の世代もわれわれも、それぞれに生きる場所を社会のなかに得て忙しく過ごしてきた。かつて騒がしかったキャンパスも落ち着きを取り戻し、タテ看の間を縫うようにして歩くこともなく学生たちは行き交う。ノンポリが死語になって久しい。

戦後六〇年がたち、たしかに日本人は豊かな社会を実現した。しかしそれは、たとえば働きすぎによる過労死をいつまでも撲滅《ぼくめつ》できず、老後の不安が消えないためにせっせと貯蓄に励まなければならないような、一面では貧しい、いびつな社会でもある。それに加えて、最近では先述のような格差や世代間対立も大きな問題となってきた。

これらにどう立ち向かっていけばよいのか。誰も確かな処方箋をもっていない。手探りで進むしか道はなく、いっさいの痛みを避けていては十分な回復を期待することはおそらく無理だろう。今後日本の社会が厳しい局面に立たされることは間違いあるまい。

しかし、われわれは何度か大きな危機を乗り越えて今日を迎えている。歴史に、とくに中世びとに学ぶべきことは少なくないだろう。つぎの戦国時代もまた寒冷期だったといわれている。苛酷な自然条件に加えて戦乱が絶えず、いわば危機が日常化した時代であった。そのなかから近世社会が生まれてくる。それが次巻の範囲である。

研究会編『日本史講座4　中世社会の構造』東京大学出版会、2004年
• 高橋範子『水墨画にあそぶ』吉川弘文館、2005年
• 田村憲美「死亡の季節性からみた中世社会」『日本中世村落形成史の研究』校倉書房、1994年
• 飛田範夫『庭園の中世史』吉川弘文館、2006年
• 西尾和美「室町中期京都における飢饉と民衆」久留島典子・榎原雅治編『展望日本歴史11　室町の社会』東京堂出版、2006年
• 西谷地晴美「中世前期の災害と立法」『歴史評論』583、1998年
• 村井康彦編著『週刊朝日百科　日本の歴史16　中世Ⅱ−5　金閣と銀閣　室町文化』朝日新聞社、1986年

第八章

• 熱田公『中世寺領荘園と動乱期の社会』思文閣出版、2004年
• 今谷明『言継卿記』そしえて、1980年
• 海老澤美基「一五世紀の戦争と女性」西村汎子編『戦争・暴力と女性1　戦の中の女たち』吉川弘文館、2004年
• 小島晃「足軽と応仁・文明の乱」佐藤和彦先生退官記念論文集刊行委員会編『相剋の中世』東京堂出版、2000年
• 小島道裕『戦国・織豊期の都市と地域』青史出版、2005年
• 水藤真『朝倉義景』吉川弘文館、1981年
• 末柄豊「応仁・文明の乱以後の室町幕府と陰陽道」『東京大学史料編纂所研究紀要』6、1996年
• 鈴木良一『大乗院寺社雑事記』そしえて、1983年
• 高橋康夫『京都中世都市史研究』思文閣出版、1983
• 高橋康夫「室町期京都の空間構造と社会」『日本史研究』436、1998年
• 永島福太郎『一条兼良』吉川弘文館、1959年
• 仁木宏『空間・公・共同体』青木書店、1997年
• 宮島新一『雪舟』青史出版、2000年
• 百瀬今朝雄「応仁・文明の乱」『岩波講座　日本歴史7　中世3』1976年

全編にわたるもの

• 有光友学編著『日本の時代史12　戦国の地域国家』吉川弘文館、2003年
• 家永遵嗣『室町幕府将軍権力の研究』東京大学日本史研究叢書1、1995年
• 伊藤喜良『日本の歴史⑧　南北朝の動乱』集英社、1992年
• 伊藤喜良『南北朝動乱と王権』東京堂出版、1997年
• 今谷明『日本の歴史⑨　日本国王と土民』集英社、1992年
• 榎原雅治編著『日本の時代史11　一揆の時代』吉川弘文館、2003年
• 笠松宏至・佐藤進一・百瀬今朝雄校注『日本思想大系22　中世政治社会思想　下』岩波書店、1981年
• 笠松宏至『徳政令』岩波新書、1983年
• 勝俣鎮夫『一揆』岩波新書、1982年
• 神田千里『日本の中世11　戦国乱世を生きる力』中央公論社、2002年
• 久留島典子『日本の歴史13　一揆と戦国大名』講談社、2001年
• 五味文彦・佐野みどり・松岡心平『日本の中世7　中世文化の美と力』中央公論社、2002年
• 五味文彦『中世の身体』角川叢書、2006年
• 坂田聡・榎原雅治・稲葉継陽『日本の中世12　村の戦争と平和』吉川弘文館、2002年
• 桜井英治『日本の歴史12　室町人の精神』講談社、2001年
• 佐々木銀彌『日本の歴史12　室町幕府』小学館、1975年
• 佐藤和彦『日本の歴史11　南北朝内乱』小学館、1974年
• 佐藤進一『日本の歴史9　南北朝の動乱』中央公論社、1965年
• 佐藤進一・網野善彦・笠松宏至『日本中世史を見直す』平凡社ライブラリー、1999年
• 永原慶二『大系日本の歴史6　内乱と民衆の世紀』小学館、1988年
• 新田一郎『日本の歴史11　太平記の時代』講談社、2001年
• 藤木久志『雑兵たちの戦場』朝日新聞社、1995年
• 藤木久志『戦国の村を行く』朝日選書、1997年
• 藤木久志『飢餓と戦争の戦国を行く』朝日選書、2001年
• 本郷和人『人物を読む　日本中世史』講談社メチエ、2006年
• 本郷和人『武士から王へ』ちくま新書、2007年
• 峰岸純夫『中世　災害・戦乱の社会史』吉川弘文館、2001年
• 村井章介『日本の中世10　分裂する王権と社会』中央公論社、2003年
• 村井章介編著『日本の時代史10　南北朝の動乱』吉川弘文館、2003年
• 村井章介『東アジアのなかの日本文化』放送大学教育振興会、2005年
• 森茂暁『南北朝期 公武関係史の研究』文献出版、1984年
• 森茂暁『『太平記』の群像』角川選書、1991年
• 森茂暁『闇の歴史、後南朝』角川選書、1997年
• 森茂暁『南朝全史』講談社メチエ、2005年
• 森茂暁『戦争の日本史8　南北朝の動乱』吉川弘文館、2007年
• 脇田晴子『室町時代』中公新書、1985年

第四章

- 伊藤俊一「中世後期における『荘家』と地域権力」『日本史研究』368、1993年
- 伊藤俊一「『自力の村』の起源」『日本史研究』540、2007年
- 勝俣鎮夫『戦国時代論』岩波書店、1996年
- 神田千里『日本の中世11　戦国乱世を生きる力』中央公論社、2002年
- 久留島典子「中世後期の『村請制』について」『歴史評論』488、1990年
- 坂田聡・榎原雅治・稲葉継陽『日本の中世12　村の戦争と平和』中央公論社、2002年
- 永原慶二『荘園』吉川弘文館、1998年
- 林屋辰三郎『内乱のなかの貴族』角川書店、1975年
- 村井章介「徳政としての応安半済令」『中世の国家と在地社会』校倉書房、2005年
- 森茂暁『皇子たちの南北朝』中公新書、1988年
- 山田邦明「室町時代の鎌倉」五味文彦編『中世を考える　都市の中世』吉川弘文館、1992年
- 山田邦明『鎌倉府と関東』校倉書房、1995年

第五章

- 赤嶺守『琉球王国』講談社選書メチエ、2004年
- 安里進『琉球の王権とグスク』山川出版社、2006年
- 伊藤毅「都市・会所・自然」『UP』399、2006年
- 今谷明『室町の王権』中公新書、1990年
- 上野進「室町幕府の顕密寺院政策」『仏教史学研究』43－1、2001年
- 臼井信義『足利義満』吉川弘文館、1960年
- 金子拓『中世武家政権と政治秩序』吉川弘文館、1998年
- 佐藤進一『足利義満』平凡社、1980年
- 高橋千恵「室町初期の『修法』」今谷明・高埜利彦編『中近世の宗教と国家』岩田書院、1998年
- 新田英治・百瀬今朝雄編『週刊朝日百科　日本の歴史14　中世Ⅱ-3　義満と室町幕府』1986年
- 橋本雄「室町幕府外交の成立と中世王権」『歴史評論』583、1998年
- 原田禹雄『琉球と中国』吉川弘文館、2003年
- 松永和浩「南北朝期公家社会の求心構造と室町幕府」『ヒストリア』201、2006年
- 松永和浩「室町期における公事用途調達方式の成立過程」『日本史研究』527、2006年
- 水野智之「室町将軍による公家衆の家門安堵」『史学雑誌』106－10、1997年
- 村井章介『中世倭人伝』岩波新書、1993年
- 村井章介「易姓革命の思想と天皇制」『中世の国家と在地社会』校倉書房、2005年
- 村井章介『東アジアのなかの日本文化』放送大学教育振興会、2005年
- 山本勉『日本の美術493　南北朝時代の彫刻』至文堂、2007年

第六章

- 今谷明『籤引き将軍足利義教』講談社、2003年
- 今谷明「室町幕府の評定と重臣会議」『室町幕府解体過程の研究』岩波書店、1985年
- 上島有『中世花押の謎を解く』山川出版社、2004年
- 小笠原恭子『都市と劇場』平凡社、1992年
- 神田千里『土一揆の時代』吉川弘文館、2004年
- 桑山浩然『室町幕府の政治と経済』吉川弘文館、2006年
- 小泉和子・黒田日出男・石井進（対談）「中国との交流、国内での東西交流が活発化してきた時代、鎌倉」『石井進の世界4　知の対話』山川出版社、2006年
- 佐伯弘治「外国人の見た中世の博多」村井章介・佐藤信・吉田伸之編『境界の日本史』山川出版社、1997年
- 清水克行「足利義持の禁酒令」『室町時代の騒擾と社会』吉川弘文館、2004年
- 関周一「朝鮮王朝官人の日本観察」『歴史評論』592、1999年
- 関谷岳司「室町幕府評定・評定衆の変遷」『日本歴史』690、2005年
- 瀬田勝哉『洛中洛外の群像』平凡社、1994年
- 宋希璟著・村井章介校注『老松堂日本行録』岩波書店、2000年
- 田口和夫「寛正五年紀河原勧進猿楽追考（一）（二）」文教大学『文学部紀要』19－1、2005年
- 西野春雄編著『週刊朝日百科　日本の歴史17　中世Ⅱ－6　能と狂言』朝日新聞社、1986年
- 橋本雄「室町幕府外交は王権論といかに関わるのか?」『人民の歴史学』145、2000年
- 本郷和人「『満済准后日記』と室町幕府」五味文彦編『日記に中世を読む』吉川弘文館、1998年
- 森茂暁『満済』ミネルヴァ書房、2004年
- 山家浩樹「室町時代の政治秩序」歴史学研究会・日本史研究会編『日本史講座　第4巻　中世社会の構造』東京大学出版会、2004年
- 山家浩樹「上総守護宇都宮持綱」『日本歴史』490、1989年

第七章

- 熱田公『中世寺領荘園と動乱期の社会』思文閣出版、2004年
- 家永遵嗣「『三魔』」『日本歴史』616、1999年
- 磯貝富士男『中世の農業と気候』吉川弘文館、2002年
- 磯貝富士男『日本中世奴隷制論』校倉書房、2007年
- 榎原雅治「寄合の文化」歴史学研究会・日本史

参考文献

はじめに

- 阿部泰郎「『七天狗絵』とその時代」『文学』4巻6号、2003年
- 内田澪子「『祐春記』からみる「神鏡奪取事件」」神戸説話研究会編『春日権現験記絵注解』和泉書院、2005年
- 海津一朗「永仁の『紀州御合戦』考」佐藤和彦先生退官記念論文集刊行委員会編『相剋の中世』東京堂出版、2000年
- 海津一朗「荒川荘」山陰加春夫編『きのくに〔荘園の世界　上巻〕』清文堂出版、2000年
- 川端善明「日吉社叡山行幸記」岡見正雄博士還暦記念刊行会編『室町ごころ』角川書店、1978年
- 小泉宜右『悪党』教育社、1981年
- 五味文彦「永仁の前奏曲」松岡心平編『ZEAMI――中世の芸術と文化01』森話社、2002年
- 田村憲美『在地論の射程』校倉書房、2001年
- 千々和到「中世民衆の意識と思想」青木美智男ほか編『一揆4　生活・文化・思想』東京大学出版会、1981年
- 西田友広「大和国の廿人の悪党と興福寺・幕府」『古文書研究』59、2004年

第一章

- 網野善彦・笠松宏至編著『週刊朝日百科　日本の歴史12　中世Ⅱ－1　後醍醐と尊氏　建武の新政』朝日新聞社、1986年
- 網野善彦『異形の王権』平凡社ライブラリー、1993年
- 飯倉晴武『地獄を二度も見た天皇　光厳院』吉川弘文館、2002年
- 市沢哲「鎌倉後期の公家政権の構造と展開」『日本史研究』355、1992年
- 伊藤喜良「建武政権試論」福島大学行政社会学会『行政社会論集』10－2、1998年
- 井原今朝男『中世のいくさ・祭り・外国との交わり』校倉書房、1999年
- 井原今朝男「日本中世の利息制限法と借書の時効法」『歴史学研究』812、2006年
- 近藤成一「本領安堵と当知行安堵」石井進編『都と鄙の中世史』吉川弘文館、1992年
- 近藤好和『弓矢と刀剣』吉川弘文館、1997年
- 近藤好和『騎兵と歩兵の中世史』吉川弘文館、2005年
- 小林一岳「悪党と南北朝の『戦争』」『歴史評論』583、1998年
- 佐伯真一『戦場の精神史』NHKブックス、2004年
- 高橋典幸・山田邦明・保谷徹・一ノ瀬俊也『日本軍事史』吉川弘文館、2006年
- 林屋辰三郎『佐々木道誉』平凡社ライブラリー、1995年
- 松尾剛次『太平記』中公新書、2001年
- 百瀬今朝雄「元徳元年の『中宮御懐妊』」『金沢文庫研究』274、1985年
- 森茂暁『後醍醐天皇』中公新書、2000年
- 山本幸司「後醍醐王権の特質」『歴史評論』649、2004年

第二章

- 市沢哲「文和の政局」『文学』4巻6号、2003年
- 小川剛『南北朝の宮廷誌』臨川書店、2003年
- 黒田日出男「騎馬武者の像主」黒田日出男編『肖像画を読む』角川出版、1998年
- 佐藤進一『日本中世史論集』岩波書店、1990年
- 瀬野精一郎『足利直冬』吉川弘文館、2005年
- 竹田聴州『民俗仏教と祖先信仰』東京大学出版会、1971年
- 山本隆志『新田義貞』ミネルヴァ書房、2005年
- 吉田賢司「中期室町幕府の軍勢催促」『ヒストリア』184、2003年

第三章

- 飯田道夫『田楽考』臨川書店、1999年
- 伊藤磯十郎『田楽史の研究』吉川弘文館、1986年
- 伊藤喜良『東国の南北朝動乱』吉川弘文館、2001年
- 川瀬一馬校注『現代語訳　夢中問答集』講談社学術文庫、2000年
- 五味文彦『『徒然草』の歴史学』朝日選書、1997年
- 桜井英治「『御物』の経済」『国立歴史民俗博物館研究報告』92、2002年
- 佐藤和彦編『ばさら大名のすべて』新人物往来社、1990年
- 島尾新「会所と唐物」鈴木博之ほか編『シリーズ都市・建築・歴史4　中世の文化と場』東京大学出版会、2006年
- 関周一「唐物の流通と消費」『国立歴史民俗博物館研究報告』92、2002年
- 松岡心平『宴の身体』岩波現代文庫、2004年
- 村井章介「吉田定房奏状はいつ書かれたか」『中世の国家と在地社会』校倉書房、2005年
- 守屋毅『日本中世への視座』NHKブックス、1983年
- 綿抜豊昭『連歌とは何か』講談社メチエ、2006年

スタッフ一覧

本文レイアウト	姥谷英子
校正	オフィス・タカエ
図版・地図作成	蓬生雄司
	藤井尚夫（口絵）
写真撮影	西村千春
索引制作	小学館クリエイティブ
編集長	清水芳郎
編集	一坪泰博
	阿部いづみ
	宇南山知人
	水上人江
	田澤泉
編集協力	青柳亮
	木全英彦
	小西むつ子
	髙橋美香
	林まりこ
月報編集協力	㈲ビー・シー
	関屋淳子
	藤井恵子
制作	大木由紀夫
	山崎法一
資材	横山肇
宣伝	中沢裕行
	後藤昌弘
販売	永井真士
	奥村浩一
協力	株式会社モリサワ

写真所蔵先一覧

所蔵先と写真提供者、撮影者が異なる場合は、（　）内にその旨を明記した。

カバー

逸翁美術館（提供：中央公論新社）

口絵

1 宮内庁三の丸尚蔵館／2 浦嶋神社／3 能楽協会（提供：国立能楽堂）／4 大徳寺／5 退蔵院（提供：京都国立博物館）／6 国立歴史民俗博物館／7 真正極楽寺／8 瑠璃光寺（撮影：竹重満憲）

はじめに

1 細見美術館／2 大和文華館／3 奈良市南市町自治会（提供：奈良国立博物館）／4 東京国立博物館（提供：TNM Image Archives）／5 清涼寺（提供：京都国立博物館）

第一章

1 根津美術館／2 埼玉県立歴史と民俗の博物館／3 清浄光寺／4 天野山金剛寺（提供：埼玉県立歴史と民俗の博物館）／5 常盤山文庫／6 国立歴史民俗博物館／7 逸翁美術館／8 聖衆来迎寺（提供：京都国立博物館）／9 個人蔵（提供：京都国立博物館）

第二章

1 京都国立博物館／2 浄土寺／3 吉水神社（撮影：牧野貞之）／4 醍醐寺／5 白山比咩神社／6・7 撮影：牧野貞之

第三章

1・3 東京国立博物館（提供：TNM Image Archives）／2・14 知恩院（提供：京都国立博物館）／4 国立歴史民俗博物館／5 逸翁美術館／6 勝楽寺／7 高山寺（提供：京都国立博物館）／8 西本願寺／9 京都府立総合資料館（撮影：宮原正行）／10 妙智院／11 国立国会図書館ホームページ／12 前田育徳会／13 日本ナショナルトラスト管理（撮影：牧野貞之）

第四章

1・6 東京国立博物館（提供：TNM Image Archives）／2 東京大学史料編纂所／3 フリア美術館／4 真正極楽寺／5 四天王寺（撮影：牧野貞之）／7 頴川美術館／8 南禅寺（撮影：牧野貞之）

第五章

1・9 鹿苑寺／2 厳島神社（撮影：竹重満憲）／3 堺市博物館／4 春日大社／5 正倉院宝物／6 米沢市上杉博物館／7 神宮司庁／8 埼玉県立歴史と民俗の博物館／10 熊本大学附属図書館／11 真正極楽寺／12 相国寺／13 東京大学史料編纂所／14 日本銀行金融研究所貨幣博物館／15 市立函館博物館／16 杭全神社／17 鹿王院（提供：京都国立博物館）／18 方広寺

第六章

1 西本願寺／2 神護寺／3 醍醐寺／4 撮影：水産航空株式会社／5 山口県文書館／6・12 東京国立博物館（提供：TNM Image Archives）／7 福岡市埋蔵文化財センター／8 石清水八幡宮（撮影：牧野貞之）／9 等持院（撮影：牧野貞之）／10 山田家／11 醍醐寺（撮影：牧野貞之）／13 高山寺（提供：京都国立博物館）／14 JR 東海生涯学習財団

第七章

1・10 聖衆来迎寺（提供：京都国立博物館）／2 徳川美術館／3 石山寺／4・5 大徳寺／6 岡山県立博物館／7 清浄光寺／8 真正極楽寺／9 大仙院／11 称名寺（神奈川県立金沢文庫保管）／12 京都国立博物館

第八章

1 真正極楽寺／2 興福寺（提供：飛鳥園）／3・10・13 東京国立博物館（提供：TNM Image Archives）／4 上御霊神社／5 聖衆来迎寺（提供：京都国立博物館）／6 益田市立雪舟の郷記念館／7 興福寺／8 平等院（撮影：牧野貞之）／9 田中家（提供：中央公論新社）／11 飛騨市教育委員会／12 中野市教育委員会／14 福井県立一乗谷朝倉氏遺跡資料館／15 実成寺（提供：名古屋市博物館）

西暦	年号 干支	天皇	将軍	日本	世界
1457	長禄 1 丁丑	後花園	足利義政	太田資長（道灌）、武蔵江戸城を築く。蝦夷島南部でアイヌ蜂起。武田信広、首長胡奢魔尹を射殺（コシャマインの乱）。足利義政、庶兄の政知を関東に派遣（堀越公方）。	明、正統帝、復位し、于謙、処刑される。
1459	3 己卯			幕府、旧関を廃して京都七口に新関を設置し、関銭を大神宮造営料にあてる。京の西郊に土一揆。	オスマン帝国、セルビアを併合。
1460	寛正 1 庚辰			畿内に地震。この年、炎旱、虫損・大風雨のため諸国に大飢饉。幕府、足利成氏追討を命じる。	ポルトガル、エンリケ航海王子没。
1461	2 辛巳			前年よりの大飢饉で、京の死者 8 万 2000 人（寛正の大飢饉）。近江菅浦荘、惣庄置文を定める。この年、蓮如、最初の御文を書く。	イギリス、ヨーク朝始まる（～ 1485 年）。
1463	4 癸未			畠山政長、畠山義就を攻める。幕府、義就を赦す。	
1464	5 甲申	後土御門		畠山政長、管領に就く。義尋、還俗し足利義視と改名。	明、荊襄の乱（第一次）起こる。
1465	6 乙酉			近畿に暴風雨・洪水。山城西岡に土一揆。足利義政の妻日野富子、義尚を産む。	
1466	文正 1 丙戌			足利義政、斯波義敏を家督とする。細川勝元・山名宗全ら、斯波義廉を擁する。義政、足利義視殺害を謀るが、義視、勝元邸に逃れる。	
1467	応仁 1 丁亥			足利義政、管領畠山政長を罷免。畠山義就、政長を破る。細川勝元・畠山政長ら（東軍）、山名宗全・畠山義就・斯波義廉ら（西軍）と戦う（応仁の乱始まる）。この合戦で京中の邸宅・寺社が多数焼失。雪舟、明に渡る。	
1468	2 戊子			東西両軍、藤森・深草などで合戦。足利義視、上洛して東軍に入る。義視、足利義政と不和になり、比叡山に走り、西軍に入る。	1469 このころ、オスマン帝国、バルカン半島を支配。
1471	文明 3 辛卯			足利成氏、伊豆三島で足利政知と戦う。幕府、朝倉孝景を越前守護とする。蓮如、越前吉崎に坊舎を建立。桜島噴火。	ベトナム軍、チャンパーの大半を征服。
1473	5 癸巳		足利義尚	山名宗全（持豊）没。細川勝元没。足利義尚、将軍宣下を受ける。	インド、デカンに飢饉。
1474	6 甲午			山名政豊と細川政元が和睦。加賀で一向一揆。	
1475	7 乙未			蓮如、越前吉崎を去る。安芸東西条で徳政一揆。	
1476	8 丙申			太田道灌と伊勢新九郎、今川氏の家督争いを調停。	
1477	9 丁酉			大内政弘・畠山義統・土岐成頼・足利義視ら諸将、分国へ下向（応仁の乱終わる）。	1479 スペイン王国成立。
1481	13 辛丑			足利義政、朝鮮に船を送る。朝倉孝景、家訓『朝倉孝景 17 箇条』を制定。	朝鮮、『東国輿地勝覧』成立。
1483	15 癸卯			足利義政、子璞周瑋を明に派遣し、銅銭を求める。	
1485	17 乙巳			大内政弘、撰銭令を出す。南山城の国人ら、畠山義就・政長軍の撤兵を要求し、両軍の入国禁止などを定める（山城国一揆）。	イギリス、ばら戦争終結。テューダー朝成立。
1486	18 丙午			南山城の国人ら、宇治平等院で国中の掟を定める。上杉定正、太田道灌を相模に誘殺。京に徳政一揆。	

西暦	年号 干支	天皇	将軍	日本	世界
1428	正長 1 戊申	後花園		足利義持没。弟の青蓮院義円（足利義教）が継ぐ。京畿の土民、徳政を要求して蜂起（正長の土一揆）。幕府侍所、徳政一揆を禁止。	ベトナム、黎朝成立。
1429	永享 1 己酉		足利義教	播磨の土民蜂起し、守護方の侍と戦う。このころ、丹波に土一揆。	ジャンヌ・ダルク、オルレアンを解放。
1430	2 庚戌			幕府、洛中洛外酒屋土倉条々を定める。幕府、借物返済の法を定める。観世元能『申楽談儀』成立。	
1431	3 辛亥			大内盛見、大友持直らと筑前萩原で戦い敗死。幕府、初めて永享の年号を使用。	ジャンヌ・ダルク、刑死。
1432	4 壬子			足利義政、遣明船見物のため兵庫に下向。	
1434	6 甲寅			世阿弥、佐渡に配流。延暦寺僧が足利義教を呪詛したため、幕府、円明院領などを没収。	イタリア、メディチ家隆盛。
1437	9 丁巳			上杉憲実、足利持氏に討たれると聞き、相模国藤沢に逃れる。	
1438	10 戊午			幕府、足利持氏を討伐（永享の乱。持氏、翌年自害）。	イタリア、フェラーラ公会議。
1440	12 庚申			結城氏朝、足利持氏の遺児安王丸・春王丸を擁して挙兵。上杉清方ら、結城城を包囲。	
1441	嘉吉 1 辛酉			結城城落城し、結城氏朝敗死（結城合戦）。安王丸・春王丸処刑。赤松満祐、足利義教を誘殺し、播磨へ下向（嘉吉の乱）。京周辺で徳政一揆。幕府、山城一国平均の徳政制札を公布。	
1442	2 壬戌		足利義勝	足利義勝、将軍となる。この年、伊豆大島で噴火。	
1443	3 癸亥			この年、対馬の宗貞盛、朝鮮と交易の約を定める（癸亥約条）。世阿弥没。	明、均徭法を江西で施行。
1444	文安 1 甲子			幕府、造内裏段銭を諸国に課す。彗星出現。	ヴァルナの戦い。
1445	2 乙丑			管領畠山持国を罷免し、細川勝元を補任。	このころ、グーテンベルク、活版印刷を発明。
1449	宝徳 1 己巳		足利義成	足利義成（義政）、征夷大将軍となる。琉球商人、幕府に薬種・銭を進上。	明の英宗（正統帝）、捕らわれる（土木の変）。
1451	3 辛未			琉球商船、摂津兵庫に来着。大和で土一揆。	『高麗史』成立。
1452	享徳 1 壬申			幕府、徳政の禁制令を出す。	
1453	2 癸酉		足利義政（改名）	長谷寺・多武峯・天龍寺船など、銅・大刀などを明に輸出。	オスマン帝国、東ローマ帝国を滅ぼす。
1454	3 甲戌			山城醍醐・山科に土一揆。京に土一揆。幕府、分一銭の納入者に徳政を適用。足利成氏、関東管領上杉憲忠を謀殺（享徳の乱の始め）。	ドイツ騎士団とポーランドとの戦い激化。
1455	康正 1 乙亥			足利成氏、武蔵国分倍河原で長尾景仲らを破り、上杉憲顕・顕房、戦死。上杉房顕、成氏を下総古河に逐う（古河公方）。	イギリス、ばら戦争（～ 1485 年）。
1456	2 丙子			幕府、内裏造営のため洛中洛外に棟別銭、諸国に段銭・国役を課す。	

西暦	年号 干支	天皇	将軍	日本	世界
1397	4 丁丑	後小松	足利義持	足利義満の北山殿（金閣寺）、上棟。	デンマーク連合王国成立。
1398	5 戊寅			足利義満、朝鮮使の朴敦之に倭寇禁圧を約する。	ティムール、デリーに侵入。
1399	6 己卯			この春、鎌倉公方足利満兼、足利満貞（稲村御所）・満直（篠川御所）を陸奥に送り、南奥州支配を固める。足利義満、興福寺金堂供養に臨席。丹波の山名時晴、美濃の土岐詮直、近江の京極秀満ら、大内義弘に呼応して挙兵。義弘、堺で敗死（応永の乱）。	明の燕王棣、挙兵（靖難の変）。 イギリス、ランカスター朝成立。
1400	7 庚辰			足利義満、今川了俊を討伐、了俊降る。世阿弥『風姿花伝』成立か。	ベトナムの胡季犛、胡朝を興す。
1401	8 辛巳			足利義満、同朋衆祖阿・博多商人肥富を明に派遣。	
1402	9 壬午			足利義満、明を侵す九州の倭寇を禁圧を命じる。義満、明使を北山殿で引見。今川了俊『難太平記』成立。	明の燕王棣即位（永楽帝）。 アンカラの戦い。
1404	11 甲申			足利義満、明使を引見し、「日本国王之印」・永楽勘合などを受ける（勘合貿易開始）。	
1405	12 乙酉			足利義満、明使を引見。	ティムール没。
1408	15 戊子			足利義嗣、内裏で親王に准じて元服。足利義満没。幕府、重ねて土倉・酒屋役の制を定める。	
1409	16 己丑			鎌倉公方の足利満兼没。足利持氏が継ぐ。	ピサ公会議（3教皇並立）。
1410	17 庚寅			足利義満、高野山に参詣。	永楽帝、韃靼を討つ。
1411	18 辛卯			足利義持、明使の王進の入京を拒否。	
1412	19 壬辰	称光		京の四条河原で勧進猿楽。南蛮船、若狭小浜に来航。	1414 ドイツ南部でコンスタンツ公会議（～1418年）。
1413	20 癸巳			足利持氏、伊達持宗討伐のため畠山国詮らを送る。	
1415	22 乙未			幕府、北畠満雅討伐のため、一色義範らを伊勢に送る。上杉氏憲（禅秀）、関東管領を辞す。	ボヘミアの宗教改革者フス焚刑。
1416	23 丙申			足利満隆・上杉氏憲ら、鎌倉を襲い、足利持氏、駿河に逃れる（上杉禅秀の乱）。	
1418	25 戊戌			足利義嗣、殺害される。京に大火。近江大津の馬借ら、米売買のことを強訴。	ベトナム、黎利が挙兵。
1419	26 己亥			朝鮮の兵船、対馬に来襲、少弐満貞ら、朝鮮軍を撃退（応永の外寇）。	ボヘミア、フス戦争（～1436年）。
1420	27 庚子			朝鮮使節の宋希璟、足利義持に謁見。	明、唐賽児の反乱。
1421	28 辛丑			足利義持・義量、増阿弥の勧進田楽を見物。	明、北京に遷都。
1423	30 癸卯		足利義量	足利義持、将軍を辞す。朝鮮使、義持に大蔵経を贈る。足利持氏、小栗満重を攻め、京都扶持衆を撃う。義持、持氏を追討し、持氏謝罪。	
1425	32 乙巳			足利義量没。	
1426	33 丙午			近江坂本の馬借ら、内裏乱入などを企てる。	ベトナム、明軍を撃退。

西暦	北朝	南朝	北朝	南朝	将軍	日本	世界
1370	3 庚戌	建徳 1	後光厳	長慶	足利義満	幕府、今川了俊を九州探題に補任。	ティムール朝成立。
1371	4 辛亥	2	後円融			幕府、即位用途のため、諸国に段銭、洛中に酒屋・土倉役を課す。この年、懐良親王、臣と称して明に入貢。	
1372	5 壬子	文中 1				今川了俊、大宰府を攻め、懐良親王、筑後高良山に逃亡。この年、琉球国中山王察度、明に入貢。	
1373	6 癸丑	2				明使、入京。幕府、鎌倉五山について定める。	明で大明律・大明令成立。
1377	永和 3 丁巳	天授 3				斯波義将と細川頼之が対立。この年、高麗使の鄭夢周、今川了俊に倭寇の禁圧を要求。	チャンパー軍、ベトナムに侵攻。
1378	4 戊午	4				足利義満、室町殿（花の御所）に移る。	ローマ教会大分裂。
1379	康暦 1 己未	5				足利氏満、謀反を企てるが、上杉憲春の諫死で中止。足利義満、細川頼之の管領職を罷免。頼之ら讃岐に下る（康暦の政変）。	
1381	永徳 1 辛酉	弘和 1				室町殿落成供養。この年「日本国王良懐」、洪武帝に遣使。	イギリス、ワット・タイラーの乱。
1382	2 壬戌	2	後小松			足利義満、相国寺を創建。	明、科挙を復活。
1383	3 癸亥	3		後亀山		北朝、足利義満を源氏長者とし、奨学・淳和両院別当とする。北朝、義満を准三后とする。	
1388	嘉慶 2 戊辰	元中 5				倭寇、高麗の光州を陥落。この秋、足利義満、富士山を遊覧。	
1389	康応 1 己巳	6				高麗、対馬に襲来、倭寇船 300 艘を焼く。足利義満、安芸厳島神社に参詣。	オスマン軍、コソヴォの戦いで勝利。
1390	明徳 1 庚午	7				幕府、土岐康行を美濃に討つ（土岐氏の乱）。足利義満、越前気比社に参詣。	
1391	2 辛未	8				幕府、細川頼元を管領とする。足利義満、春日社などに参詣。山名氏清・満幸、山城内野で幕府軍に敗れ、氏清戦死（明徳の乱）。	北元、滅びる。
1392	3 壬申	9				後亀山天皇、後小松天皇に神器を渡す（南北朝合一）。	高麗滅び、李成桂、朝鮮建国。フランス、国王発狂し、内乱起こる。

西暦	年号 干支	天皇	将軍	日本	世界
1393	明徳 4 癸酉	後小松	足利義満	幕府、洛中洛外の土倉・酒屋役の制を定める。	明、藍玉の獄。
1394	応永 1 甲戌			足利義満、足利義持に将軍職を譲り、太政大臣となる。	
1395	2 乙亥			足利義満、太政大臣を辞し出家。幕府、今川了俊の九州探題を解く。	ティムール、サライなど周辺を攻略。

西暦	北朝	南朝	北朝	南朝	将軍	日本	世界
1341	4 辛巳	興国2	光明	後村上	足利尊氏	足利直義、夢窓疎石らと天龍寺船の派遣を決定。	ハンガリー王国、最盛期。
1345	貞和1 乙酉	6				光厳上皇、国ごとに設置の寺塔を安国寺・利生塔と定める。	
1348	4 戊子	正平3	崇光			楠木正行、高師直と河内国四条畷で戦い、敗死。師直、吉野を攻略。	このころ、ヨーロッパにペスト（黒死病）流行。
1349	5 己丑	4				足利直冬、長門探題となり備後国へ下向。足利直義と高師直、不和となる。足利尊氏、足利基氏を鎌倉公方とする。	
1350	観応1 庚寅	5				倭寇の高麗侵犯始まる。兼好法師没。足利尊氏・義詮と、足利直義・直冬の対立（観応の擾乱）。足利直義、南朝に帰服。	タイ、アユタヤ朝興る。
1351	2 辛卯	6				足利尊氏、足利直義と和睦。上杉能憲、摂津国で高師直・師泰らを討つ。南朝、尊氏らの政権返還・投降申し入れを容れ、直義追討の綸旨を下す。南朝、北朝の天皇・皇太子・年号を廃する（正平一統）。	元、紅巾の乱起こる。
1352	文和1 壬辰	7	後光厳			足利尊氏、足利直義を下し、鎌倉に入る。直義、鎌倉で没。南朝、足利義詮を近江国に逐い、正平一統を破る。幕府、近江・美濃・尾張3国の本所領を半済。	
1356	延文1 丙申	11				斯波高経、幕府に帰服。二条良基、『菟玖波集』を撰する。	ドイツ、金印勅書を発布。
1358	3 戊戌	13			足利義詮	足利尊氏没。	
1359	4 己亥	14				懐良親王・菊池武光ら、筑後大保原で少弐頼尚を破る（筑後川の戦い）。	紅巾の賊、高麗に侵入。
1361	康安1 辛丑	16				征西将軍懐良親王、大宰府に入る。南朝、京を襲うが、足利義詮奪回。	
1362	貞治1 壬寅	17				細川清氏、細川頼之に追討される。	
1363	2 発卯	18				この春、大内弘世、幕府に帰服する。	
1366	5 丙午	21				斯波高経・義将父子、失脚し、越前に下る（貞治の政変）。	オスマン帝国、アドリアノープルを首都に定める。
1367	6 丁未	22				高麗使の金竜、幕府に倭寇禁圧を要求。足利氏満、鎌倉公方となる。足利義詮、政務を足利義満に譲り、細川頼之を管領とする。義詮没。	
1368	応安1 戊申	23		長慶	足利義満	幕府、皇室・寺社領などを除く諸国本所領を半済とする（応安の半済令）。足利義満、征夷大将軍となる。	元、滅び、朱元璋、明を建国。
1369	2 己酉	24				楠木正儀、幕府に帰服。明の洪武帝、懐良親王に倭寇禁止と朝貢を要求。桃井直常、越中に挙兵。	

年表

西暦	年号　干支		天皇		院政	将軍	日本	世界
	北朝	南朝	北朝	南朝				
1331	元徳 3 辛未	元弘 1	光厳	後醍醐	後伏見	守邦親王	後醍醐天皇の再度の討幕計画が漏れ、日野俊基・文観・円観ら捕らえられる（元弘の変）。後醍醐天皇、笠置寺に逃れる。楠木正成、赤坂城に挙兵。幕府、光厳天皇を立て、後醍醐天皇を捕らえる。	大セルビア帝国、興る。
1332	正慶 1 壬申	2					幕府、後醍醐天皇を隠岐国に配流。幕府、日野資朝・俊基を処刑。尊雲法親王、還俗し吉野で挙兵。	
1333	2 癸酉	3					赤松円心（則村）、播磨国で挙兵。後醍醐天皇、隠岐国を脱出、船上山に拠る。足利高氏、幕府に反して、六波羅を陥落。新田義貞、鎌倉に攻め入る。北条高時ら自害し北条氏滅び、鎌倉幕府滅亡。	ポーランド王国、統一。

西暦	北朝	南朝	北朝	南朝	将軍	日本	世界
1334	建武 1 甲戌		後醍醐			大内裏造営料を地頭に賦課。南禅寺を五山の第 1 とする。新銭乾坤通宝を鋳造し、紙幣と併用。京に二条河原落書。護良親王を鎌倉に配流。	
1335	2 乙亥					西園寺公宗・日野資名ら謀反を企て捕らえられる。北条時行、信濃国で挙兵し、武蔵国で足利直義を破る。直義、護良親王を殺害し、鎌倉を脱出（中先代の乱）。足利尊氏、征東将軍となり、時行を破り鎌倉に入る。尊氏、新田義貞軍を駿河国竹下に破る。	元、科挙を中止。
1336	建武 3 丙子	延元 1	光明			足利尊氏、入京し新田義貞・楠木正成らと戦うが九州に敗走。尊氏ら、菊池武敏を筑前国多々良浜に破り、新田義貞・楠木正成を摂津国湊川で破る。正成自害。尊氏、光明天皇を擁立。尊氏、「建武式目」を制定。後醍醐天皇、吉野に潜幸（南北朝分立）。	南インド、ヒンドゥー王国のヴィジャヤナガル王国成立。
1338	暦応 1 戊寅	延元 3			足利尊氏	北畠顕家、後醍醐天皇の新政を批判。顕家、高師直と和泉国石津で戦い敗死。新田義貞、斯波高経と越前国藤島で戦い敗死。北朝、足利尊氏を征夷大将軍とする。	
1339	2 己卯	4		後村上		後醍醐天皇没。この秋、北畠親房、『神皇正統記』を著わす。足利尊氏、暦応寺（のち天龍寺）を造営。	イギリスとフランス、百年戦争始まる（～ 1453）。

ま行

や行

ら行

わ行

な行

は行

さ行

た行

索引

000—詳しい説明のあるページを示す。
000*—写真・図版のあるページを示す。

あ行

か行

全集　日本の歴史　第7巻　走る悪党、蜂起する土民

2008年6月30日　初版第1刷発行

著者　安田次郎
発行者　八巻孝夫
発行所　株式会社小学館
〒101-8001 東京都千代田区一ツ橋2-3-1
電話　編集　03(3230)5118
　　　販売　03(5281)3555
印刷所　凸版印刷株式会社
製本所　株式会社若林製本工場

Printed in Japan ISBN978-4-09-622107-5

全集 日本の歴史 全16巻

編集委員：平川 南／五味文彦／倉地克直／ロナルド・トビ／大門正克

1	旧石器・縄文・弥生・古墳時代 **列島創世記** 出土物が語る列島4万年の歩み	松木武彦 岡山大学准教授
2	新視点古代史 **日本の原像** 稲作や特産物から探る古代の社会	平川 南 国立歴史民俗博物館館長 山梨県立博物館館長
3	飛鳥・奈良時代 **律令国家と万葉びと** 国家の成り立ちと万葉びとの生活誌	鐘江宏之 学習院大学准教授
4	平安時代 **揺れ動く貴族社会** 古代国家の変容と都市民の誕生	川尻秋生 早稲田大学准教授
5	新視点中世史 **躍動する中世** 人びとのエネルギーが殻を破る	五味文彦 放送大学教授 東京大学名誉教授
6	院政から鎌倉時代 **京・鎌倉 ふたつの王権** 武家はなぜ朝廷を滅ぼさなかったか	本郷恵子 東京大学准教授
7	南北朝・室町時代 **走る悪党、蜂起する土民** 南北朝の争乱と足利将軍	安田次郎 お茶の水女子大学教授
8	戦国時代 **戦国の活力** 戦乱を生き抜く大名・足軽の実像	山田邦明 愛知大学教授
9	新視点近世史 **「鎖国」という外交** 従来の「鎖国」史観を覆す新たな視点	ロナルド・トビ イリノイ大学教授
10	江戸時代（一七世紀） **徳川の国家デザイン** 幕府の国づくりと町・村の自治	水本邦彦 京都府立大学教授
11	江戸時代（一八世紀） **徳川社会のゆらぎ** 幕府の改革と「いのち」を守る民間の力	倉地克直 岡山大学教授
12	江戸時代（一九世紀） **開国への道** 変革のエネルギーと新たな国家意識	平川 新 東北大学教授
13	幕末から明治時代前期 **文明国をめざして** 民衆はどのように“文明化”されたか	牧原憲夫 東京経済大学講師
14	明治時代中期から一九二〇年代 **「いのち」と帝国日本** 日清・日露と大正デモクラシー	小松 裕 熊本大学教授
15	一九三〇年代から一九五五年 **戦争と戦後を生きる** 敗北体験と復興へのみちのり	大門正克 横浜国立大学教授
16	一九五五年から現在 **豊かさへの渇望** 高度経済成長、バブル、小泉・安倍・福田政権へ	荒川章二 静岡大学教授

http://sgkn.jp/nrekishi/